# 世界を喰らう龍・中国の野望

Chine,
le grand prédateur:
Un défi pour
la planète

ピエール＝アントワーヌ・ドネ
Pierre-Antoine Donnet

序文／ジャン＝ピエール・カベスタン
Jean-Pierre Cabestan

神田順子 監訳
清水珠代・村上尚子 訳

春秋社

# 献辞

私は本書を、二〇一五年一月七日にシャルリー・エブドの仲間とともに殺されたカビュの未亡人、ヴェロニクに捧げる。私にとってカビュの知己を得ることができたのは喜びであり、私たちは二人とも東アジアに魅せられていた。彼の善良で温かい人柄は私の胸に刻まれている。本人は意識していなかったと思われるが、彼は私にかけがえのない人生の教訓を与えてくれた。

# 序文

ジャン＝ピエール・カベスタン

これは重要かつ有益な本である。重要なのは、著者ピエール＝アントワーヌ・ドネが中国の現体制の実態を現在進行中の国内・国外政策とともに総括し、中国に厳しく、かつ読者の心胆を寒からしめるレポートにまとめているからだ。有益なのは、ヨーロッパおよびフランスが、外交、戦略、経済、人権の視点から中華人民共和国と自分たちの関係を考察し、的確な結論を引き出すのは喫緊の課題だからだ。本書の原題「Chine: le grand prédateur（直訳すると「中国、巨大な捕食者」）」が、フランソワ・エスブールが先ごろ上梓した「捕食者の時代（Le Temps des prédateurs）」[*1][(1)]からインスパイアされていることは明白だ。ただし、欧州と三大捕食者（中国、米国、ロシア）との関係を考察するエスブールとは異なり、ピエール＝アントワーヌ・ドネは中国に焦点を当てた。もっともな選択だ。ドネは四〇年以上も前から中国を研究し、中国語が話せるからだけでなく、彼の目には中国の政治体制は――副題〔Un défi pour la planète〕が表明しているように――「地球にとっての懸念」となった、と映っているからだ。私がひとこと補うとしたら、世界にとって脅威となっているのは中国国民ではなく、現体制すなわち中国共産党――党員が九〇〇〇万人という巨大な機構であり、六〇万人以下の党幹部によって厳しく統制されているが、この統制のメカニズムは不透明そのものだ――である。

ピエール＝アントワーヌ・ドネは、舌鋒鋭い五章で構成されたこの本の中で、中国の現実、なかでも中国共産党がプロパガンダと情報操作によって実態を隠そうとしている暗黒面を分析している。ドネがここで深めた論考のテーマは、私がここで列挙するまでもなく、今や誰もが知っていることだ。中国の体制、なかでも習近平主席が二〇一二年から築き上げてきた体制は、これまでになく抑圧的だ。最新テクノロジーの活用により、ジョージ・オーウェルの小説を彷彿させる監視システムを整備した中国政府は、自分たちに脅威となりうるいかなる勢力よりも何歩も先を行《い》っている。二〇二〇年からは、香港にまだ残っていた民主主義と政治的自由を握りつぶすことで、この旧英国植民地を完全に支配下に置いた。チベットに続き、新疆《しんきょう》ウイグル自治区で住民に激しい弾圧を加えた。新疆では、真の意味での自治権を求めて活動する、若しくは単に自分たちの文化や宗教を守ろうとするすべてのイスラム教徒（ウイグル人、カザフ人、キルギス人）はテロを企んでいると疑われ、徹底的な締め付けの対象となっている。今の中国政府は過去にもまして、民主化どころか政治改革を求める機運でさえも、一つも見逃さずに芽のうちに摘み取り、容赦なく抑え込んでいる。そして、これからも排他的に権力の座に留まる、との意図をあからさまに表明した。外交部長（外相）の王毅が先だって述べたように、「一千年」の長きにわたってこの体制を継続するつもりなのだ。要するに、中国の体制と、この国の運命をつかさどる「秘密結社」は、民主主義にとって最大の敵となったのだ。その理由は、他国の権威主義体制以上に民主主義に敵対しているからではない（プーチンのロシア、ミャンマーで先ごろ起きた軍事クーデター、そして米国の議事堂襲撃事件――米国史において前例のない異常事態である――は、権威主義がいかに拡がっているか、民主主義から独裁への転落はいかに容易《たやす》く、短時間で起こりうるか、民主主義がいかに脆弱であるかを物語っている）。中国が民主主義の最大の敵である理由は、この国が現在、経済力と軍事力の両面で世界第二位の座にあるからだ。しかも、二〇二〇年代の終わりを待たずに、国民総生産（ＧＮＰ）の額で中国が米国を追い抜く可能性は大きい。加えて、中国は近隣、特に台湾海峡と南シナ海において米国とその同盟国を脅かす力を日に日に蓄えている。もし、アメリカが中国にリーダーシップを譲ることになったら、民主主義諸国の未来はどうなるのだろう？　そうなれば、民主主義が危うくなるのは必至であり、私たちが大切に思っている諸価値は風前の灯火となろう。

　西側において、中国の成長を支援する政策や「協調的商業（軍事力の行使ではなく、商取引を通じて平和に文明を発展させるべき、という啓蒙時代の思想）」を実践すれば中国に民主主義が根付くだろう、と考えた者たちの目論見は見事に外れた。これに関して、面映《おもは》ゆいことだが、ピエール＝アントワーヌ・ドネは私の著作に言及してくれた[2]。残念なことだが、件《くだん》の拙著が出版されてから三年経った今でも、私が出した悲観的な結論は通用する。それだけでない、ピエール＝アントワーヌ・ドネが本書で明らかにしているように、中国政府は、自分たちの存続、すなわち中国社会を押さえつける独裁の継続を担保するために、彼らが呼ぶところの「西側の民主主義」を批判するだけではもはや満足していない。強大となった経済力・財政力を背景に、彼らは地政学の将棋盤の上で駒を進め、社会主義と資本主義、中国の強権的システムと私たちの民主主義体制との間の力関係を、自分たちに有利なように変更すべく取り組んでいる。中国は、自分たちの「モデル」を輸出するつもりなど毛頭ないと言いながらも、「人権は普遍的な価値だとするアプローチは欺瞞だ」とあげつらい、自分たちの統治システムの利点を声高に主張し、国際組織や外国機関への食い込みを前代未聞の規模で展開することで、着々と地歩を固めている。中国による蚕食が特に著しいのは国連であり、ここでは中国の主張が浸透する一方である。習近平は国連ジュネーヴ事務局での演説で、人類は同じ運命を共有していると説いた……[*2]

北京体制の捕食者的な性格は多面的である。中国経済の前例のない発展は、一九七九年に共産党が方針の大転換によって手綱《たづな》を緩めたことで起業や金儲けを許された中国国民の殊勲《しゅくん》として称えるべきだ。しかし、この未曾有の近代化は、未曾有の懸念、すなわち環境破壊の懸念を生み出した。習近平をいただく中国政府はこれを認識しているが、中国当局の意思決定の仕組みが不透明であり、中国の国際社会への参加で不十分かつ未完であることが、中国が直面している諸問題——全世界にも深刻な影響を与え、解決が必要となっている問題だ——を深刻化させている。すなわち、中国国内においては、発電の脱石炭化の遅れ、水資源の重大な汚染。地球規模では、中国による熱帯の森林伐採、海洋漁業資源の大々的な乱獲。中国の現体制が、米国をはじめとする先進国から技術面でのリーダーシップを奪ってテクノロジーを自家薬籠中のものとするためなら手段を選ばないことは、以前より周知の事実である。近年、このテクノロジー戦争が激化しているのも、習が二〇二〇年に導入した新発展戦略「双循環」の一環だからだ。この新戦略によると、中国は国内消費を刺激するのと同時に、経済近代化の努力を継続せねばならない。平たく言えば、西側のテクノロジーへの依存度を減らし、独自のテクノロジーと規格を確立して可能な限り多くの国に——まずは中国がコントロールしやすい南の国々に、次いで中国経済への依存度が高い北の諸国に——採用させることが中国の狙いだ。言い換えると、中国政府は現在、経済面での西側とのデカップリングを目指して独自戦略を導入しつつあるのだ。この企みは成功するのであろうか？　中国は明日のテクノロジー界のリーダーとなれるのだろうか？　そう簡単ではない、と私は思う。中国は特定分野（ミサイル、ロケット、衛星、ドローン、高速鉄道、オンライン決済）で素晴らしい成果を上げているが、まだ多くの分野（集積回路、航空機エンジン、ナノテクノロジー、医学研究など、その数は多い）で大きく水をあけられている。

　中国が抱く国際的野心がどのようなものであるかは知られている。いかなる犠牲を払ってでも台湾を併合する、島嶼やサンゴ礁を含め、領有を主張している海域を管轄下に置く、自分たちの規範を国際規範として受け入れさせる、世界経済を再編することでその中心を西側から中国へと移す。中国共産党の考えでは、以上の実現によってのみ、中国は米国を世界一の大国の座から引きずり落とすことができるのだ。習近平が提唱する「新シルクロード構想」の裏に隠された戦略を見ようとしない者は、自分自身に嘘をついている。一帯一路（ＢＲＩ）が経済的目的（中国の大グループ企業の国際的展開、新しいマーケットの征服、資源供給の安全確保）を追求していることは明白である。しかし、中国は自分たちに経済的・財政的に依存する南の国々の数をますます増やし、依存の絆を何倍にもすることで、多くの国と非対称的な新たな関係を築き上げ、これまでにない形態のヘゲモニーを生み出した。支配‐従属の関係である。ここ何年かのあいだに、中国政府の執拗な求めに応じ、新疆ウイグル自治区や香港における中国の政策に支持を表明した国の数の多さは、この支配‐従属関係がいかに強まっているかを示している。これらの国々は「中国を愛している」のだろうか？　無論のこと違う。なんのことはない、中国に債務を負っているため、中国政府の意のままに動くほかないのだ。

朗報――これを朗報と呼ぶのは適切でないかもしれないが――は、ＢＲＩ構想が躓《つまず》いていることだ。南の国々が中国の国有銀行に債務を返済することがますます困難になっているだけでなく、中国政府も国内経済の成長、国内のインフラ整備プロジェクト、先端技術の研究開発にこれまで以上に資金を投入する必要に迫られているからだ。ただし、この情勢変化によって過激となる一方の中国外交の強硬路線が和らぐチャンスは皆無だ。これを真っ先に実感したのは、オーストラリア、カナダであり、新疆ウイグル自治区において目に余る人権侵害を指示・実行した複数の高官に的を絞った制裁を決定した欧州連合も中国から報復された。台湾を脅す言動は頻繁になる一方で、軍事危機、もっと言えば武力衝突さえも懸念される状況だ。そのような事態となれば米中の直接対決となり、短時間のうちに核兵器も投入されることだろう。折も折、コロナ禍がいつ収束するのかが見通せず、中国と米国の経済が再び堅調な伸びを示す（二〇二一年は六～八％の成長）一方で、他の国々の（少なくとも欧州の）経済はなかなか回復せず、民主主義国家においてもポピュリズムと不寛容が台頭している。

　以上の状況を踏まえ、ピエール＝アントワーヌ・ドネによる緻密で警告に満ちた総括に鑑み、我々はどのように行動すべきだろうか？　私の考えでは、地政学的対立、経済競争、私たちと中国を隔てるイデオロギーの違いによる競合がどのようなものであるか、どれほど深刻であるかを認識することが第一歩である。私たちは既に新たな冷戦時代に突入している、と私は考える。私たちはこの冷戦を望んでいないが、中国共産党の言説、政策、行動は、私たちに回避の余地を与えてくれなかった。この見解に賛同しない読者がいることは承知している。賛同しない理由も理解できる。今の時代とかつての冷戦時代（私はあの時代のことをまだ覚えている。私が東西ベルリンを隔てるチェックポイントを初めて通ったのは一九七四年のことであり、ソ連を初めて訪れたのは一九七七年、ブレジネフがソ連共産党書記長だけでなく最高会議幹部会議長の肩書も手に入れるために憲法を改正したばかりであった）には明らかに違いがあるからだ。また、今の世界はグローバル化されており、中国もグローバリゼーションに組み込まれている、との理由を挙げる人もいるだろう。だが、まさに、中国がグローバリゼーションに完全には組み込まれていないのが問題なのだ。中国は私たちが信奉する普遍的価値を無視するばかりか、世界貿易機関（ＷＴＯ）の規範や海洋法を無視しているうえ、最近では外交上の礼儀や慣例も破っている。強国となって以来、中国は機会があるごとに、そうした価値や規範に攻撃を仕掛けている。

中国政府の主張に話が及ぶと、欧州は中国とのあいだに戦略的紛糾を抱えていない、と私に反論する向きもあろう。確かに、欧州はアジア太平洋地域から離れているし、私たちの戦術的懸念はもっと身近なものだ（イスラム主義者によるテロ、イスラム系武装集団が跋扈するアフリカのサヘル、プーチンのロシア、きな臭い中東）。私たちは極東に軍事介入する手段を欠いているのも事実だ。南シナ海を念頭に置いて、航行の自由の原則は極東においても尊重されるべき、との声明を出すのがせいぜいだ。だが、例えばだが、台湾海峡で米中紛争が勃発したら、私たちはどのような対中政策を採ったらよいのだろうか？　欧州の大半の国はＮＡＴＯのメンバーとして、同盟国であるアメリカを支持し、中国封鎖を実施し、中国との経済関係や人的交流を凍結することを余儀なくされるであろう。今のところ事態はそこまで深刻化していないが、台湾に強権を行使しようとする中国の意図を黙認することはミュンヘン会議の二の舞であり、私たちは同じ間違いを犯してはならない。台湾の行く末を中国が牛耳ること、もしくは、他国が領有する南シナ海や東シナ海の島々に中国が少しずつ触手を伸ばして実効支配することを認めてはならない。軍事面ではともかく、欧州にはまだ、経済競争、なかでもテクノロジー分野での競争で中国と戦う力がある。とは言え、欧州の経済面での対中依存度を可能な限り引き下げることは必須であろう。すなわち、戦略的に最重要な産業を中国から引き揚げて欧州に戻し、その他の企業についても、私たちの経済的依存を逆手にとって要求を呑ませようとする恐れが（中国と比べれば）少ない、もしくは逆手に取る力量が小さい国に移転させるべきだ。これには、私たちの企業が中国市場における売り上げを失う危険が伴うことは確かだ。だが、ここ何年かの中国政府の思惑とはまさに、国内市場において外国の企業グループを脇役に追いやることではないだろうか？　中国政府が特定の経済部門を外国に開放するのは、自国のトップ企業が当該部門で優先的地位を固めたとの確信を得たのちではないだろうか？

最後に強調したいのは、民主主義とその価値を守ることの、以前にも増した重要性である。私たちの代わりに誰かが守ってくれることはないからだ。これについて、私は幾らかの楽観をこめて話を進めたい。私は一四年前から香港の大学で、中華人民共和国の内政および外政を教えている。二〇〇七年に着任したとき、学生たちは一般的に政治には無関心で、香港の政治情勢に興味を示すこともなかった。その後、事情は変わった。学生たちは二〇一四年の雨傘運動に参加して危険に身をさらした。そして次に、二〇一九年には、容疑者引き渡し条例に反対し、香港の政治体制民主化を求めて再び立ち上がった。その結果がどうなったのかは知っての通りだ。無論、私の教え子たちは以前より慎重となった。しかし私たちは以前と変わらず、政治学の徒なら避けることができないあらゆるテーマを授業で取り上げている。中国本土からやってきた学生たちは、政治的な問題に対して鋭い感性を示しており、ほんの一〇年前は想像もできなかった独立《どくりつ》不羈《ふき》の精神の持ち主である。もっと言えば、彼らが民主主義の実験室としての台湾に寄せる関心は高まる一方である。私には台湾社会のメリットを称える一方で中国共産党（私が学生であった一九七〇年代の終わりには、台湾ではまだ「共匪」と呼ばれていた）には辛口となる傾向があるのは秘密でも何でもないが、そうした私がことさらに誘導するまでもなく、中国人学生たちは台湾の民主主義に興味津々なのだ。

　ゆえに中国社会にも変化がある。だから、中国をよく知らない読者は北京のプロパガンダに惑わされないように気を付けるべきだ。権力の正当性について考察したマックス・ウェーバーに倣《なら》うなら、議論の余地がない成果を出しているがゆえに現体制が正当性を今でも享受していることは確かだし、[*3]中国人の大半は愛国者である。だが、中国共産党を「愛し」て、党が言うことを鵜呑みにしている者は少数派だ。入党する者の動機は立身出世の功利主義である。本土の中国人の多く――そして今や香港人の多くも――は、自分の本音は胸にしまう、もしくは親しい人にのみ打ち明けている。彼らは、公式の言説を真に受けたりせず、懐疑的だ。党のプロパガンダは現実を美化し、党のイメージを傷つけかねないことはすべて隠蔽している、と知っているからだ。何よりも、共産党は超法規的な存在であり、権力の前に法規は無力であることを国民は知っている。それだけでない、エリートのあいだにも習近平を批判する向きがある。習個人への権力集中、彼の権威主義、国際舞台で見せる攻撃性を非難する声は国内でもしばしば上がっている。だからと言って、習近平の権力が危うい、というわけではない（権力中枢の不満分子が起こす革命によって習は失脚する、と予測する者もいることはいるが）。ましてや、現体制が追い詰められている、とは言い難い。それでも、中国社会が自律的な個人の集まりとなり、グローバル化していること、思想面での多元主義が日に日に強まっていることは確かだ。教育程度が向上し、国外の世界や自国についての国民の知識も以前と比べて深まった。中国社会はまた、さらなる自由を欲している。特に欲しているのは、二〇二〇年春のコロナ禍で明らかになったように、情報と言論の自由である。

中国政府は――政治色が何であれ、あらゆる中国指導層は――、引き続き対処すべき数多くの難題を国内に抱えていることも忘れてはならない。環境の気がかりな現状、人口の急速な高齢化、耕作可能土地面積の劇的な縮小、もはや絶対的困窮ではないものの国民の半数以上がまだ脱却することができない貧困（六億人の中国人の月収は一二〇ユーロ未満）、都市中産階級の生活レベル向上への膨らむばかりの欲求。言い換えるなら、中国は対外的に作り出したイメージほど強い国ではないのだ。近々《ちかぢか》上梓する予定[*4]のエッセーで私が明らかにしようと努めるように、中国は今後も、米国との武力紛争に打って出ることを躊躇し、戦略家たちが呼ぶところの「（戦争と平和の間の）グレーゾーン」をうまく利用するほうが得策だ、との姿勢を取り続けることであろう（台湾への対応においても同様である）。中国の現体制の要求、脅し、恫喝に私たちが毅然と対処するためにも、以上は覚えておくべきだ。私たちと中国の間で始まった腕相撲は、長丁場となることが確実だ。ゆえに、私たちはこれまで以上に入念に準備する必要がある。

この準備は、双方の利益が一致する場面において――例えば、地球温暖化対策、新型コロナ対策、イラクや北朝鮮の核問題――私たちが中国政府と協力することを妨げるものではない。しかしながら、幻想は禁物だ。今や、対立が協調を上回る構造となっている。

中国は唯一の捕食者ではない。ロシアも捕食者だ。とはいえ、ＧＮＰがイタリアと同程度のロシアが他国を害する能力は限定的だ。したがって、三〇年以上前に北京で出会って以来の友人であるピエール＝アントワーヌ・ドネが中国への警戒を呼び掛けるのは理にかなっているのだ。その詳細を発見するスリリングな読書体験が、読者を待っている。

ジャン＝ピエール・カベスタンはフランスの中国研究者。専門は、現代中国世界、特に台湾の法律と諸制度。フランス国立科学研究センターの研究部長。二〇〇七年より、香港浸会大学の政治学部長を務める。アジア・センター＝サントル・エチュード・アジ（パリ）の研究員でもある。

**註**

＊1　参考文献は巻末〔の文献註〕にまとめた。

＊2　「絶対に安全な桃源郷はない。一国の安全は他国の混乱の上に築けず、他国への脅威は自国への挑戦にもなりうる。隣人に問題が生じたら、家の垣根を作ることだけを考えてはならず、手を貸すべきである（中略）各国は共同の、総合的な、協力による、持続可能な安全保障観を打ち立てるべきである」「共に人類の運命共同体を築こう」と題された、習近平が国連ジュネーヴ事務局で二〇一七年一月一八日に行った演説からの抜粋。〈習近平主席の国連ジュネーヴ事務局における講演全文（china-embassy.or.jp）〉

＊3　Yves Sintomer et Jérémie Gauthier, 《Les types purs de la domination légitime: force et limites d'une trilogie》, *Sociologie*, vol. 5, 2014/3, p. 319-333.

＊4　Jean-Pierre Cabestan, *Demain la Chine: guerre ou paix?*, Paris, Gallimard, 2021.

世界を喰らう龍・中国の野望　目次

## 第3章　未来のテクノロジー



中国は「世界の工場」から「世界の研究所」へ

# 世界を喰らう龍・中国の野望

# はじめに

武漢で発生した新型コロナによるパンデミックで大きな痛手を受けたものの、中国は二〇二〇年にこれ見よがしのプラス成長（＋二・三％）を達成した唯一の経済大国であった。この堅調ぶりは続くだけでなく、二〇二一年はさらに大きく数字を積み重ね、二〇二〇年の苦戦を跳ね返す年となると思われる。[*1] 二〇二〇年一月二〇日にジョー・バイデンが米国大統領に就任したことで再び結束が固まった西側諸国は、中国の独走を阻もうと画策しているが、努力は実を結んでいない。やがて世界一の強国となるであろう中国[*2]は、これから数世代の地球人にとって、地球温暖化、エコ社会への移行、過度な経済発展、技術革新、政治的変動の課題に対応するうえで最大の懸案となるだろう。いずれも、中国独自の発展モデルが生み出した脅威である。中国社会は前進あるのみの疾駆のただなかにある。これが国内の極貧問題を記録的な速さで一掃したことは確かだが、人類にとって重大な結果を引き起こしている。人口、経済、環境の面で中国の比重が大きいという理由だけをもってしても、今日、北京が下す決定は、明日の世界に重くのしかかる。だが、中国当局が現在の戦略の方向性を変更する兆《きざ》しは皆無である。むしろ、その逆である。自《みずか》らの存続確保を唯一の目的として、中国共産党は現在の方針を固守するつもりだ。一党独裁を正当化するのは経済成長だからだ。中国は、全世界との衝突に向かう軌道に乗っているのだろうか？　正確には何が争点となっているのだろう？　誰がこの狂気じみた疾走に待ったをかけることができるのだろうか？[*3]　一九世紀には欧州が世界各地を植民地化し、二〇世紀にはアメリカが世界を支配したが、二一世紀には中国が世界の環境、政治、経済をむさぼる最大の捕食者となるのだろうか？　これこそ、本著で私が掘り下げようとする主要テーマの一つである。

誤解しないでいただきたい。私には、経済や社会の進化を追求する中国の権利を否定するつもりなど毛頭ない。その逆だ。中国の国民には、すべての国の国民と同様に、「陽の当たる場所」を求める権利がある。中国が千年以上ものあいだ、世界一の強国であったことも忘れてはならない。同じころ、飢饉、疫病、宗教戦争に苦しんでいた中世の欧州は、中国の繁栄について単に無知であった。私は、中国の才知――たった四〇年で極貧から抜け出し、ひたむきな努力の結果として世界第二の経済大国という誰もがうらやむステータスに到達した中国国民の才知――に敬意を表するのに人後に落ちない。[*4]先見の明があった鄧小平が一九七八年に開始した改革以降の中国は、驚異的なまでに急速な発展を遂げた。これは敬意と称賛に値する。一世紀半前、アヘン戦争とそれに続く「不平等条約」で自国が嘗《な》めた屈辱の記憶がトラウマとなっている中国国民が、この躍進を誇りに思うのは当然である。これで、おあいこになった、と言えよう。それだけでない。世界の中心がアジアへと移る、という大転換も夢ではない。

今度は自分の番であるとばかりに恐ろしき捕食者となるずっと以前、清朝（一六四四～一九一一）の中国は一九世紀において無慈悲な西欧諸国の餌食であった。この点は忘れないでおこう。これが否定不能な事実であるにしても、当時のコンテクストを考慮に入れる必要がある。腐敗で内部から崩壊を始めた清朝は衰退期に入り、断末魔の苦しみを味わっていた。西太后は、外国の侵略を退けるための艦隊を建造するための資金を調達するよりも、自国民の貧困に思いを寄せるよりも、夏の離宮（第二次アヘン戦争のさなかの一八六〇年、英仏軍によって略奪、破壊された）を修復し、湖に浮かぶ船のような建造物〔石舫〕を大理石で建てることを優先した。しかし、中国の公式プロパガンダは、こうした事情について、口をつぐんでいる。[*5] 現在進行形である中国の信じられないような変容が引き起こす激動は数多く、その影響は地球全体に及んでいる。この事実に私たちは今、――無用な敵意を交えることなく――向き合わねばならない。中国は、地球の天然資源枯渇、砂漠化、生物種の絶滅、そして何よりも地球温暖化に大きくかかわっている。中国の壮大な「新シルクロード」構想が経済支配の手段であり、商業・環境・政治のすべての面で世界を貪《むさぼ》る新形態の捕食であることは明らかだ。ゆえに、私たちが直視すべきは、果たして中国には、現在と将来の世界における新たな大国としての重責を担う意向と能力があるのか、という深刻な問いである。中国はいつの間にか、地球の未来を考える上でどのように対峙すべきか、という問いを私たちの良心に突きつける存在となった。新疆、チベット、香港への対応で中国は仮面をかなぐり捨て、台湾進攻の意図も隠さなくなった。悠久の中国との関係を楽観視する時は終わった。私たちは、唐突で容赦ない目覚めを迎えた。

本著が中立的でないことは、私も認める。だが私は一貫して、客観的であろうと心掛けた。ジャーナリストの第一の義務は、主観性ではなく客観性を選ぶことだ。こと中国に関しては、社会の変容の紆余曲折があまりにも複雑なので、客観性を保つことは難しいにしても。だが誠実で探究心旺盛なジャーナリストの本質は、見張り番の役割を果たすことではないだろうか？　火事が平野に迫った時、もしくは洋上でスコールが水平線上に発生した時に警鐘を鳴らすのが見張り番の使命ではないだろうか？　二〇二一年の第一四半期を使って私が実行した調査は、明白に認知され、信頼に足り、確認済みのソースに基づいている[*6]。すなわち私は、可能な限り先入観を抱くことを避けるように努め、読者自身に判断してもらうため、党派的な分析を加えることなく情報を生のままに伝えることにした。ファクトのみを伝える、というこの鉄則を、私は一九八二年にＡＦＰに入社したときに学んだ。私はこれを、これまでのキャリアで一度も放棄していない。ゆえに私は、いつの間にか今日の世界の基調となった一つの現実——気付いた時にはレーダーのモニター上に広がり、私たちを当惑させている現実である——を提示し、これをどのように判断するかは読者にお任せすることにした。私は執筆にあたり、根拠のない論争、攻撃的な物言い、憎しみを入り込ませないように自分を戒《いまし》めた。だが、読んで下さればお分かりになるように、こうした方針は必ずしも守られなかったようだ。書き進めるに従い、本書のメッセージに与える意味に関して疑問がもくもくと湧いてきた。ただし、ルビコン川を渡ることは容易ではなかった。眠れぬ夜を重ねるなか、私は自分が書いている本の意味づけについて、ああでもない、こうでもない、と考えた。しかし、眠りに見放された夜には、よき相談相手になってくれる、という美点がある。ウイグル人、カザフ人、キルギス人、そして新疆ウイグル自治区（一九五〇年に毛沢東の中国によって併合された旧東トルキスタン）のイスラム教を信仰するその他の少数民族の、地獄のような強制収容所での体験に関する衝撃的な証言——二〇二〇年より、こうした証言は増える一方であり、特に女性の証言が多い——は、中立に徹しようとする私の抵抗を打ち負かした。合理的に考えて、虚偽だと疑うことがもはや許されないこれらの証言は、すべての人の良心を揺さぶる。私の良心も例外ではなかった。なぜ中国を批判するのか？　当然ながら、この本には、私が深い尊敬と大きな称賛の念を捧げている中国人を非難する意図はない。だが、習近平の体制は批判せざるを得ない。断わっておくが、本書は私個人のプロジェクトであり、すべての責任は私にある。ＡＦＰは三〇年間、私の第二の家族であったが、本著に関してどのような形であれＡＦＰの責任を問うことは不適切である。

　中国の現状に、あの国を愛する私の心は引き裂かれ、ひりひりと痛む。中国が今やさまざまな点で恐ろしい国となってしまったことを証言する声は既に数多いが、私の声もこの合唱に加えざるを得ない、というのが私の結論である。私は今に至るまで、長い年月、中国に魅せられてきた。私が真の意味での毛沢東主義者であったことは一度もない。昔から、流行にかぶれることを警戒していたし、使《し》嗾《そう》された群《むれ》に加わることを避けてきたからだ。だが青年時代の私は、スクール・ルージュ〔一九六八年五月の学生運動を機に、サルトル等を指導者として再結成された左翼集団〕の一員として活動していたし、父親に舌打ちされながらも自室の壁には当時のカリスマ的首相、周恩来のポスターを貼っていた。このポスターは数年間、剥がされることがなかった。友人たちが今でも覚えているように、私はバカロレアに合格するや否や、中国語の勉強に励んだ。やがて新たな人間が誕生して世界を照らし人類を救ってくれる、と固く信じていた若者たちのあいだで、毛沢東の中国に対する無邪気な期待があった時代である。だいぶ経ってから、私たちは騙されていたことに気付いた。毛沢東の約束は実のところ、中国におぞましい災厄をもたらした。中国共産党は現在でも、この事実を隠蔽している。二〇二一年の今、昔のように無邪気な中国観を抱くことは難しい。だが中国によるプロパガンダもあって、私たちの指導者や有力政治家たちの多くは無邪気な中国観に感染している。台湾と香港での語学留学の期間も含め、私は八年間、中国という国を内側から学んだ。あれから三〇年以上が経ったが、私は絶えず中国を観察し、頻繁に訪れるのを止めていない。そのような私は熟考の末、沈黙を破る時が来た、と覚悟を固めた。本書は、この熟考の果実である。どのようにして、なぜ中国が世界の良心を試す存在となったのか。これを問うことが、本書の目的である。

**註**

＊1　中国人民銀行（中央銀行）の政策顧問、劉世錦によると、二〇二一年における中国のＧＤＰの伸びは八〜九％に達し、中国は再び高度成長の波に乗るはずである（ロイター、二〇二一年二月二六日）。

＊2　この分野では権威と見なされている英国の民間調査機関、経済ビジネス・リサーチ・センター（ＣＥＢＲ）が二〇二〇年一二月二六日に発表した年次報告書二〇二〇は、中国はこれまでの予測よりも五年早い二〇二八年に米国を追い抜いて世界一の経済大国となる、と予測している。パンデミックにもかかわらず二〇二〇年第二四半期に経済が急激な勢いで回復したことが、その主たる要因とされる（CEBR, *World Economic Table 2021*, December 2020, p. 8, 〈https://cebr.com/wp-content/uploads/2021/02/WELT-2021-final-15.01.pdf〉）。日本経済センター（ＪＣＥＲ）も同様の予想を立てている。ＩＭＦの予測によると、二〇二一年における中国経済成長は七・九％に達し、G20の中でこれに対抗できる国は一つもない。中国のＧＤＰは毎年、二〇二一年から二〇二五年の間は平均五・七％、二〇二六年から二〇三〇年の間は平均四・五％の伸びを続け、他の先進国を寄せ付けないパフォーマンスを見せると思われる。世界経済における中国の重みは、二〇〇〇年の三・六％から二〇二〇年には一七・八％にまでなっているが、その伸長ぶりは今度もとどまることがないだろう。

＊3　当然ながら、中国の指導者たちは狂人とは程遠い。それどころか、彼らは極めて合理的であり、彼らの経済に関する決定は熟考に裏付けられている。ただし、中国の成長がここ一〇年間、以前と比べてかなり鈍化していることも指摘しておきたい。

＊4　自分が述べた賛辞に水を差すようだが、中国国民の富裕化は一部の人間にことに恩恵をもたらした、と付け加えねばなるまい。中国における貧富の格差は世界一のレベルに達している。

＊5　やはりというべきか、中国は最近もこうした過去をプロパガンダに使っている。二〇二一年三月二四日、中国外務省の報道官、華《か》春《しゅん》瑩《えい》は、新疆ウイグル自治区におけるウイグル人弾圧に関わった中国人高官に対して欧州連合、カナダ、イギリス、米国が発動した合同制裁措置を、一九〇〇年の米・欧・日の連合軍による中国侵略（義和団事変）になぞらえ、「だが、現在の中国は一二〇年前の中国とは異なる。何者も、中国人民を怒らせるべきではない」と述べた（Kristin Huang,《China-EU relations: Beijing ramps up the rhetoric in dispute over sanctions》, *South China Morning Post*［以降、*SCMP*と呼ぶ］、二〇二一年三月二四日。〈https://www.scmp.com/news/china/diplomacy/article/3126793/china-eu-relations-beijing-ramps-rhetoric-dispute-over〉）。

＊6　読者自身が情報源を確認し、情報を掘り下げることができるように、私は可能な限りソースのＵＲＬを記載した。

# 第1章 新「ホモ・シニクス」——ウイグル人とチベット人の悲劇

当局の絶え間ない厳しい監視下に置かれた一四億の人々が、大勢順応、恭順、規律、服従の世界で暮らしている。この世界では、型にはまった思考が自由意志を次第に駆逐している。ある種の集団的監禁への服従に慣れきった明日の中国人を想像すると怖くなる。これは、人間社会の明日の姿の前触れなのだろうか？　だが私たちは、ウイグル人とチベット人の悲劇に目をつぶるわけにはゆかない。

「人類に絶望を覚えることがある」

——ロベール・バダンテール〔フランスの法律家、政治家、文筆家〕

「世界は、悪を成す人間たちではなく、手をこまねいて彼らを眺めている人間たちによって破壊されるだろう」

——アルバート・アインシュタイン

## 中国国民——世界で一番監視されている国民

中国国民は、世界で一番監視されている国民である。精緻な顔認識ソフトを搭載した監視カメラがあちらこちらに設置され、すべての大都市の公共の場における市民の一挙手一投足《いっきょしゅいっとうそく》を恒常的に見張っている。世界でもっとも監視カメラが多い二〇都市のうち一八が中国にある、というのだから何をか言わんやだ。トップ二〇のうち、中国に属していない都市はロンドンとハイデラバード（インド）だけであり、しかも大人《おとな》しく末席に列している。二〇二一年現在、世界中で合計一〇億台以上のカメラが大小の都市で稼動しているが、そのうち五四％は中国に集中している。[3] ゆえに、中国では今や、ビッグブラザーがいたるところで目を光らせているのだ。街のカメラもしくは区画担当委員が、あなたの悪しき行動を察知したらどうなる？　共産党の党員や、居住区画の代表になることは金輪際あきらめねばならない。以降、あなたがエリート集団に加わることは不可能となる。紙屑をポイ捨てする、横断歩道でないところで道を渡る、水道メーターの数字をごまかす、樹木を伐採する、無賃乗車する……。中国では、良き市民の規範から外れるこうした行為はひどく高くつく可能性がある。中国の約四〇の都市が二〇一九年より、市民の社会的信用度をスコア化する「社会信用」システムを試験的に導入している。市民の社会信用度が様々な基準で採点され、第二の身分証明書と見なされるスコアが一人一人に与えられるのだ。この社会信用システムの構築にかかわった林鈞躍教授は、「このシステムの目的はモラルの再構築である」と言う。教授によると、このようなシステムは「中国人のマナーのレベルを先進国と同程度までに」引き上げることを可能とする。正しい振る舞いのルールに従わない者は、報いを受けることになる。「社会信用」システムは二〇二〇年一〇月、中国全土に適用された。氏名と住所——時として本人の顔写真も——が記載された、ネットでの閲覧が可能な「ブラックリスト」が既に全国レベルで整備されている。このリストには、金がらみのトラブルや借金を抱えている個人も登録されていて、こうした人々の生活に大きな影響を与えている。[*1] 何百万もの監視カメラは、社会を隅々まで統制するシステム——これは今や中国共産党にとって貴重なツールである——の能動的な核となった。フランソワ・エスブールが指摘するように、この統制システムは、ジョージ・オーウェルが予言的な著作『一九八四年』のなかで想像したシステムさながらに、国民の雇用、住居、勉学、社会保障、移動の自由、支配手段、コミュニケーションツールを統括的に管理することとなるはずだ。そこまで複雑なシステムの実装は容易ではないだろうが、「そうだとしても、多くの人々を苦しめ、中国共産党の権力を安泰にすることに変わりがないだろう」[*2]

　中国が監視機材（その中には当然ながら監視カメラも含まれる）を大量に輸出している、しかも大のお得意先が権威主義的な体制が支配している発展途上国や新興国である、というもう一つの現実がある。権威主義的な支配者が、こうした前代未聞の社会管理ツールに魅せられないはずがない。中国が独自のオーウェル風社会モデルを輸出し、輸出先の国々で新たな監視社会が歯止めのないままに増殖する……。このような事態を世界は座視して良いのだろうか？　ビッグブラザーの支配は世界中に広がるのだろうか？　トランプ政権で西半球担当国務次官補を務めていたキンバリー・ブライヤーは二〇一九年四月二六日、抑圧的な政府をいただく国々が中国から監視テクノロジーを買っている、と述べた。「中国は、権威主義的政府がデジタル監視システムを通じて市民を監視して褒美や罰を与えるのを支援する技術ノウハウを輸出している」とブライヤーは指摘した。中国はこうしたテクノロジーをチベットと新疆に集中的に導入し、チベット人、ウイグル人、カザフ人、その他の少数民族の動向を見張っている。シンクタンクの新アメリカ安全保障センターが作成したレポート『中国の一帯一路を採点する』[4]によると、こうしたハイテク監視装置の輸出入にかんする協定は多くの場合、新シルクロード〔一帯一路〕構想の一部として締結されている。例えばジンバブエは一帯一路の交易協定の枠組みにおいて「権威主義政治のコストを引き下げるために中国から顔認識システムを輸入している」と、同レポートの著者たちは見なしている[5]。しかし、この監視システムには、中国からの輸出だけでなく、中国への輸出も絡んでいる。二〇二〇年九月二一日にアムネスティ・インターナショナルが発表したレポートによると、欧州の複数の企業が、顔認証用を筆頭に、監視機材を中国に供給している。レポートには、生体認証技術の分野で世界をリードするフランスの大企業、アイデミア（従業員一万五〇〇〇人、年商二三〇億ユーロ）の名も挙がっている。アムネスティは、ビデオ上で顔を検知・認知するシステムをイデミアが上海の公安局に納入した、と非難している。アムネスティによると、この取引が行われたのは二〇一五年であり、売り手はサフラン社の旧子会社モルフォであった。サフラン社が二〇一七年にオベルチュール社と合併することで誕生したのがアイデミア社である[6]。

　社会を締め付ける拘束衣、少しの隙間もない政治的首かせが整備されるという状況下、中国国民が享受できる唯一の自由は……消費の自由である。この分野に関しては、水門は大きく開かれている。

ゆえに、中国国民は狂乱の消費ブームにどっぷりと浸かり、アリババ[*3]といったオンラインマーケットを手掛ける大手グループを喜ばせ富ませている。宗教や霊的なものに引かれる中国人の数は以前より多い[*4]とはいえ、物質主義の巨大な波が中国を呑みこんでいる。

消費は年々、記録破りを繰り返している。アリババグループは二〇〇九年に、もともとはアメリカ生まれのブラックフライデー——年に一度のバーゲンセールデー——を「独身の日」として導入した。二〇二〇年一一月一一日の「独身の日」に、アリババは六八〇億ユーロの売り上げを記録した。ちなみに、二〇一三年の「独身の日」の売り上げは六〇億ユーロであった。すなわち、七年間で売り上げは信じられないほど伸び、記録を毎年更新してきたのだ。二〇二〇年一一月一一日、注文が最高潮に達したときは一秒あたり五八万三〇〇〇もの注文が入った[7]、と言えば、その凄まじさを実感してもらえるだろうか。中国におけるデジタル消費の恐ろしいまでの急伸ぶりを物語る数字である。中国は、韓国に次いで世界第二位のデジタル消費国である〔国民一人当たりの消費で比較〕。だが、Eコマースでの販売が多いファッションは、世界の二酸化炭素排出量の八～一〇%を吐き出している産業であり、これは国際航空業界と海運業界を併せたよりも多い。また、石油業界に次いで水の消費量が多いのもファッション業界である[*5]。

中国人の宗教への関心と精神性への目覚めに関する問いに答えが出るのを待つとして、食べる楽しみには大いに目覚めているようで、最近の研究によると中国の成人の半分以上が太りすぎである。二〇二〇年一二月二三日に発表された中国の国家衛生健康委員会の報告書は、成人の五〇％以上が適正体重をオーバーしていて、うち一六・四％は肥満である、と指摘している。原因は、生活スタイルの変化に伴う運動量の低下、肉消費の増加、果物や野菜の消費量の激減である。この報告書によると、少なくとも週に一回以上運動を実践している割合は、国民の四分の一以下である。[8]

## 香港とチベットは、きつい締め付けを受けている。そして新疆ではジェノサイド？

共産党独裁の中国では、多様な考え方が入り込む隙間はない。反体制派が許される空間など存在しない。出る杭は打たれるのみだ。二〇二〇年一二月二八日、武漢における新型コロナの蔓延を取材して発信した「市民派ジャーナリスト」の張展《ザンザン》（三七歳）に、懲役四年の刑が言い渡された。元弁護士である彼女に問われた罪とは……当局とプロパガンダの方針を逸脱して武漢のコロナ禍を伝える動画を配信し、中国で初めてロックダウンの対象となった武漢の人々の暮らしをレポートしたことである。「対立を巻き起こすことをねらい、騒乱を教唆《きょうさ》した」——反体制派を断罪する時に中国で使われるお馴染みの表現だ——かどで拘束された張展はハンガーストライキを行ったが、独房で強制的に栄養を摂らされた。彼女の弁護士の一人である任全牛は、「判決が言い渡されたとき、（彼女は）とても意気消沈した様子だった」、張展の心理状態を「非常に心配している」、と述べた。裁判は上海で行われたが、外国のジャーナリストや外交官が裁判所内に入ることは許されなかった。開廷時、被告の支持者の一部は警察隊から手荒く追い払われた。車椅子で出廷した張展には、ほんの数時間で有罪判決が下った。だが、二〇一九年一二月に新型コロナウィルスが初めて検出された武漢における感染の規模について、中国が世界に真実を隠していたことが今や明らかになっている。二〇二〇年一二月末に発表された中国疾病予防コントロールセンターの調査研究によると、武漢の人口一一〇〇万人の四・四％、すなわち約五〇万人が新型コロナウィルス感染症の抗体を持っていた。これは、当局が公式に発表していた武漢の感染者数（五万八人）の一〇倍に相当する。[9] 新型コロナによる死者の数は公式発表によると四六三四人だが、これも怪しい。

　張展に有罪判決が言い渡された翌日、香港では若い民主派活動家が「中国の国旗に対する侮辱」と「違法な集会」の罪で禁固四か月の刑を言い渡された。一九九七年にイギリスから中国に返還された香港の独立を訴えるグループ——解散させられて、今や存在しない——のリーダーであったこの若者、トニー・チョン〔鍾翰林〕は、二〇一九年六月に香港特別行政区立法会〔香港議会〕の前でデモ隊と治安部隊がぶつかった際に、中国国旗を地面に投げつけた、と認定された。トニー・チョン（二〇〇一年生まれ）には「(香港の)離脱」を謀った容疑もかけられ、獄中でもう一つの裁判の開始を待つことになる。中国政府が二〇二〇年六月末に香港に強要した香港特別行政区国家安全維持法によると、香港の離脱を求めることは終身刑で罰せられる可能性がある大罪だ。悲しいことだが、このような罪と罰は、中華人民共和国では驚きでも何でもない。同じ日、香港に隣接する深圳で、八月末に台湾へ逃れようとしていたところを海上で拘束された香港の若者一〇人の裁判が非公開で行われた。被告のうち八人は、違法に中国国境を越えた罪——中国では、これは一年の実刑に値する——を問われ、残りの二人はこの逃亡を組織した罪——最高七年の実刑で罰せられる罪——で起訴された。全員が有罪を認めた。未成年者二人は分離裁判を受けたはずである。二日後、被告人たちは七か月から三年の実刑を宣告された。この裁判は、二〇一九年に大規模デモが起き、これに続いて二〇二〇年六月に「国家安全維持法」が香港に強要されて以来、この旧イギリス植民地にかぶせられた鉛の外套〔昔、欧州で使われた拷問道具〕がいかなるものであるかを雄弁に物語っている。国家安全維持法により、中国からの分離独立、国家転覆、テロリズム、外国勢力との共謀の罪を犯したとされる者は厳しく罰せられることになり、最悪の場合は終身刑を覚悟せねばならない。新聞界の大立者で、日刊紙アップル・デイリー〔蘋果日報〕を創業したジミー・ライ〔黎智英〕（一九四八年生まれ）は中国共産体制を舌鋒鋭く批判し、香港の民主主義を擁護する残り少ない言論人の一人であったが、二〇二〇年一二月初めに拘束された。そして二〇二一年四月一六日に、違法集会への参加の罪で一四か月の実刑を言い渡された。香港の民主派政治活動家としてもっとも知名度が高いと言えるジョシュア・ウォン〔黄之鋒〕とアグネス・チョウ〔周庭〕（ともに一九九六年生まれ）は、A級の囚人、すなわち最も危険な囚人として重警備刑務所に収監された〔周庭は模範囚として刑期を短縮され、二〇二一年六月に刑務所を出所している〕。二〇一九年に起きた大規模なデモ——二〇〇万人もが参加した。これは、幼児や年寄りも含めた香港住民の四人に一人が立ち上がったことを意味する——では、若い活動家が何千人も逮捕された。ティーンエイジャーも容赦されなかった。

　二〇二一年一月六日の早暁、国家安全維持法にもとづき、治安部隊約一〇〇〇人を動員しての一斉検挙が行われ、あわせて五三人の民主派の活動家と議員が「政府転覆を狙う陰謀」の嫌疑をかけられ、自宅に踏み込まれて逮捕された。こうした事態は香港の日常風景となってしまった。二〇二〇年秋までは中国本土では無縁の自由が許されるサンクチュアリーであった香港は今や、中国政府の完全な支配下にあるのだ。二〇二一年二月末、選挙制度改革法案が香港に提案された。すべての候補者と議員に、愛国心を表明し、祖国中国への愛を誓うことを強要する法案だ。これは、二〇二一年九月に予定されている選挙から民主派を締め出すことを狙っている。この法案の採択を命じたのは中国政府であり、二月二二日のことであった。翌日の二三日（火）、香港の政制・内地事務局長、エリック・ツァン〔曽国衛〕が法案を説明した。香港議会の議員は今後、中国への忠誠を宣誓せねばならない。宣誓に反する「不誠実な」言動のある者は全員、議員資格を失う。「愛国心は全体的な愛である」とエリック・ツァンは強調した。この法案は、二〇一九年一一月の前回の香港議会選挙で親中国派に圧勝した民主派議員の九〇％を一掃することを露骨に狙っている。前回選挙から一年後、国家安全維持法に続いて中国政府が強要する選挙制度改革は、香港の政治機構のあらゆるレベルから、「愛国的」な候補者と議員以外は排除する意図をあからさまにしている。香港は今や、完全に籠の鳥となった。

二〇二一年二月二八日、国家安全維持法にもとづき、香港政界の民主派勢力を代表する四七人が「国家転覆」を謀った容疑で一斉起訴された。前年に、次の香港議会選挙（当局がコロナ禍を理由として延期した）に出馬する候補者を選ぶために自陣内で予備選挙を実施したことが「国家転覆の謀議」と見なされたのだ。翌日、被告となった民主派の支持者たちが、黒い服を着て——黒は、香港において異議申し立ての色である——何百人も集まり、大陸側に位置する街区、九龍の裁判所の前に列を作り、開廷を待った。香港市民に混じって、イギリス、カナダ、ドイツ、オランダ、欧州連合の領事館に勤務する外交官たちの姿もあった。サウス・チャイナ・モーニング・ポスト紙は、「私たちがここにいるのは、国家安全維持法の適用に関して大いに懸念を抱いているからです」という英領事館職員ジョナサン・ウィリアムズの言葉を伝えている。ワシントンでは、アントニー・ブリンケン国務長官が、四七人の即時釈放を求めた。「政治へのコミットメントと表現の自由が罪となることは許されない。私たちは香港の人々を応援する」とブリンケンはツイートした。イギリスのドミニク・ラーブ外相は、四七人にかけられた嫌疑は「極めて憂慮すべき」であり、このような理由での拘束は、国家安全維持法が治安回復のためではなく、政治へのあらゆる異議申し立てを排斥するために使われることを「極めて陰惨に」証明している、とコメントした。これは、一九九七年の中国への返還以来、香港の民主主義に加えられた最大の打撃と言って間違いないだろう。民主派、市民派の主たる指導者全員が、拘束された四七人のうちに含まれているからだ。そのうちの一人であるジョシュア・ウォン〔黄之鋒〕は、先述したように若い活動家であり、ここ数年の、香港における人権と民主主義を守るためのあらゆる戦いに精力的に参加していた。ＡＦＰ通信員として活躍した元ジャーナリストで、注目を集める女性政治家となったクラウディア・モー〔毛孟静〕の名も挙げておこう。彼女も香港議会の民主派グループに属していた。もはや、香港と中国大陸の他の都市との間に違いはなくなった。五〇年間は香港に高度な自治権を認める、香港は固有の政治・行政機構と独立した司法制度、独自の生活スタイルを維持することができる、という中国政府の約束は何だったのだろうか。

　以上の出来事は、香港に吹いていた民主主義の風が完全に止まったことを意味する。二〇一九年に住民七〇〇万人のうち二〇〇万人を中国に抗議するデモに動員した民主主義のうねりは、完全に抑え込まれた。これで、一九八四年に当時の英首相マーガレット・サッチャーから香港返還の同意を得るために鄧小平が持ち出したコンセプト、「一国二制度」の死が確定した。サッチャーはこのコンセプトに懐疑的であったが、中国政府が水道と電気の香港への供給を絶つと脅し、その他の報復措置もちらつかせると、「鉄の女」もついに折れた。一三年後、香港返還は実現し、中国当局はこれを大々的に祝った。ポルトガルの植民地であったマカオも一九九九年に同じ運命をたどった。香港の悲劇はまた――というよりも「何よりも」――、台湾とその国民にとって極めて強烈な政治的メッセージである。中国政府はこれまで、台湾併合を実現するために、同じく「一国二制度」を提案していたのだ。以前よりこの提案に強く反発していた二三〇〇万の台湾国民は、香港の悲劇のなかに、中国政府のいわゆる「微笑み」政治攻勢の真の意味を読み取ることだろう。二つの中国は存在せず、中国は中国共産党の指導のもとに置かれるべき分割不能の一国であり、中国共産党の旗印のもとでは、複数政党制も反体制的な思想も一切認められないのだ。香港に吹き荒れた弾圧の嵐が与えた影響は以上にとどまらない。二〇二一年三月四日、香港は、ヘリテージ財団[*6]が発表する、自由経済を享受している都市の年間リストから外された。過去二〇年間、トップの座をほぼ常に守っていた香港の退場について、ヘリテージ財団は、今や中国政府の「完全なコントロール下」に置かれたからだ、と説明している[10]。二〇二一年三月一一日、中国の全国人民代表大会〔全人代〕は、香港の選挙制度見直しに関する法案を可決して閉会した。この法案によると、今後、香港特別行政区の舵取りとなれるのは「愛国者」のみだ。具体的には、立候補者は、中国政府がメンバーを指名する委員会の審査をパスして「愛国者」と認定されねばならない。全人代は、二八九五票の賛成で同法案を可決した。ちなみに反対票はゼロで、棄権したのは一人だった。「開票結果が発表されると、拍手が三〇秒間続いた」そうだ。徹底的な自由の排除という、中国政府が香港で推し進めてきた企みはこれで完結した。これに対して、G7の外相たちは以下の声明を出した。

> ドイツ、カナダ、アメリカ、フランス、イタリア、日本、イギリスの外務大臣、および欧州連合の外務・安全保障政策上級代表は、香港の選挙制度が持っていた民主的要素を根本的に損なう今回の中国の決定に対し、結束して強い懸念を表明する。この決定は、中華人民共和国当局が香港の異議や反対意見を排除する決意を固めていることを如実に示している。[11]

以上のすべての出来事、そして何よりも二〇一九年の香港大規模デモからは、中国の人々は――それが可能である場合には――北京の中央政府に対して立ち上がる勇気を持っている、という厳粛な事実が浮かび上がってくる。これが、当局にとって我慢ならない事実であることは確かだ。

植民地支配と植民地戦争は太古から見られた現象だ。支配者の文化は、文明をもたらすという口実のもと、被支配者の文化に置き換わろうとする。無論のことだが、この点で中国が先駆者だったわけではない。それどころか、他国の後塵を拝していた。私たちは、一六世紀終わりからのヨーロッパ人によるアメリカ大陸の植民地化と先住民抹殺を思い出すべきだ。一九六八年三月一六日のソンミ村虐殺事件は、ベトナム戦争中にアメリカ軍が起こした犯罪であり、三四七～五〇四人の民間人犠牲者が出た。この日、アメリカ兵はベトナムの民間人を何百人も暴行、殺害し、彼らの家に火をつけた。たった一人がこの殺戮に加担することを拒否した。同国人たちに武器を向け、多くのベトナム人の命を救ったトンプソン准士官である。彼はのちに、この虐殺について証言し、軍人仲間から裏切り者扱いされた。彼は、二〇〇六年に亡くなるまでの人生を、心的外傷後ストレス障害に苦しみながら過ごし、悪夢にうなされて真夜中に飛び起きた。以上の事実はすべて、私たちの記憶に刻まれてしかるべきだ。しかし、新疆とチベットの悲劇は二一世紀に起きている。私たちはこれを座視するわけにはゆかない。そもそも、過去の犯罪は、現在犯罪を行っている者を免責する理由とならない。

一九四八年一二月に国連総会で採択され、中国も署名している「集団殺害罪の防止および処罰に関する条約〔ジェノサイド条約〕」は、ジェノサイドを「国民的、人種的、民族的又は宗教的集団を全部または一部破壊する意図をもって行われた行為」と定義している。現在、新疆ではジェノサイドが進行中なのだろうか？　歴史は繰り返されると言うが、中国ではおぞましい出来事が繰り返される。約三〇年前、軍が民主化を求めるデモ隊に発砲し何百人とも何千人ともいわれる死者が出た天安門事件が起きた（一九八九年六月四日）。当局のプロパガンダが人々の記憶から消し去ってしまったので、犠牲者の正確な数は永遠に分からずじまいだろう。[*7] そして今、さらにおぞましい悲劇が二〇一五年より新疆ウイグル自治区で進行中だ。イスラム教徒でチュルク語（トルコ語）系の言葉を話す一〇〇万人ものウイグル人が当局によって強制収容所に閉じ込められ、非人間的な扱いを受けているのである。本著はこの問題に触れないわけにはゆかない。新疆は、住民を電子テクノロジーで監視する最初の実験場となった。現在、疑いをはさむことができないほど多くの証言が集まり、その数は増える一方だ。幾つもの信頼に足る情報源によると、少なくとも一〇〇万人超の――その数は三〇〇万人に達する可能性がある――ウイグル人が再教育施設に収容されていて、それとは別に五〇万人超が強制労働に就かされている。中国当局はこうした情報を真っ向から否定し、これらの収容所を「職業訓練センター」と呼んでいる。だが、内容が一致する数多くの証言の前には無力な反論である。特に、ドイツの人類学者で新疆に詳しいアドリアン・ツェンツの証言は重い。アメリカのシンクタンク、センター・フォア・グローバル・ポリシー（CGP）が二〇二〇年一二月一五日に発表した、ツェンツ執筆の調査報告によると、少なくとも五七万人のウイグル人イスラム教徒が新疆の綿花畑で働いている。なお、中国は世界の綿花生産の約二〇％を占めており、その大半は新疆で生産されている。アドリアン・ツェンツ[*8]が発掘した中国の公文書は、新疆ウイグル自治区の三地区（アクス、ホータン、カシュガル）のプランテーションだけで、少なくとも五〇万人のウイグル人が綿花を手摘みする労働に就かされている、と推計している。恐ろしい数字だ。新疆全体では、その数は「はるかに多い可能性がある」とツェンツはこの調査報告の中で述べている。二〇二〇年一二月一五日の記者会見で、この問題について質問された中国外務部〔外務省〕報道官の汪文斌《おうぶんひん》は、これらのプランテーション労働者は誰に強制されることもなく、「自分たちの意思で」労働契約にサインしたのだ、と答えた。なお、汪《おう》報道官は、アドリアン・ツェンツは「虚言を弄し」ており、「アメリカの情報機関が設立し、操っている反中国の研究機関の中枢」である、と非難した。ツェンツは二〇二〇年九月、何年か前よりチベットでも実践されている強制労働に関する研究結果――ロイター通信は、その内容を補強している――を発表した。

アドリアン・ツェンツはメディアパール〔フランスのネット新聞〕のインタビューに答え、新疆で進行中の恐ろしい事態のロジックを次のように説明した。

ウイグル人は文化的にも宗教的にも北京よりはイスタンブールに近い。何十年にもわたる弾圧と文化大革命の暴力が、民族間の関係に毒を流し込んだ。近年になると、ウイグル人はインターネットやスマートフォンを通じてトルコ音楽やイスラム教の説教を聞くことで自分たちのルーツを探し求めるようになった。（中略）中国政府は、暴力的手段で中央に抵抗するウイグル人がいる、と強調しているが、当局が最も問題視したのはおそらく、中華民族への同化と一体化に対するウイグル人の消極性と非暴力の抵抗だったのだろう。ウイグル人社会を全面的にコントロール下に置くことの難しさを、中国政府は次第に問題視するようになった。二〇一三年、新疆は「一帯一路構想の核心を成す地方」である、と宣言された。天然資源が豊富で、地政学的にも非常に重要な地方なのだ。（中略）中国政府はつまるところ、この状況には「最終的解決」が必要だと考えるようになった。現在、中国当局が新疆で試している「解決策」は、他の地方や、他の宗教的集団にも適用される可能性がある。今や、香港がもう一つの新疆になりつつあるように。弾圧は、北京政府の主要手段となった。[12]

二〇二一年三月二日に発表されたツェンツの最新調査報告には、農村地帯の若いウイグル人たちの強制労働に関する、未発表の事実が含まれている。

ツェンツは二〇二〇年一二月、ウイグル人労働者の強制移住をテーマとする初めての論文を発表した。この中でツェンツは、新疆には二種類の強制労働が存在する、と明らかにした。

――一つは、再教育収容所の囚人たちの強制労働である。「免状を獲得」しても、すなわち「過激な宗教思想から脱却」して「通常の」生活に戻れる、と当局から判断されても、囚人たちは解放されない。彼らは家族のもとに帰ることなく、近隣の工場（時として収容所に隣接している）で働くことを強要される。若しくは、何十万人単位で国営農場に送り込まれ、綿花摘みの労働に従事する。世界中で抗議の声を巻き起こしたのは、この種の強制労働である。

――前者ほど知られていない第二のタイプの強制労働は、より多くのウイグル人を対象としている可能性がある。それは、中国人研究者たちが「新疆南部の過剰労働力」と呼んでいる人々だ。ウイグル人が人口の九〇％以上を占めるこの貧しい農村地域には確かに、定職を持たない若者が数多くいて、ちょっとした季節労働や、家族が所有する土地の耕作でかつかつの生活を送っている。中国政府は彼らを「徴募」し、「職業教育を施し」、中国の製造業での「働き口」を見つけてやり、彼らを組織的に工場に「移送」している。

アドリアン・ツェンツは、こうした中国政府のウイグル政策を研究するうちに、上記の若いウイグル人たちは囚人ではないものの、「徴募」、「職業教育」、「就職口の世話」、「移送」は彼らが自由に選べるものでもなければ、自ら求めているものでもない、と気付いた。これは、新疆南部の若者全員を軍隊に編入するように集団化する、新たなタイプの強制労働なのだ。二〇二一年三月二日にアメリカのシンクタンク、ジェイムズタウン財団から出されたツェンツの最新研究報告がテーマとしたのは、まさに、こうした若者たちの強制労働である。ツェンツは、ロプス誌「フランスの週刊誌」、BBC、南ドイツ新聞、ザ・グローブ・アンド・メイル（カナダの雑誌）に、自分の研究報告を独占的に報道することを認めた。ツェンツが資料としたのは、中国の公的機関が出している公文書である。中でも重要なのは二〇一八年の「南開レポート」であり、レポート執筆者たちが属している天津の名門大学、南開の名前がタイトルとなっている。

　アドリアン・ツェンツは「新疆の労働力地域間移送計画の枠組みにおける強制労働と強制移住」というタイトルを冠したこの研究のなかで、農村地帯の若いウイグル人の移送の規模は増大する一方であり、その一番の動機は経済的目的ではないことを明らかにしている。中国当局は、これは「貧困撲滅」の措置である、と一貫して主張しているが、こうした移送の第一の目的は実のところ、ウイグルの歴史的な揺籃《ようらん》の地におけるウイグル人人口を減らし、ウイグル人結束の基盤となっている血縁や地縁を壊すことである。

　ツェンツによると、南開大学の中国人研究者によるレポートを通して見えてくるのは、農村地帯の若いウイグル人を彼らが望むと望むまいと工業地帯に移して「プロレタリアート化」することでウイグル社会の構造を根本から変える、という長期的なプランの存在である。

　こうした措置のもう一つの目的は、農村地帯の若者の「考え方を変え」、彼らを「後進性」、「心の狭さ」、宗教心から脱却させることである。すなわち、彼らを「近代化」し、「可動性を高め」、金銭と「物質的な価値」に惹かれるように誘導することである。(13)

こうしたツェンツの報告に半信半疑な人も、中国の治安機関が張った狡猾な罠の犠牲者となったグルバハール・ハイティワジの衝撃的な証言を聞けば考えが変わることだろう。ハイティワジはフランス在住のウイグル人女性であるが、二〇一七年に生まれ故郷の新疆に戻ることを余儀なくされ、強制収容所の地獄を経験した。解放されてから一年半後、彼女は自分の体験を伝えるため、ジャーナリストのロゼン・モルガトとの共著で『中国の強制収容所から逃れて』〔『再教育収容所 地獄の二年間』河出書房新社〕を上梓した。[14] ハイティワジは、アジアを専門とするウェブサイト、アジアリストのインタビューに答え、年金受給資格の手続きのために帰国するよう中国当局に命じられて新疆に戻ったところ、どのような悲惨な体験が自分を待っていたかを語った。

> 当時の私は警戒心とは無縁でした。新疆の強制収容所について耳にしたこともありませんでした。それ以前に里帰りしたときには、検問所が増えて身分証のチェックが厳しくなった、と思いましたが、それ以上に変わったことは気づきませんでした。以前勤めていた会社から電話があり、手続きのためにすぐに戻るように言われたとき、私は、代理人を立てて手続きを代行してもらうことは可能でしょうか、と尋ねました。だめだ、と言われました。一〇日後、私は新疆に着きました。（中略）二週間ほど滞在するつもりでしたが、実際は二年九か月も留《とど》め置かれることになりました。（中略）フランスにおける私と家族の生活について、尋問されました。そして、パリで行われたウイグル人のデモに参加しているときに撮られた娘の写真を見せられました。写真の中で娘は東トルキスタン（中華人民共和国のウイグル進攻前に存在したウイグル人の共和国）の旗を振っていま

した。その瞬間、私は娘を少し恨みました。私自身は政治運動とは無縁だったからです。警察は私を釈放してくれましたが、パスポートは取り上げられました。一月中旬、パスポートを取りに来るよう、言われました。すると、公安局のメンバー三人が待ち構えていて、私はカラマイの収容所に連れてゆかれました。[15]

――かくも過酷な扱いの理由とは？

当時、私の夫はフランス在住ウイグル人協会の副会長でした。それ以前、私たちが最後に新疆に戻ったのは二〇一二年と二〇一四年でしたが、その際に夫は公安局に呼び出され、フランスのウイグル人コミュニティーをスパイするよう求められました。夫は断りました。当局はこれを根に持って、報復しようと思ったのでしょう。一家の中で私だけがフランス国籍を持っていなかったので、私は狙いやすいターゲットだったのです。（中略）初めの頃、同房の囚人は一〇人ほどでした。次に三〇人となりました。ウイグル人の囚人たちは一日中、足を鎖でつながれていました。私たちは黄色いユニフォーム――薄すぎて、零下三〇度にもなる冬の寒さは耐え難かった――と、黒いズック靴をあてがわれていました。臭い布団にくるまり、ベンチの上で眠りましたが、昼も夜も蛍光灯が灯されていました。床には、赤い正方形が二つ描かれていました。一時間交替で、二人の囚人がこの正方形の中に立ち、不動の姿勢で「見張り役」を務めることになっていました。稀《まれ》に外に出る事が許されるのですが、それとて、房に隣接する金網で仕切られた一種のテラスに出るだけです。外の寒さは耐え難いほどでしたが、私たちが房の中に戻ると、暖房の温度が最低に設定されていました。とても辛かった。

――二〇一七年四月、監獄内の待遇はさらに悪化する。

はい、二〇日間というもの、私は寝台の金具に繋がれていました。私のほかにも三人が同じ目に遭っていました。私たちは、同房の囚人たちに助けられ、バケツに用を足すほかありませんでした。あの時、なぜ私たちがあのような扱いを受けたのか、理由は明かされませんでした[16]。

「当局は、私たちを消し去ることを狙っています。これは文化的ジェノサイド、中国への完全な同化です。でもウイグル人は抵抗しています。一つの文化を丸ごと抹殺することはできないのです」とハイティワジは、ルモンド紙のインタビューで語っている[17]。

ハイティワジは、自分が解放されたのはフランス政府が中国に働きかけた結果だろう、と考えている。もう一人の証言を紹介しよう。新疆の新源（ウイグル語ではキュネス）県にある労働収容所で九か月を過ごした女性、トゥルスネイ・ジアウドゥンの体験談だ。彼女はBBCのインタビューに答え、真夜中過ぎに覆面の男たちが房に入ってきて、女性を一人選び、監視カメラが設置されていない「黒い部屋」に連れてゆくことがあった、と語った。「黒い部屋」は、輪姦のための部屋だった。ジアウドゥン自身も、虐待され、輪姦される夜を何度か経験した。それは彼女にとって、「決して忘れることができない最大のトラウマ」である。彼女は解放されたあと、カザフスタンに一時的に逃れ、最終的にアメリカを安住の地としている。だが今でも、あのときのことは「口にすることも辛い」。ＢＢＣは、収容所を体験した女性をもう一人、インタビューしている。中国が新疆で敷いている収容所システムがいかなるものであるかを一八か月にわたって身をもって知ったカザフ人女性、グルジラ・アウエルカーンである。彼女はＢＢＣのラジオ番組で、自分はウイグル人女性の服を脱がせ、手錠をかけるよう命じられ、その後に、気の毒な女性と漢人[*9]である中国人看守が残る部屋を後にした、と語った。

> 腰のところまで服を脱がせ、動けないように手錠をかけるのが私の仕事でした。（中略）こうした女性を残して私が部屋を出ると、男が入室します。警察の一員である中国人です。私は沈黙を保って部屋の外で待ち、男が部屋を去ると、女性をシャワー室まで連れてゆきました。中国人たちは「お金を払って、美しく若い女性を選りすぐって」いました。[18]

まだ納得できないというのなら、もう一つ、同じように悲痛きわまりない証言をご紹介しよう。二〇一七年五月から二〇一八年九月までウルムチの収容所に収監され、国連の介入のお陰で解放され、二〇二一年一月からフランスで暮らすカザフスタン国籍の女性、グルバハール・ジャリロヴァだ。一四歳から八〇歳までの、約四〇名の同房者と二五平米の部屋に押し込められたジャリロヴァは、虐待され、強姦され、不妊措置を受けたこともある、と述べる。彼女は、新疆の女たちは過酷な少数民族弾圧の一番の犠牲者である、と単刀直入に証言する。

> 私たちは足を重さ五キロの鎖でつながれた状態で、部屋の中で立ちっぱなしでした。横になることは可能でしたが、床の上に寝るほかなく、それも二時間だけでした。全員が交替で横になっていたのです。部屋の四隅には監視カメラが設置されていました。部屋の外から警官たちが拡声器を使って私たちに指示を出していました。私たちは、習近平の栄光を称える歌を歌わされました。一週間に数回、私たちは薬を飲まされましたが、その結果、生理が止まってしまいました。私は、同房者が拷問を受けるのを目撃しました。ある日のこと、私を尋問していた二三歳の若い男がズボンを下げ、性器を私の口に押し込みました。私は「あなたは私の息子といってもいい歳なのに、なぜこんなことをするの？」と言いました。私がこうした地獄に耐えることができたのは、同房者たちが互いに励まし合っていたからです。私がついに解放されることになったとき、連中は私を脅しました。「中国は世界一の強国だ。我々の腕は非常に長くて、どこにでも届く。もしお前が余計なことをしゃべったら、お前を見つけ出して殺すぞ」。しかし、私は同房者たちから、世界に自分たちの声を届けて、と頼まれたのです。[19]

一六年前にフランスに亡命し、フランス国立東洋言語文化研究所で教鞭を執り、欧州ウイグル研究所の所長も務めるウイグル人女性、ディルヌル・レイハンは、新疆のウイグル人弾圧を告発することに熱心に取り組み、フランス在住ウイグル人の主たる代弁者となっている。彼女の考えでは、「問題の根本は植民地主義」である。新疆の地下には天然資源が豊富に埋蔵されているためだ。テロ攻撃が中国国内で多発して多くの死傷者が出たこともあった、ウイグル人の犯行だとされているが、実行犯が少数民族であるウイグル人であるという証拠は一つもない、とレイハンは強調する。[*10]「植民地化という状況のもとでは、支配者と被支配者とのあいだに緊張が存在することは当然と言えます」と彼女は指摘する。[20]

「デジタル監視装置はいたるところにあります。中国はさらに、強制収容所に送り込まれた者の家に漢人公務員――多くの場合は男性です――を送り込んでいます。家族は、プライバシーを見張る監視者とともに暮らすことを強要されるのです。一家がウイグルの伝統を守っていないか、家庭内でウイグル語を話していないか、イスラム教を信仰していないか、チェックするのが目的です。（中略）中国は、国連が定めるジェノサイドの定義の基準をすべて満たしています。（中略）もし世界が二〇二二年の北京冬季オリンピックを容認するのであれば、一九三六年のベルリン五輪を思い出さずにはいられません。世界は同じ過ちを繰り返すことになり、中国政府はウイグル人の抹消を継続することができるでしょう」と彼女は嘆息する。[21]

ウイグルの悲劇について勇気を出して語り始めた女性のうちには、たとえ新疆から何千キロも離れたところにいても、中国警察の魔の手に怯える者がいる。ケルビヌール・セディクがオランダの新居で朝食の準備をしていたとき、スマホが鳴り、ビデオ通話の呼び出し画面に新疆に残る妹の名前が浮かび上がった。セディクは一瞬にして不安に駆られた。彼女が三人のウイグル人女性とともに、新疆の拘禁施設で起こっている強姦や虐待に関する番組を準備していたＢＢＣのインタビューに答えて以来、数か月間、妹と連絡を取ったことはなかった（民族的にはウズベク人であるセディクは以前、新疆のウルムチで教師として働いていた）。電話をとると、画面に現れたのは妹ではなく、警察官の顔だった。彼は口元に薄笑いを浮かべながら、「ケルビヌール、君は何を企んでいるかな？」と尋ねた。実は、この警察官から電話がかかってきたのは初めてではなかった。セディクはそこでスクリーンショットを撮った。音でそれと察知した警察官は、自分の識別番号がついている上着を慌てて脱いだ。このときのことをＢＢＣで語ったとき、ケルビヌール・セディクは泣き出した。警察官は言葉を続けた、「お前は、家族全員と親族がここに残って我々の監視下にあることを忘れてはならない。これが何を意味するのかよく考えるべきだ」と脅した。会話の締めくくりは「お前はこのところ外国で暮らしている。友人ができたに違いない。彼らの名前を教えてくれるかな？」であった。最後に電話に出た妹は叫び出した。すると「黙れ。一言もしゃべってはならん」という声が聞こえ、そのあとには罵詈雑言が続いた。ＢＢＣは、この警察官の写真をネットで公開した。[22]

ウイグルの文化的アイデンティティーを根絶する、という中国政府の意図を雄弁に物語るエピソードをもう一つ、紹介してみたい。そうなると私は、ＡＦＰが二〇一九年一〇月に記事として配信した内容をほぼそのまま転記する、という願望を抑えることができない。内容は、私の古巣ＡＦＰ北京オフィスの元同僚たちが苦労して敢行した新疆取材の成果である。元同僚らは、常に監視の対象となっていたにもかかわらず、中国当局がウイグル人墓地を完全に破壊して跡地に駐車場を整備した、という事実に関する一次情報を入手することに成功した。

金属製キャタピラの跡《あと》と跡の合間《あいま》に散乱している人骨。中国北西部のこのイスラム教徒墓地を走り回ったブルドーザーはそんな些事《さじ》にこだわることなく、ウイグル人と彼らの祖先との絆を消し去った。シャヤール県の丘陵のふもと、墓碑は一面に散らばる煉瓦の堆積へと変わった。同じ光景は、ＡＦＰが新疆で先月訪れた一〇を超える墓地で見られた。イスラム教徒が人口の大半を占めるここ新疆は、中国政府による厳しい締め付けの対象となっている。ＡＦＰの記者たちは、三か所の元墓地で人骨が露出しているのを目撃した（記者たちはルポルタージュの中で、写真を見せながらこのことを証言した）。ワシントンに拠点を置く団体アースライズ・アライアンスとともにＡＦＰが分析した衛星写真は、昨年（二〇一八年）以降、フランスの三倍の面積を持つこの新疆ウイグル自治区で少なくとも四〇か所のウイグル人墓地が破壊されたことを示している。同自治区の西に位置するアクスでは、広大な墓地が、人口湖、子供用の遊具、張りぼてのパンダを売り物とする「幸福公園」へと造り変えられた。この墓地は、ウイグルが誇る二〇世紀の詩人、ルトプッラー・ムテッリプが埋葬されているため、ウイグル人にとって大切な場所であった。ＡＦＰの取材に対して、現在は米国で亡命生活を送っているが一九九〇年代にこの墓地を訪れたことがあるイルシャト・コクボレは、「（あれは）ウイグル人の愛国心をかきたてる聖地」であった、と答えている。ムテッリプの遺骨の行方は不明である。沙漠に囲まれた工業地区に新たな墓地が造成され、すべての遺骸や遺骨はここに移葬されたことになっているが、新墓地の責任者は、ムテッリプの遺骨がどうなったのか一切知らない、と言っている。ＡＦＰはアクス当局に質問しようと試みたが、応じてもらえなかった。イギリスに亡命している詩人のアジズ・イサ・エルクンは「中国政府は、ウイグル人の心から、この土地への帰属意識を消し去ろうとしている」と憤る。彼の父親も、破壊されたシャヤール県の多くの墓地の一つに埋葬されていた。墓地は「新世代と旧世代をつなぐ絆だ。彼らが破壊しているのは、この絆だ」と彼は批判する。九月の取材において、ＡＦＰの三人の記者は、四つの市町村で一〇か所ほどの破壊された墓地跡と、遺骸や遺骨が移葬された三つの新墓地を訪れた。彼らはほぼ常に、当局から監視されていた。シャヤール県のある墓地跡では、一一人の監視員がついて回り、そのうちの何人かは、ここにあったのは墓ではなく、古い家屋、パン焼き窯、ただの砂の堆積だ、と説明した。地面に散乱している人骨を目の前にしても、彼らはここが墓地であったという隠しようもない事実を認めなかった。[23]

今では、こういった取材は不可能となった。新疆における外国の報道機関の活動に対する監視と規制は著しく強化されたからだ。「新疆やチベットに行くことは極めて難しく、当局による妨害があまりにも甚《はなは》だしいので取材はほぼ不可能だ」と語るのはルモンド紙の北京特派員、フレデリック・ルメートルだ。[24] なお、新疆の共産党体制の責任者は漢人の陳全国（一九五五年生まれ）である。元軍人の彼は中国共産党の政治局のメンバーであり、チベット住民を監視する手法ですでに有名になった経歴の持ち主だ。陳全国は、二〇一一年八月より、チベットに適用した政策――今やチベットの都市には、五〇〇メートル毎に駐在所が置かれている――をそっくりそのまま新疆に導入した。

二〇二一年一月一九日、アメリカの国務長官マイク・ポンペオは、ウイグル人に対して「ジェノサイド」を行っている、と中国を非難した。「私が思うに、このジェノサイドは現在でも進行中であり、私たちは中国共産党政権によるウイグル族抹消の組織的試みを目の当たりにしている」とポンペオ長官は声明の中で述べた。長官はまた、中国当局は「遅くとも二〇一七年三月から」、ウイグル人および「新疆のその他の民族的・宗教的少数派」に対して「人道に反する犯罪」を行っている、とも断じた。ポンペオの後継者となるアントニー・ブリンケンも同じ日に、同様の指摘をした。ということは、新疆では大規模な捕食の試みが進行中なのだろうか？　コロラド大学所属のアメリカ人人類学者のダレン・バイラーの見解は以下の通りだ。

> 結局のところ、そこにあるのは漢人植民者による植民地化計画だ。彼らがウイグル地方に入植する目的は、資源を収奪すること、次に、ウイグル人のアイデンティティーを排除して漢人のアイデンティティーに置き換え、ウイグル人を中国政治の鋳型に押し込めて同化させることだ。この植民地化の企みは現在のところ、よく知られているジェノサイドを引き起こしたアメリカ大陸の植民地化ほど暴力的ではない。今のところ（新疆では）まだ、ウイグル人の殲滅《せんめつ》といったジェノサイドは起きていない。しかし、現在起こっていることには、ジェノサイドに類似した力学が働いている。[25]

フランスも二〇二一年二月二四日、ジャン＝イヴ・ル・ドリアン外相を通じて、ウイグル人迫害を非難する国際世論に唱和した。ル・ドリアンは国連人権理事会の会合で、ウイグル人に対する「制度化された弾圧システム」を告発した。この会合に遠隔参加した仏外相は、「中国の新疆地方から我々のところに、ウイグル人に対する正当化できぬ処遇、制度化された大規模な監視と弾圧のシステムに関しての、内容が一致する証言や資料が届いている」と述べた。外相は二〇二一年三月一〇日、今度は仏上院〔元老院〕で、中国政府による「制度化された（ウイグル人）弾圧システム」を糾弾し、先だっての国連人権理事会での発言を堅持する意思を示した。環境派の上院議員、エステル・ベンバサからウイグル人ムスリムに対する中国当局の権力乱用について問われると、外相は国連人権理事会での発言に沿った答を返した。

（前略）避妊手術の強要、強制収容施設における性的虐待、失踪、大量拘束、強制労働、宗教施設をはじめとする文化遺産の破壊、住民の監視、こうした全ては確認済みである。これこそ、私がフランスの名において（中略）、制度化された大規模な監視・弾圧システムにほかならない、と述べた理由である。（中略）私は同じことを、ここ上院でも再び訴える。[26]

そして、「様々な国籍の専門家で構成された、公正で独立性と透明性が高い調査団」の、バチェレ人権高等弁務官の責任のもとでの迅速な新疆派遣の必要性を再度訴えた。

欧州連合加盟国がどのような共同歩調を取るかは、こうした調査団が出す結論で決まるであろう、と外相は付言した。

ジャン＝イヴ・ル・ドリアンはまた、仏企業に対して「バリューチェーン［価値連鎖］にかかわるリスクと、ウイグル人の基本的権利の重大な侵害を防止する必要性に最大限の注意を払う」よう促した。さらに、欧州と中国の包括的投資協定（CAI）に向けて二〇二〇年一二月三〇日に結ばれた原則合意について外相は、強制労働に関する国際協定への加盟を条件とすることが「検討される」ように、フランスは尽力した、と強調した。そして「我々は協定を遵守させるつもりである」[27]と強調した。ル・ドリアン外相が、ウイグル人弾圧に関する情報について「確認済み」と述べたことに注目したい。フランスの高官の口から出た言葉として、心強い限りだ。在仏中国大使館はこれに反発し、「不適切な発言」である、と難じた。二〇二一年三月二六日、ジャン＝イヴ・ル・ドリアンはさらに踏み込み、「ジェノサイドという表現の適用を検討するだけのことはある。私たちは熟考する用意がある」とフランス・アンフォ（テレビ）に出演して述べた。「私は、目に見える形での解明がなされることを望む」。

二〇二一年二月二二日、カナダ議会は出席者の満場一致で、新疆における中国による弾圧を「ジェノサイド」と位置づける（法的拘束力のない）動議を採択した。オランダ議会も二月二五日、そっくり同じ反応を示し、欧州連合のなかで先陣を切った。オランダ議会が採択した動議は、中国政府を名指しして責任を追及することは控えているものの、「少数派のウイグル人に対するジェノサイドが中国で進行している」と断じている。[28]イギリスでは、ショアを生き残った複数の人々が二〇二一年二月、新疆における中国の政策は「ジェノサイド」に当たる、との声明を出した。だが、中国の王毅外相によると、これはとんでもない話であり、新疆とチベットにおける少数民族の扱いは、人権保護の分野で中国が実現した進歩を雄弁に物語る「華々しい成功」に他ならない[29]。中国は、フランスの大学への非常に有効な食い込み工作のお陰で、新疆には弾圧などいっさい存在しない、と主張してくれる大学人を頼りにすることができる。例えば、二〇一九年九月、新疆ウイグル自治区の政庁が置かれているウルムチで、ストラスブール大学法学部名誉学部長のクリスティアン・メストルは中華人民共和国が主催する「テロ対策、脱過激化、人権保護に関する国際セミナー」に参加した。このセミナーにおけるメストルの発言が、中国の官製メディア、新華社通信、民族主義的なタブロイド紙「環球時報」に掲載された。中国政府にとって、黄金に等しい価値ある発言であった。

中国メディアが述べるところを信じるのであれば、メストル名誉学部長は「私は、フランスとその他の欧州の国々が、新疆が出した答を受け入れることを願う」と述べた。メストルはカシュガルで「職業訓練センター」の一つに足を運んだ（中略）。中国当局が言っていることは本当だった、というのが彼の感想だった。「あれらの人々は囚人ではなく、義務とされる職業訓練を受けるために送り込まれたのだ」、と彼は請け合った。（中略）後日、この発言を知り、どう思うか尋ねられたストラスブール大学の中国研究者たちは唖然とするばかりだ。「これがストラスブール大学の中国学学部の見解ではないことは、言うまでもありません」、と学部長のトマ・ブトネは述べる。「あのような政治的発言をすることは、私たち大学人の役目ではありません。お人好しゆえに騙されたというより、事実の否認です」。講師のマリー・ビゼ＝リリグは「極めて強い衝撃を受けた」と述べる。「アラゴンのソヴィエト連邦への旅、対独協力者たちのナチス・ドイツへの旅に匹敵します」[30]。〔ルイ・アラゴンはフランスの詩人で共産主義者。作家アンドレ・ジッドと同じく一九三〇年代にソ連を訪れたが、強圧的な体制の危険を察知したジッドとは異なり、問題点にまったく気づかずソ連を礼賛し続けた。対独協力者は第二次大戦の初期にフランスがドイツに敗れて降伏してから、積極的にドイツに協力したフランス人を指す〕

二月二六日、ストラスブール市第一助役を兼任するユーロメトロポール・ド・ストラスブール〔ストラスブールとその周辺の三二の市町村を併せた広域行政組織〕副議長、シヤマク・アガ・ババエはクリスティアン・メストルに真意を問い質《ただ》そうとした。

> これは、中国政府による政治的・宗教的少数派の扱いには問題がない、という政治的発言である。私が属している議員グループは、メストル氏に真意を質すつもりだ。報道のとおりの発言をしたのであれば問題だ。〔中国政府による〕ウイグル人の扱いの是非についての議論は既に決着がついていると思う。報道された発言を本人が認めるのであれば、ユーロメトロポールの倫理に反することになる[31]。

四面楚歌となったメストル名誉学部長は、その日のうちにユーロメトロポール職業倫理委員辞任を申し出た。

二月二五日、エマニュエル・マクロン仏大統領は習近平と電話会談を行った。だが、大統領府の最初の発表によると、ウイグル人が置かれている状況は話題とならなかった。

ということは、強制収容所とウイグル人は、我が国の大統領にとって何ら重要性がないのだ。これが明白になったのは、せめてもの幸いだ。歴史は彼を裁くであろうし、私たちも歴史とともに彼を裁くことになろう。今朝、私は怒り心頭に発している。我が国の指導層の意気地のなさと弱腰にはもはや我慢ならない。彼らはシニシズムと無力感を信仰するに至った。彼らは私たちの原則と戦略的利益を踏みにじっている。彼らは、フランスの過去の歴史と現在のコミットメントを無視している。フランスは、もっと優れた指導層に恵まれて然るべき国だ。

以上の反応を示したのは、フランス国内で新疆の悲劇に警鐘を鳴らしている一人であるラファエル・グリュックスマン欧州議会議員だ。[32] ジョー・バイデンは大統領就任後、三週間以上先延ばしした挙句、二月一〇日に漸《ようや》く習近平主席と電話会談を行ったが、その際に、ウイグル人の悲劇に言及した。ホワイトハウスの発表によると、バイデンは習近平に対して、「強制的かつ不公正な経済慣行、香港での弾圧、新疆における人権侵害、台湾に対するアクションも含めて、地域〔アジア〕で実践されている権威主義色が濃くなる一方の施策に関する、強い懸念」を表明した。[33] ジョー・バイデンは後日、この電話会談において、習近平に次のように語った、と説明した。「あなたとあなたの国が、これほど明白に人権侵害を犯し続けるのであれば、私たちは倦むことなく、何が起こっているのかを明快に理解してもらうために世界に発信し続けます。主席は私のメッセージを理解した」[34]。フランス国内で批判が高まるのを見て、大統領府は軌道修正を図り、マクロン大統領は習主席との電話会談でウイグル人問題にも触れた、と釈明した。具体的にはどのように触れたのだろう？　私たちには知る由《よし》もない。

先述のラファエル・グリュックスマンは二〇二一年初頭に、欧州における初めての生産拠点としてアルザスを選んだ中国の通信機器大手グループ、ファーウェイに八〇万ユーロの助成金を与えることに対する考えを以下のように表明した。[*11]

> ファーウェイが狙っているのは、欧州市場に食い込むために欧州に拠点を設けることだ。ファーウェイは中国共産党に奉仕しつつ、拡大の一途をたどっている巨大企業だ。ヨーロッパの中心に進出する、ストラスブールを足掛かりに欧州市場に君臨する、これは、中国共産党の拡張主義の理想とぴったり合致した戦略である。また、この進出により、アフリカ市場へのアクセスもスムーズとなる。二〇〇八年にチベットでの平和的デモを弾圧して以来、中国は欧州への浸透を図る戦略を推進し、欧州各国の政府が中国に依存する状況を作り出している。中国共産党はこうして、欧州が中国に物申すことを不可能にしようと狙っている。既に、ギリシアやポルトガルは、港といったインフラやエネルギー企業を中国に売却せざるを得なくなった。今や、こうした国は中国政府に盾突くことができない。（中略）欧州各国の情報機関は中国によるスパイ活動を警戒して

いる。それなのに、アルザスへの〔ファーウェイの〕進出を許すとは、お人好し過ぎる。ブリュマト（アルザス北部、ストラスブール市の近郊に位置する）の近くには、国防機密扱いの軍事ゾーンが幾つもあるというのに。この進出は、国家安全保障にかかわる問題となる。安全保障レベルの深刻な危険がある。ゆえに、この運動は、原理原則の問題、すなわち人権尊重の問題にとどまらず、国防上の問題でもあるのだ[35]。

加えて、有名人が個人的に中国への抗議を表明する例もある。例えば、フランスのサッカー選手（ポジションはフォワード）、アントワーヌ・グリーズマンは二〇二〇年一二月一〇日、ファーウェイがウイグル人監視に協力しているとの疑惑を理由に、同社とのスポンサー契約を打ち切る、と発表した。「ファーウェイが顔認証ソフトの提供を通じて〝ウイグル・アラート〟の開発に協力した、という疑いが濃くなったので、同社とのパートナーシップを直ちに解消する」とグリズマンは発表した[36]。フランスとスイスの国籍を持つ人気モデルのナビラも同様であり、「国際女性デー」に当たる二〇二一年三月八日、ウイグル人女性の悲劇的運命を告発するために声を挙げよう、と呼びかけた。ナビラはＳＮＳ上で、一人のウイグル人女性の写真をシェアし、「強姦、虐待。この三月八日、中国で苦しめられているウイグル人女性への連帯のために私たちも声を挙げよう」と訴えた。ナビラは「この女性の名はレシデ・ダウティ。五八歳の有名なウイグル人歌手です。二〇一八年一〇月より、彼女は中国国内で投獄され、虐待されています。（中略）こうした強制収容所では、女性たちは恒常的に鎖につながれ、おぞましい性的虐待を受けています。輪姦、電気警棒を使ったアナル強姦、女性器への電気ショック、強制的な避妊手術や堕胎[37]」と記した。二〇二一年三月一二日、第四六回セザール賞〔フランスの映画賞〕の審査委員長を務めたロシュディ・ゼム（モロッコ系フランス人の俳優、監督、脚本家）はオープニングのスピーチにおいて、コロナ禍による逼塞生活は「何よりも、より悲劇的な逼塞生活、すなわち中国のウイグル人コミュニティーが被《こうむ》っている強制収容所暮らしを考える機会となるべきだ」と述べた。パリ議会は二〇二一年三月九日、欧州ウイグル研究所に活動拠点となる場所を提供した。同研究所は声明を出し、「人権の首都、迫害された者に手を差し伸べる都市であるパリの市議会は、学術研究の推進、ウイグル文化と女性の権利の擁護に努めるウイグル研究所に、非営利団体活動用の不動産を提供してくれました」と述べた。その他にも、クレルモンフェラン、マルセイユ、ランス、アルフォールヴィルといったフランスの複数の都市が、ウイグル人との連帯を誓う憲章に署名した。

　二〇一八年一〇月一〇日、いずれも中国に詳しい著名な研究者二五名が連名でルモンド紙に寄稿し、新疆にある拘留施設を閉鎖するよう中国に呼びかけた。

　そうした施設には、何十万、あるいは百万人にものぼるウイグル人――それだけでなく、人数が不明のカザフ人も――が拘留されていると思われる。しかも、司法の決定に基づいた拘束ではない。こうした施設に収容された人々は、何週間、何か月、あるいは永久に留め置かれる可能性がある。亡くなった人もいる。彼らが犯した罪とは？　イスラム教の国、もしくは大規模で活発なウイグル人コミュニティーが存在する国を筆頭に、外国に滞在したことがある、もしくはそうした国に住む親戚・家族と連絡を取ったこと。自分たちの宗教を目に見える形で信仰していること。中国共産党による統治に疑念を表明したこと。あるいは、単に中国当局の目に「怪しい」と映ったから……。「再教育」とは、愛郷心や宗教心を根絶やしにし、共産党と中国への忠誠心を確保することにほかならない。

フランス国立科学研究センターの国際研究センターで研究部長を務めるジャン＝フィリップ・ベジャ（中国学者、政治学者、中国専門家）、大学で北京語を教えるかたわら著述家、ジャーナリスト、翻訳家としても活躍している中国学者のマリー・オルズマン（現代中国と中国の反体制運動のスペシャリスト）を含む寄稿者たちは、以上のように強調した[38]。この意見表明が発表されて以降、信用に足る多くの情報が寄せられ、寄稿者たちの懸念を裏付けた。二〇二一年二月二六日、国連人権高等弁務官のミシェル・バチェレが沈黙を破った。バチェレは、ジュネーヴの国連人権理事会――中国もれっきとした理事国である――の席で、「（中国では）人権活動家、人権弁護士、人権擁護者、そして一定数の外国人が、恣意的に刑事犯に仕立てられたり、拘束されたり、不公正な裁判にかけられている」と述べた。新疆の収容施設における恣意的な拘束、劣悪な扱い、性的虐待、強制労働をはじめとする人権侵害に関する報告を第三者の手で精査する必要がある、とバチェレは主張した[39]。慎重な言葉遣いだが、中国が国連内に持っている影響力を考えると――何しろ、中国は国連安全保障理事会の常任理事国五国の一つなのだ――、バチェレの発言は勇気あるもの、と言えよう[*12]。二〇二〇年一〇月三日、スヴラン、トランブレイ、ヴィルパントを選挙区とする仏国民議会議員のクレマンティーヌ・オータン――

左派連合フロン・ド・ゴーシュの一角を占める二〇一三年設立の組織「アンサンブル！」所属――は、志を同じくする政治家たちとウイグル人支援議員連を結成した。加盟議員たちは、以下の声明を発表した。

所属する党派も様々な議員である私たちは、世界が無関心を決め込んでいる間に辛酸《しんさん》を嘗《な》めているウイグルの人々を支援するための議員連を設立することで、警告を発する。私たちは、法が力に、自由が専制に、人間の理性が野蛮に負けるのを許してはならない、と主張する。[40]

欧州連合、イギリス、カナダ、アメリカは　二〇二一年三月二二日（月）、中国政府のウイグル人に対する政策を告発するために、新疆の中国人高官に対する制裁を同時発動した。これは、ジョー・バイデンが一月二〇日に大統領に就任してから初めて西側諸国がとった共同歩調であり、中国政府の孤立の深まりを印象付けた。口火を切ったのは欧州連合であり、天安門広場虐殺以来の中国人高官に対する制裁を決めた。対象としたのは、ウイグル人弾圧に積極的にかかわったと目される四人の中国人高官と一つの組織である。四人の高官とは、朱海侖（新疆党委員会前副書記、前政法委員会書記）、王君正（新疆党委員会副書記、新疆生産建設兵団書記）、王明山（新疆党委員会常務委員）、陳明国（新疆公安庁庁長）を指す。一つの組織とは、新疆生産建設兵団の公安局である。欧州連合は、この四人と組織が「中国における重大な人権侵害、特に大規模な恣意的拘束、ウイグル人やその他のイスラム教徒少数民族に対する非人間的な扱いに責任がある」と断じたのだ。資産凍結と欧州への渡航禁止を内容とする制裁案は、ブリュッセルでの外務理事会の場で、二七の欧州連合加盟国の外相によって採択され、直ちに発動された。中国政府は外相の声明を通して直ちに反応を示し、欧州側の一〇名に報復制裁を科すことを発表した。この一〇名のうち五名は、ラファエル・グリュックスマンを含む欧州議会議員である。ドイツ人人類学者のアドリアン・ツェンツも対象となった。こうした人々とその家族は、香港やマカオを含め、金輪際、中国に渡航することはできない。加えて、欧州の四つの組織も中国から制裁を科された。そのうちの一つは、アナス・フォー・ラスムセン元NATO事務総長を会長とするフォーラム、民主主義連盟である。中国政府は、欧州連合の制裁措置は「中国の主権と権益を甚《はなは》だしく侵害するとともに、虚偽と情報操作を含む」行為である、と批判した。中国共産党の拡声器とも呼べる日刊紙「環球時報」の国際版「グローバル・タイムズ」は激烈な口調の論説を掲載し、その中で、中国はやられたらやり返す、と告げ、「人権の教師を気取っている欧州の見下すような態度」と、お説教がましさを痛罵した。「ジェノサイドと言う言葉は、中国に貼り付けることなどあり得ないレッテルだ。一方、中国への制裁を主導したドイツはジェノサイドそのものの悪行をさんざん犯した」といった文字が躍っていた[41]。こうして欧州連合は、二〇二〇年七月九日に既に、特に少数民族ウイグル人に対する「重大な人権侵害」にかかわったとされる複数の中国人高官に制裁を発動していたアメリカと歩調を合わせた。なお、マイク・ポンペオ米国務長官（当時）は、新疆の状況をホロコーストになぞらえ、「今世紀の汚点」と呼んでいた。二〇二一年三月二二日、アメリカは制裁の新たな対象として、欧州連合の制裁リストに載っている二人を加えた。

以上の同時制裁発動は、アメリカと同盟国の外交官たちによる調整の成果だと思われる。ロイター通信の取材に対して、アメリカ政府の高官は、欧州諸国の政府と中国関連の問題について日常的に連絡をとっていた、と認めた。アントニー・ブリンケン米国務長官は同じ週、欧州連合とNATOの当局者らとのブリュッセルにおける会議の前日、「国際社会が糾弾を強めているにもかかわらず、（中国は）新疆でジェノサイドと人道に対する罪を犯し続けている」と述べた。イギリスとカナダの外相はアントニー・ブリンケンと共同声明を発表し、新疆での「抑圧行為」を停止するよう中国政府に求めた。これとは別に、オーストラリアとニュージーランドの外相も共同声明を出し、「新疆におけるウイグル民族やその他の少数民族に対する重大な人権侵害に関する信頼性の高い情報によって深まる懸念」を表明し、欧州連合、カナダ、イギリス、アメリカが発表した制裁を歓迎する、と述べた。オランダ政府は、中国による報復制裁の対象に自国の議員が一名含まれていたことを重く見て、中国大使を呼び出して抗議した。

中国による制裁の対象となった一人であるベルギー議会議員、サミュエル・コゴラティはAFPの取材に対して「恐ろしいことだ。独裁体制が議員とその家族に牙を剥くとは、背筋が寒くなる」と述べた。そして「こうした威嚇や脅しは、我々を止めることができない。むしろ逆効果だ！　香港、チベット、そしてウイグル人を閉じ込めるための収容施設が増殖している新疆に民主主義をもたらすために戦う、という我々の決意は猶《なお》のこと固くなる」と断言した。「余りにも長く続いた欧州の沈黙、時間の経過とともに我々を共犯者にしてしまう沈黙を破る時が来た[42]」

ラファエル・グリュックスマンは、中国当局の自分に対する制裁決定を誇りに思う、との感想を表明した。「私が中国による制裁の対象となり、（私だけでなく私の家族全員が！）中国領土に渡航できなくなり、中国の公的機関や企業と接触することも禁じられた、と聞く。私がウイグル人を守ろうとしたのが原因だとしたら、この制裁は私にとってレジオンドヌール勲章に値する」とツイートしたのだ。[43]二〇二一年三月二六日、中国政府は制裁対象にイギリスの個人九名と四団体を加えた。そのうちには、元保守党党首のダンカン・スミスが含まれている。これを知ったスミス元党首は、「中国政府の香港における権力濫用、ウイグル人が犠牲者となっているジェノサイドを告発するのは私たちの責務だ」とコメントし、「もしこれが中国の私に対する怒りの原因であるなら、私は今回の制裁を名誉のバッジとして身につける」と結論付けた。[44] この制裁合戦のエスカレーションの結果の一つはおそらく、北京とブリュッセルの間の七年におよぶ難しい交渉の末に二〇二〇年一二月三〇日に漸《ようや》くまとまった投資協定——中国政府はこれを、欧州連合とアメリカの絆に罅《ひび》を入れるための手段と考えていた——の事実上の凍結であり、これは中国政府にとっては新たな打撃であろう。この協定が発効するためには、欧州議会で承認され、欧州連合加盟の二七か国によって批准されねばならない。そこまで漕ぎつけるのはますます困難となっている。二〇二一年三月二九日、世界の研究者や大学人四〇〇人以上が連名で、ニューカッスル大学（英国）のジョアン・スミス・フィンレイ博士への連帯を表明する声明を発表した。中国学者である博士は、中国政府が制裁を科したイギリス人の一人であり、今や中国への渡航は不可能となった。中国共産党体制による人権侵害について語るという挙に出た博士を、中国政府は許せなかったようだ。[45]

私は、自分が中国のプロパガンダの手口を知り尽くしている、と思っていた。私の考えは甘かった。これから紹介することは、さもしさ、卑しさ、おぞましさという点で、想像力の限界を超える……。ユダヤ人差別である。上海で発行されている日刊紙「文匯報《ぶんわいほう》」の元パリ特派員、鄭若麟[*13]が二〇二一年三月二四日、自身のブログで、ラファエル・グリュックスマンと彼の父親が「イスラム世界の中国に対する憎しみを煽《あお》っている、彼らはサミュエル・パティの殺害に間接的に関与した」、と非難したのだ[*14]〔中欧にルーツを持つユダヤ系フランス人のラファエル・グリュックスマンは、元ジャーナリストの政治家。二〇一五年に亡くなった父親、アンドレ・グリュックスマンは著名な哲学者。サミュエル・パティは、授業中にイスラム教の開祖ムハンマドの風刺画を生徒たちに見せたことを理由に、二〇二〇年一〇月にイスラム原理主義に染まったチェチェン出身者に殺された中学教師〕。鄭若麟の主張によると、全員がユダヤ人であるグリュックスマン一家は、〔チェチェン紛争後に〕チェチェン人テロリストを意図的にフランスに引き寄せた。プーチンを貶めるためにチェチェン人テロリストのことを平和的な抗議者だ強弁し、難民としてフランスが受け入れるように画策したのだ。ゆえに、サミュエル・パティが殺されたのはグリュックスマン父子のせいだ。そして今、ラファエル・グリュックスマンは新疆ウイグル自治区に関して嘘を並べ立てて中国を非難し、イスラム教徒と他民族との対立を煽っている、というのが鄭の結論だ。

「またしても、彼らが我々の運動を脅威に感じている証拠だ。中国のプロパガンダマシンは、昨日からフル回転し始めた。その目的は？　疑念を作り出し、ウイグル人のための我々の闘いの信用を落とすためだ。そのために、この闘いに公然と参加している人々（研究者、政治家、知識人、ウイグル人活動家等々）の信用を失墜させようとしている。権威主義体制、ファシスト体制が愛用する古典的手法だ。数日前から何万ものメッセージが中国のSNSを賑《にぎ》わしているが、ここフランスにも間もなく伝播することだろう。ユダヤ人による世界レベルのアンチ中国陰謀の首謀者、CIAもしくはモサドのエージェント、イラク戦争やシリア革命を構想した張本人、〝生粋のフランス人〟を別民族に置き換えようとする大計画の中心人物等々のレッテルを私に貼るメッセージであり、これからも続くことだろう。フランスでは、圧制者にとって使い勝手のよい愚か者たちが、こうしたメッセージをリレーすることだろう。このような愚かしい話の一つ一つに反駁して時間を無駄にするつもりはないし、指摘することすら差し控えようと思う。だが、我々の運動が彼らの計画を狂わせていることは確かだ。戦うことなくして、そして攻撃を受けることなくして我々が勝利することはあり得ない、と覚悟すべきだ。私が考えるところの政治とは、正しいと思うことのためにリスクを引き受ける叡知だ。我が国の指導層は、このことを余りにも長いあいだ忘れていた。力を合わせ、このことを思い出してもらおうではないか」。以上が、ラファエル・グリュックスマンの鄭若麟に対する返答である[46]。

二〇二一年三月二六日、ジャン＝イヴ・ル・ドリアン外相はラファエル・グリュックスマンを招き、ユダヤ人差別の攻撃を受けたグリュックスマンへの連帯の意を表した〔ラファエル・グリュックスマンが予測した通りに、フランスのネット上に、鄭若麟の説を支持するメッセージがかなり多く行き交った。フランスに反ユダヤ感情が根強いことが今更のように分かる」。

「私はジャン＝イヴ・ル・ドリアン外相との会談を終えたところだ。私は外相に、フランス市場から奴隷制度が生み出す製品を締め出すため、人権を尊重して中国体制による攻撃から人権を守ることを我が国のブランドに義務付けるための具体策を提案した。そのための戦略は存在する。欧州議会で採択されたのだから、あとは適用するだけだ」とグリュックスマンはSNSに投稿した[47]。

中国のプロパガンダは巧妙で侮れない。二〇二〇年一二月、マキシム・ヴィヴァス[*15]という人物が書いた、『ウイグル関連のフェイクニュースと決別するために』と題された本がラ・ルート・ド・ラ・ソワ社から出版された。表に出ることが殆どないソニア・ブレスレールという女性が二〇一七年に創業したこの出版社は、不偏不党の独立精神をうたっているが、その出版カタログを見ると仏中の協力を称える本が一定の割合を占めているうえ、中国共産党の出版社と月刊誌『中国‐フランスの対話』を共同出版している。この雑誌の二〇二一年一月号は「中国の五か年計画」特集であり、駐仏中国大使の盧沙野や、その他の中国の高官複数のインタビューに多くのページを割いている。

『ウイグル関連のフェイクニュースと決別するために』の裏表紙には、次のような惹句《じゃっく》が印刷されている。「あなたは、ドレフュス将校の裏切り、ティミショアラ（ルーマニア）の虐殺、国連でコリン・パウエルが示した小瓶の中身、クウェートにおける未熟児用保育器の電源切断、ウトローの小児性愛者ネットワーク、我が国の国境に迫ったチェルノブイリの雲、スコットランドにおけるデュポン・ド・リゴネスの逮捕、ラ・サルペトリエール病院へのジレ・ジョーヌの乱入といったトピックスに関するフェイクニュースの愛好者ですか？　それなら、この本はあなた向きではありません」

案内人が朝から晩まで付きっ切りという、中国政府が入念に準備し管理する旅行を喜んで受け入れ、新疆を二回訪れた著者のヴィヴァスは、同地方で「ジェノサイド」など一切起こっていないと、全面的に否定している。

「真実はこうだ。フランスの三倍の広さがあるこの自治区は、中国の全面的な協力のお陰で遅れと貧困から脱却しつつある。具体的には、資金援助、受験する〔少数民族の〕学生を優遇するアファーマティブアクション、職業訓練センターや教育センターにおける職業教育や国語（北京語）教育が提供されている。しかも、新疆の五六の少数民族のいずれも、母語、独自の文化や信仰もしくは無信仰を捨て去ることを強要されていない。中国政府は同時に、シリアでアルカイーダの手で狂信的なムスリムとなった者たちが流す〝三つの害毒〟（原理主義、分離主義、テロリズム）を容赦なく叩いている。こうした狂信者たちの目的は、中国の国土面積の六分の一を占める地域に、独立したイスラム国を樹立し、中華人民共和国の法律をシャリアに置き換えることである」と著者は主張する。

以上の主張をどのように判断するかは読者にお任せする。この本は、フランス国内では少しも話題にならなかったが、新華社通信や人民日報といった中国の官製メディアからは盛んに取り上げられ、新疆でジェノサイドなど一切起こっていない証拠、しかも反論の余地のない証拠として利用されている。王毅外相も、二〇二一年の全人代に伴って行われた三月七日の記者会見で、この本を根拠として新疆のジェノサイドを否定している。

三月二八日、ヴィヴァスの強力な助っ人が名乗りを挙げた。中国の国営テレビＣＧＴＮのフランス語版ウェブサイトのオピニオン欄に、「フランスを拠点とするフリーランスジャーナリスト」と言う触れ込みのロレーヌ・ボーモンが書いた（とされる）記事が掲載されたのだ。この記事は、筆者が個人的に見聞きした事実にもとづく証言という体裁で、新疆で少数民族ウイグル人ムスリムがジェノサイドや迫害の被害者となっているとの疑惑を一蹴《いっしゅう》している。筆者は「私はフランス人女性であり、中国でほぼ七年間、暮らした」と述べる。それだけではない。「人生の偶然が重なり、私には新疆の首府ウルムチに住む親族がいる。私は、二〇一四年から二〇一九年にかけて、この地方を何度も訪れる機会に恵まれたのだが、私が知っている新疆は、巷《ちまた》で言われている新疆とは異なる」そうだ。大変結構な話だ。おそらく筆者は実在しない、という問題がなければ。ジャーナリストの世界では、誰も彼女のことを知らない。ルモンド紙は、フランス職業ジャーナリスト身分証委員会のファイルをチェックし、彼女の名が載っていないことを確認した。おかしな話だ。CGTNによると、彼女は「ソルボンヌ＝パリ第四大学で美術史と考古学の学位を取得し、ジャーナリズムの修士号を持っている。パリで様々なメディアで働いたのち、北京に居を移した」というのに。驚くまでもないことだが、彼女がウイグル人に向ける視線は、中国当局の公式見解のすべての要素をそっくりそのまま反映していて、「これまで、その運命に誰も関心を示さなかったウイグル人の大義に最近目覚めたパッショナリア〔情熱的な運動家〕たち」に疑問を呈し、「新疆で収穫されたコットンを服製造に使わないと宣言した外国の大ブランドが、くすぶっていた問題を決定的に悪化させた」と指摘している。三月三一日、中国国営メディアの一つである中国国際放送（ラジオ・チャイナ・インターナショナル、CRI）は、予定されているフランス議員団の台湾訪問――仏中政府間のぎくしゃくを高めているもう一つの棘《とげ》――についての論考をロレーヌ・ボーモンの名で発表した。今回は「アジアの文学とポップカルチャーが大好きで、中国に詳しいジャーナリスト」と紹介されたボーモンは、「中国を標的とするグロテスクな批判」に怒りをぶつけ、フランスと台湾の交流を図ろうとする仏上院議員たちに台湾訪問計画を取りやめるよう促した[48]。ルモンド紙がボーモンの実在に疑問を呈した翌日、今度はル・フィガロ紙が、ロレーヌ・ボーモンは血肉を備えた人間として実在する、という調査結果を発表した。ただし、である。彼女は中国国営テレビCGTNのパリ支局に勤務しており、本名とは異なるロレーヌ・ボーモンの筆名で「証言」することを承諾した、というのだ。偽名を使えば、どんなことでも言える。このことは、ボーモンの名で書かれた記事の信用性を著しく落とす。

事を荒立てないように気遣いながら新疆の状況について中国に問い合わせたトルコを除き、中国によるウイグル人の扱いを問題視して声を挙げたイスラム教の国は今のところ一つもない。なぜだろうか？　アルジェリア系フランス人の研究者かつジャーナリストで、アラブ世界に詳しいスリマン・ゼギドゥールは次のように説明する。

> 第一に理解すべきは、イスラム教の国々においては権力の座にある体制によって世論が抑えられている、という事実だ。西側諸国のような表現の自由はないので、街に出てデモで意思表示するのも難しい。ウイグル人のためであれ、そのほかの理由であれ。デモ、抗議運動、公然とした連帯感の表明、といった習慣や文化はないのだ。人々が心の奥底で何も感じていない、というわけではないが。ただし、全員が同じ肺で呼吸し、同じ世界観を共有し、同じ大義に一致して心を揺すぶられるイスラム世界、というのは神話に過ぎない。イスラム主義者と、イスラムを嫌悪する人々だけが信じている神話だ。預言者ムハンマドの時代から現在に至るまで、そうしたイスラム世界が存在したことは一度もない。（中略）イスラムを嫌悪する人々やイスラム主義者が抱くこうした神話とは一八〇度異なり、イスラム教の国家がイスラムの名において何かに反応することは絶対にない。例えば、中国と極めて良好な関係にあるサウジアラビアやイランは、中国政府を困らせるような言動を慎んでいる。こうした国の民衆もウイグル人が受けている迫害に憤っているに違いないが、政府はそうした人心を無視して政治を行っている。イスラム教の国々の政府が、ムスリムの連帯意識に駆られて行動を起こすことはない。唯一の例外はトルコのエルドアン政権

だ。トルコには、故国を逃れて移住したウイグル人が多数いる。ウイグル人ロビーの働きかけの結果、エルドアンは不満を表明して中国に説明を求めることになったのだ。（中略）（ムスリムたちはいつの日か、目覚めるのだろうか？）いや、私はそうは思わない。とは言え、イスラム教は預言者ムハンマドの時代から、すなわち一五世紀前から中国に定着しているという事実は押さえておかねばならない。イスラムは中国文明の一部として古い歴史を持っているのだ。中国の歴史において、何人もの著名なムスリムが大きな役割を演じている。あの国の歴史に、中国人ムスリムが与えた影響は侮れない。例えば、中国海軍の歴史上、もっとも偉大な海将は一五世紀のムスリム〔明代の鄭和〕だ。現在の中国のムスリムたちの状況は、近代前の歴代中国帝国のいずれの時代と比べても劣悪だ。今日でも、ウイグル人を助けたいと思う漢人はいるに違いない。しかし、中国政府は、以前にチベット人に適用したのと同じ方針でウイグル人に臨んでいる。超国粋主義的な現在の中国当局は、キリスト教とイスラム教を外国由来の汚染物質と見なしている。ウイグル人はかつて新疆で多数派であったが、植民地化政策——非ウイグル人の中国人が大量に移住している——によって少数派となってしまった。文化を抹殺する政策だ。しかし、外国のムスリムが目覚めてウイグル人やその他の誰かを支援したり、何かを批判したりすることはこれからも起きないだろう。イスラム教の国々の大半は独裁国家だからだ。そうは言っても、サウジアラビアなどの国がこの問題について中国に非公式に説明を求めた可能性はある。だが、公式に説明を要求することはない。[49]

新疆の現状はジェノサイドに相当するのだろうか？　ジェノサイドの定義の多くが当てはまる状況であることは確かだ。中国学者のマリー・オルズマンのような、中国専門家の目に、新疆のウイグル人の現状はどう映るのであろうか？　私はオルズマン氏に尋ねてみた。彼女の回答をそのまま書き写してみるとする。

私の心は二つの思いに引き裂かれています。一つは、想像もつかないような恐ろしい日々を過ごしている人々が気の毒でたまらない、という人《ひと》としての痛みです。あの人たちが耐え忍ぶことを強いられている苦しみは想像を絶します。もう一つは、驚愕です。私たち中国専門家は全員、素晴らしい中国人の友人を持っています。人生を愛し、ユーモアがあり、社会や人間との関係を鋭敏に理解するセンスに恵まれた人たちです。だからこそ、同じ中国人のなかに、何でもない計画の一部であるかのように人道に反する罪を犯す人がいることに、私たちは戸惑うのです。どうしてそんなことがあり得るでしょう？　私の想像力と理解力を超えています。憤りというレベルではありません。憤りという言葉は凡庸すぎます。想像もつかぬことを想像しようと試みても不可能なのです。

——新疆で中国政府が追求している究極の目的とは何だと考えますか？

私の脳裏に真っ先に浮かぶ前例があります。正確には前例とは呼べないのですが。それは、満州民族に起きたことです。誰もが知っているように、満州民族は中国を侵略し、清朝時代（一六四四〜一九一二）に中国全土を支配しましたが、その間に漢族の文化や言語に完全に同化しました。ゆえに、満州文化は消え去りました。現在、満州語を話したり読み書きしたりできる人を私は一人も知りません。二人か三人、満州語を話す人がいると聞きますが、これはもはや絶滅危惧種のレベルではなく、絶滅種です。満州族の漢民族への完全な同化が先行モデルと考えられているのでは……。そこまで言わずとも、中国人は意識下で、漢文化には他文化を同化する力がある、と考えているのではないでしょうか。中国の胃袋は別の民族の文化を飲み込み消化することが可能なほど丈夫であり、他民族を完璧な中国人に作り変えることができる、という自負です。中国人は意識下で、ウイグル文化よりもはるかに優れている中国文化に同化するのがウイグル人にとって為《ため》になる、と思っているのでしょう。中国の指導層はこのことをはっきりと意識していて、国民の多くは意識下で同じ認識を持っているのだと思います。これに対して、ウイグル人は漢文化とは異なる文化を持っている、と意識している中国人はごくごく少数だと思われます。

——中国を愛するあなたにとって、この悲劇は良心に突き刺さる辛い問題ですか？

今の質問の冒頭は削除すべきでしょう。私は自分が尊敬する中国人のことを愛しています。しかも、当然ながら、そうした中国人の数は多い。でも、私が中国を愛しているか、と問われたら、答はノンです。私は中国を愛していません。特に今の中国、習近平の中国は。以上が私の答の前半部分です。中国政府をナチ体制になぞらえるのは好きではないし、実際になぞらえることは滅多にありません。しかし、ナチ時代に、良心的で倫理を重んじ責任感のあるドイツ人、つまり人間の名に値するドイツ人がどのような精神状態だったのだろうか、と想像することはできます。ドイツ国民の一人であることにどれほど苦悩したか、想像することができます。現在、多くの中国人が目覚め、どのような事が進行中であるのかを認知し、現状を把握している、と私は思います。そして、彼らが今、心の中で人間として倫理的な葛藤にどれほど苦しんでいるか、想像することができます[50]。

この心を引き裂き無限の悲しみを誘う問題提起に最後に加える資料は、二〇二一年三月九日にアメリカのシンクタンク「ニュースライン・インスティチュート・フォア・ストラテジー・アンド・ポリシー」から発表されたレポートである。併せて五〇人以上の国際法の専門家、国際刑事裁判所の元メンバー、国連大使、法律家、無所属の研究者、人権と戦争犯罪の専門家が署名したこの文書は、中国は「(国連)ジェノサイド条約に違反しているゆえに、新疆で進行中のジェノサイドの責任を負う」と結論付けている[51]。非政府組織が独立した立場で、新疆におけるジェノサイド疑惑を分析した初めての例だ。国連ジェノサイド条約の定義によると、ジェノサイドとは「国民的、人種的、民族的又は宗教的集団を全部又は一部を破壊する意図」にもとづく行為である。そして、そうしたジェノサイドを構成する行為として以下を挙げている。集団の構成員を殺すこと。集団の構成員に肉体的危害もしくは精神的トラウマを加えること。集団の全部もしくは一部の破壊をもたらすような生活条件を意図的に課すこと。集団内の出生を妨げること。集団の児童を他の集団へと強制的に移すこと。こうした行為が一つでもあると、ジェノサイド条約違反を問われる。しかし、新疆ではこうした行為のすべてが見られる。ゆえに、中国は同条約に全面的に違反している、とこのレポートは強調している。「中国が新疆でウイグル人を標的として実施している政策および施策は全体として、集団としてのウイグル人の全体もしくは一部を破壊せんとする意図と同等である、と見なして然るべきだ」というのが結びの言葉である。

二〇二一年三月七日、中国の国務委員かつ外相である王毅は、全人代にあわせて行われる恒例の記者会見の機会をとらえ、新疆のジェノサイド批判に次のように反撃した。

> 新疆でジェノサイドが起きているという話は笑止千万である。どす黒い意図にもとづく噂、真っ赤な嘘である。（中略）「ジェノサイド」という言葉を聞いて多くの人が連想するのは、一六世紀の北米原住民や、一九世紀のアフリカ人奴隷、二〇世紀のユダヤ人、今日も闘いを続けているオーストラリアのアボリジニーのことだ。[52]

歴史がこの発言の是非を判断することだろう。それにしても、この悲惨そのものの事態の存在とその深刻度は遅かれ早かれ世界中の知るところになるとは思わず、新疆であのような行為に及んでも問題ない、と判断したのは中国当局の誤算であった。その結果、中国のイメージと信頼性は破壊的、長期的なダメージを受けてしまった。その責任を第一に負うのは習近平である。習は二〇一四年、ウイグル人活動家が昆明駅をテロ襲撃して三一人の死者を出した事件を受け、新疆の地方当局に対して、ウイグル人に「徹底的に無慈悲」であれ、との指令を出した。二〇一九年一一月一六日に掲載された記事の中でニューヨークタイムズは、西側に流出した四〇〇ページを超す中国の極秘公文書にもとづき、新疆における一連の弾圧と何百もの拘留施設の設置を決定したのは習近平であったことを明らかにした[53]。いつの日か、この大惨事から中国も教訓を引き出すことだろう。しかし、それまでの間、中国当局と、お上の決定に一切口をはさむことができず人質状態にあるがゆえに——悲しいことだが——間接的に共犯者となってしまった中国国民は、これからも汚名をかぶり続けることになろう。

二〇二一年三月一四日、エマニュエル・マクロン仏大統領と近い関係にあるナタリー・ロワゾー(元欧州問題担当大臣で現在は欧州議会議員)が、私の質問への回答として次のような文書を送ってくれた。

> 私たちの国および自由世界は、さらには発展途上の国々は、余りにも長い間、中国とその政治システムおよび国際的野心の真実に気付かず、幻想を抱いていました。ソヴィエト連邦崩壊後、私たちは、中国の共産主義も同じ道をたどる、と確認していました。とんでもない間違いでした。一九八九年は、ベルリンの壁崩壊と天安門事件の二つが起こった年でした。私たちは、習近平の権力掌握とそれがもたらす事態に十分な注意を払いませんでした。香港における自由の粉砕、台湾に対する挑発、南シナ海における帝国主義的振る舞い。今や世界中が目を覚ましましたが、それは、驚愕させられたからでもあります。驚愕をもたらした事態の一例が、新疆のウイグル人に

対する迫害です。この迫害を隠し通すことはもはや不可能です。証言、衛星写真、公文書の流出、そうしたすべてが一致して、再教育施設、避妊手術、強制労働等の実態を明かしています。中国との対話はこれまで通りに必要ですが、もはや無視できない状況がある以上、対話の修正軌道が必要です。気候や感染症といった地球規模の大きな課題に中国が取り組むように働きかけねばなりません。しかし、こうした課題で協力するにしても、中国は私たちの価値観に近づこうとはしない、このことを私たちは知っています。ですから、私たちの価値観と利益の双方を守るための手段を強化する必要があります。私たちは無力ではありません。中国の力の源泉は経済成長であること、その経済成長を支えているのは輸出とイノベーションという二つの柱であることを忘れてはなりません。私たちはゆえに、産業分野での主権が揺るがぬように強化し、自国のテクノロジーが守られるように今まで以上に警戒すべきです。警戒する役目を担うのは政府や官公庁ですが、それだけではありません。企業、消費者、研究者、大学人も同じ役目を果たすべきです。中国が目覚めたことを認識しようではありませんか。その目的は新たな冷戦への突入ではなく、世界が権威主義的な体制へと転がり落ちることの回避です。

このテーマを締めくくるにあたり、私の脳裏に蘇ってきた一つのエピソードをご紹介しよう。その当時、私に大きな衝撃を与えた出来事であった。一九八九年五月、「北京の春」の学生運動指導者のなかで最も優れた弁論家の一人だったウイグル人、ウーアルカイシは李鵬首相――李鵬はのちに、天安門事件におけるその役割ゆえに「北京の虐殺者」の異名で呼ばれることになる――と面会した際に、首相に強い口調で迫ったのだ。国営テレビのカメラを前にして、ウーアルカイシは首相の言葉を遮《さえぎ》り、「首相であるあなたの話を遮ることが無礼だと分かっていますが、私たちが儀礼的な挨拶をかわしている間も、空腹のまま広場に座っている人々がいるのです。首相、私たちがここにいるのは、具体的な問題を話し合うためなのです」と言った。次に口を開いた首相は、ウーアルカイシの無礼をたしなめた。するとウーアルカイシはまたしても首相の言葉を遮り、「首相、あなたは（交通渋滞のために）到着が遅れた、とおっしゃいます。私たちは首相との面会を四月二二日から求めていきました。首相は単に遅れただけではありません。到着するのが遅すぎたのです。それはまあいいでしょう。いらして下さることが出来ただけでも良しとしましょう」と言った。天安門虐殺の数日前には、ごく短期間だが民主主義が存在したのだ。完璧に北京語を操り、読み書きすることが出来るウーアルカイシは現在、アメリカではなく台湾で亡命生活を送っている。漢人とウイグル人の共存が可能なことを明白に示すかのように。

　ウイグル人の悲劇は、以前ほどは話題に上らなくなったものの、同程度に悲惨なチベット人の運命を当然ながら私に思い出させる。一九九〇年に上梓し、内容をアップデートして二〇一九年に再版した本の中で、私はチベット問題を考察している[54]。光栄なことに、エリザベート・バダンテールがこの拙著に序文を寄せてくれた。その序文をここに書き写そうと思う。三〇年前に書かれた文章であるが、当時から何も変わっていない。むしろ事態は悪化している。

> 　多くのフランス国民と同様、私はチベットについて殆ど何も知らない。アムネスティ・インター

ナショナルの年次報告書を通じて、チベットではおぞましい暴政が猛威を振るっていると知ってはいたが、正直に言って、この本を読んで初めて、数字だけでは語りきれない現実をありありと感じることができた。すなわち、数字が頭脳だけでなく心に訴えかけるには、本書が必要だったのだ。立ちはだかる障壁の両側――チベットと中国――から情報を集めたピエール＝アントワーヌ・ドネの労作のお陰で私たちは、千年以上の歴史がありながら今や人口数百万人までやせ細ったチベット民族のゆっくりと進行する臨終の苦しみを手に取るように知ることが出来る。悲劇は一九五〇年、強力な中国軍がチベットを侵略した時から始まった。それ以来、世界で最も美しく、最も非凡な国の一つであり、争いを好まず、篤い宗教心の伝統を持つチベットは、絶望が生み出すエネルギーを動員して、この国を跡形もなく消そうとする力に抵抗している。チベットの断末魔とは、殺された男たち、拷問を受けた尼僧や僧侶、再教育施設に送られた何千人もの人々の悲劇にとどまらず、この国とその文明を世界地図から抹消するために中国当局が推進している文化、言語、宗教のジェノサイドである。チベットで制度的に進められている中国化は、中期的にこの国が確実に死を迎えることを意味する。全世界が無関心なままに。なぜ無関心なのか？　やがて一〇億人以上の消費者で活発になるに違いない中国マーケットへの進出を阻まれるのを強く懸念する者もいれば、恐ろしい隣人である中国を怒らせることをひどく恐れる者もいるからだ。チベットの心は奥底まで傷ついているがまだ鼓動している。だが、その音は少しずつ、少しずつ弱くなっている。待っていられないとばかりに、早々と死亡診断書に署名しようとする人たちもいる。しかし彼らは間違っている。小さな光が揺らぎながらもまだ輝いている。チベットの民が菩薩の化身として敬うダライ・ラマだ。温和で寛容、しかも疲れを知らぬダライ・ラマは、今や存亡の危機にあるチベット民族の長所を見事に体現している。ダライ・ラマは平和を説く巡礼者として世界各地に姿を見せることで、チベットはまだ生きている、あなたたちもチベットを救う手助けが何かできるはずだ、と説いている。ユートピアだ、非現実的だ、と言う人もあるだろう。それは間違っている。国際世論が奇跡を起こし、逞《たくま》しい巨人ゴリアテがほっそりとした少年ダヴィデに膝を屈することも時として起こるのだ。そういった奇跡を起こすための第一歩は常に、無知を糧とする無関心を終わらせることだ。ゆえに、チベットの苦痛に満ちた現実を覆っているベールを剥がすことは急務なのだ。そうすれば、たとえチベットを間近に迫った死から救うことが出来ないにしても、少なくとも、チベット殺害者の無頓着な共犯者となることを拒むことができる。

チベットとウイグルの悲劇は驚くほど似ている。労働収容所、虐待、強姦、避妊手術の強制、住民の強制移住のいずれも共通している。今や、文化、言語、建築、経済のすべての面で、チベットの中国化は急速に進んでいる。二〇二〇年には、中国当局はチベット中国化政策をさらに推し進め、年初より新たな強制労働計画を実行に移した。主な標的はチベットの遊牧民であり、中国は彼らが好むと好まざると定住化を強制している。軍隊をモデルとするこの中央集権的政策は、チベット高原の何世紀にもわたる伝統を一挙に根絶やしにするものだ、というのがワシントンに本拠を置くジェイムズタウン財団の評価だ。「遅れた思考様式」を改めさせ、「規律」と法の順守と北京語の習得を基礎とする働き方を強制することが狙いだ。「チベット自治区」のなかで、特にチャムド地級市がこの計画の対象となっている。これを指揮、監督しているのは人民解放軍幹部といった公務員だ。中国国営メディアが発表した写真からは、軍服を着せられたチベット人が強制労働に就かされている様子が見て取れる。この計画に参加している人民軍幹部は、集めるべきチベット人の数のノルマを達成せねばならず、さもないと罰せられる（厳格奨懲措施＝厳格な信賞必罰）。計画が公式に掲げている目的は農村地帯の極貧の完全な一掃だが、遊牧民にも適用されるので、この場合は生活スタイルの強制的変更につながる、とジェイムズダウン財団は指摘する。遊牧はチベットの古い伝統である。中国のこの新政策は、何十万もの遊牧民を脅かしている。同じジェイムズタウン財団が二〇二〇年九月末に発表し、ラ・クロワ紙が引用した研究報告の著者、アドリアン・ツェンツは、「これは、一九七〇年代の文化大革命以来、チベット人の生活様式を標的とした最も暴力的な攻撃だ」と強調する。[*16] ツェンツが引用する中国政府のオフィシャルサイトの掲載記事によると、「二〇二〇年の初めの七か月で、五〇万人の人々が職業訓練を受けた。約五万人がチベットにある複数の工場に送り込まれ、三〇〇〇人以上が他地方の工業地帯に移された[55]」。

中国政府は中国のすべての辺境を厳重な管理下に置いているが、チベットも例外ではなく、この状況は一九五〇年一〇月の人民解放軍による侵略から続いている。だが、この管理は、中国による支配に反発するラサ市民の蜂起が多くの死者を出して制圧され、ダライ・ラマがインドに亡命した一九五九年三月以降、格段と厳しくなった。文化大革命による凄まじい残忍行為や文化財や宗教施設の大量破壊の後には、徹底的なチベット中国化政策が続き、これに休止はない。現在、世界は新疆でどのような悲劇が起きているのか気付いていて注視しているが、影が薄くなったチベットの現状が新疆よりましということはない。チベット中国化の進行がもたらしているのは、チベット語（北京語とはまったく異なる）の漸進的な消滅、信仰の自由に対する様々な障害、チベット仏教僧院の活動に対するきつい締め付け、チベットの先祖伝来の伝統とは遥かにかけ離れた物質主義の強要である。支配者である中国の文化がロードローラーのように無慈悲にチベット文化を押しつぶし、チベットは少しずつ死に向かっている、というのが現状だ。さらに、新たな締め付けとして、二〇一九年末より信教の自由が制限されている。中国政府は、チベット自治区政庁の以前からの職員に伝統的なチベット仏教をどのような形であれ信仰することを禁じ、一八歳以下の住民と中国共産党の党員はもはや、祭日に僧院を訪れることを許されていない。この陰惨な絵をさらに暗く塗りつぶすのは、「チベット自治区」が二〇二一年初頭に発表した新たな規定だ。中国の安全保障の名のもとに、チベット人の相互監視、そして外国人監視を奨励する規定である。二〇二一年一月一日に発効したこの「チベット自治区防諜安全保障規定」は、中華人民共和国反間諜法（スパイ法、二〇一四）に準拠した地方規定であり、その枠組みとなっているのは習近平の「総体的な国家安全保障観」である。

　チベット中国化が止まない現状を背景に、フランス国内のチベット人コミュニティーは二〇二〇年一二月一〇日、自分たちの精神的指導者であるダライ・ラマのノーベル平和賞受賞三一周年を祝った。非営利団体ラカル・フランスとのパートナーシップでテレビ会議が開催され、ロプサン・センゲ（インド北部のダラムサラに拠点を置くチベット亡命政権カシャグの首相）、フランス人チベット仏教僧のマチュー・リカール、高僧ダグポ・リンポツェ、ラカル・フランス代表のセリーヌ・マンギ等が参加した。ロプサン・センゲは、中国軍は一九五九年三月一〇日、八万七〇〇〇人のチベット人を殺戮し、ラサを血に染めてチベット蜂起を制圧した、と指摘した。この日にダライ・ラマがインドに逃れたのは、中国による祖国占拠に対する「深い絶望」に駆られたチベット人の蜂起が弾圧された結果である。「チベットは中国化されている。チベットのアイデンティティー消滅が危惧される」とロプサン・センゲは危機感を表明した。マチュー・リカールは「この国、チベットが経験した苦しみ」の大きさを強調しつつ、「他者を思いやる気持ちが持つ力は広大である。ダライ・ラマのこのメッセージは力強い。利他主義は贅沢品ではなく、二一世紀にとって必需品だ」と述べ、ダライ・ラマについて「精神的支柱であるこの偉大な人物のイメージは、すべてのチベット人の心の中に宿っている」と語った。なお、ダライ・ラマの写真の所持は、チベット自治区内で厳禁だ。中国政府はチベット仏教の最高指導者であるダライ・ラマのことを「危険な分離主義者」と見なし、極度に敵視している。ダライ・ラマの公式通訳であるマチュー・リカールは、二〇一六年九月、仏大統領に選出される以前のエマニュエル・マクロンとダライ・ラマが会見したときのことを回想した。会談後、マクロンは「人に対する思いやりを体現した人物だ！」と感嘆したそうだ。

緩慢だが免れることができないチベットの死にもかかわらず、ダライ・ラマ[*17]は圧制者に対する暴力の行使に頑強に反対している。

> 武力闘争という考えが一部のチベット人の間にあることは承知している。だが、そのように考えるのは間違っている。暴力は不道徳だ。加えて、私たちチベット人にとって、暴力に訴えることは自殺行為となろう。チベット人が暴力の道を選ぶのであれば、中国は今まで以上に手っ取り早

い手段に出るだろう。そもそも、暴力は非人間的行為だと私は思う。人間味あふれる人には相応《ふさわ》しくない行為だ。人間は、一人一人の内にある共感の気持ちを養うべきだ。人はなぜ、血に引き寄せられてしまうのだろう？　私は一貫して、暴力は人間の本性に反する、と考えてきた。その一方で、暴力に訴えることで何かを成し遂げられることも時としてある、とも考えている。だが、そうした成果が持続しないことは確実だ。多くの場合、暴力は問題を消し去るのではなく、問題を追加してしまう。私たちチベット人はそもそも、現実を直視すべきだ。私たちは六〇〇万人であるのに、中国人は一〇億人以上だ！　武力闘争を検討することは愚かだ。私がこれを説明すると、若いチベット人が泣き出すことがある。彼らは自分の感情的反応を抑えることができないのだ。だが、彼らは受け入れるべきだ。気に入らないことかもしれないが、これが現実なのだから。

（中略）

　中国もいつの日か、開かれた社会、発言と信教の自由を認める民主主義国家となる、と私は考える。きっと、その日は来る。チベットの真実は外国で知られているだけでなく、中国国内とチベットでも知られている。それに、共産主義は失敗に終わる。独裁的なシステムは失敗するのだ。人権を主張する声が人々の耳に届くのは自然の理だ。自由を求める声も同様だ。私たちは人間だ。私たちは、もっと自由を、もっと民主主義を、と求めているだけだ」とダライ・ラマは私に語った。[56]

一九八八年にチベット独立を断念したダライ・ラマは、チベットの自治権拡大を条件として折り合いを探るため、何年も前から中国に話し合いを提案しているが、中国は一切耳を貸そうとしない。
マチュー・カプスタンと並び、フランスでチベット問題に一番詳しい専門家、と呼んでほぼ間違いないカティア・ビュフトリーユ[*18]は、チベットの現状についてつぎのように語る。

中国化のプロセスが急速に進むようにあらゆる手立てが講じられ、チベット人の生活のすべての分野——宗教、言語、生活様式、そして環境までも——に及んでいる。このプロセスはかなり以前から始まっているが、習近平体制となってからは、かつてないほどの規模となった。七〇年前から植民地主義の占領下で暮らしているチベット人のレジリエンスには驚くほかない。仏教がチベットのアイデンティティーの基盤の一つであるというのに——一つであるがゆえに、と言うべきかもしれない——、チベット仏教への攻撃は数限りなく、恒常的だ。習近平は、「宗教のドクトリンと中国文化を融合」し、「宗教が社会主義社会に適合するよう導く」必要性を明白に表明した。その結果、仏典を北京語に翻訳し直すこと、すべての宗教施設に中国の国旗を掲げることが命じられた。高僧たちには、中国共産党のプロパガンダに協力することが強く推奨されている。二〇一一年より、インドで学んだ僧侶たちが教義を教えることは禁じられている。また、僧院内で中国政府の公式方針を適用する任務を担う「民主的管理委員会」の構成メンバーは、中国共産党党員だ。今や、チベット自治区の若者が仏教の祭典に参加することは禁じられている。そうした祭典自体も、年々厳しくなる監視下に置かれていて、二〇二一年の新年の祭典がそうであったように、コロナ禍を理由に中止を命じられることもある。この中国化プロセスを如実に物語るもう一つの事象は、進む一方のチベット語教育の疎外だ。二〇二〇年には、幼稚園も含めて、チベット自治区の教育現場からチベット語は排除された。学校で学ぶ青少年が寄宿舎に入るケースが年々増えているが、寄宿舎では北京語以外を話すことは禁じられている。ケニアの作家、グギ・ワ・ジオンゴ[*19]は、植民地化された国の言葉が植民者の言葉に置き換えられることがどのような結果をもたらすかについて、次のように見事に要約している。「文化としての言語はいずれも、一つの民族の歴史を通じて形成された集団的記憶である。文化の出現、発展、定着、明示、世代から世代への継承を可能にするのは言語であり、言語抜きの文化はあり得ない」。加えて、チベット人の定住強要は、伝統的な生活様式を破壊する現象の一つである。宗教的崇敬の対象である風景、すなわち神聖な風景は中国の介入によって冒涜され、次第に破壊されている。

――現在は、ウイグル人の悲劇がおおいに話題となっている。チベット人も同じような悲劇を経験しているのだろうか？

現在、入手できる情報にもとづけば、チベット人は今のところ、ウイグル人を襲っているような悲劇には見舞われていないと思われる。しかし、つい最近、アドリアン・ツェンツが明らかにしたところによると、チベット自治区でも新疆と同じような強制労働システムが導入されているようだ。当然ながら、結論に飛びつくのは避けるべきで、確証がもたらされるのを待たねばならない。だが、ジャーナリストや研究者がチベット自治区に入ることは禁止されているので、情報を精査することは難しい。しかしながら、二〇二〇年以来、約五〇万人のチベット人農民と遊牧民――チベット人の人口の約一五％に相当する――が、貧困撲滅を口実として、厳重警備の職業訓練施設に送り込まれている。この訓練の目的は、チベット人に工場での「本物の仕事」を与えることだ。規律と北京語を教え込んで生産拠点に送りこむ、すなわち伝統的な環境から引き離すことを狙っている。多くの漢人は、ウイグル人やチベット人と言ったいわゆる「少数民族」のことを遅れていて、怠惰で、恩知らず、と見なしている。すなわち、鍛え直す必要がある民族なのだ。彼らに強要される文化・文明モデルはただ一つ、漢人文化である。これこそ唯一無二の有効なモデルだから、というのが漢人の理屈だ。

――チベットの文化アイデンティティーが生き延びる希望は残っているのだろうか？

非常に難しい質問だ。チベット人のレジリエンスには驚きと称賛を覚えるほかない。チベット侵略は一九五〇年代に始まった。チベット人は、大躍進、文化大革命をはじめとする、あらゆる災厄の犠牲となったが、現在でもまだ、チベット人として存在しつづけるために闘い続けている。様々な抵抗運動が見られた。最も悲劇的な抵抗は焼身自殺である。二〇〇九年に始まったが、二〇一一年から特に激しくなり、次第に止んだ（最後の焼身自殺は二〇一九年一一月に起きた）。止んだのはチベット人が置かれている状況が改善したからではなく、焼身自殺した者の家族親戚を全員投獄して罰するという政策のせいだ。今に至るまで、焼身自殺者の正確な数は分かっていない。

一五六人という数字が挙げられていたが、二〇一五年にチベット自治区のナクチュ地級市で一人のチベット人が焼身自殺したことが二〇二一年一月に分かったので、訂正された。チベットが抵抗しようにも中国との力の差は大きすぎるし、ますます進化して人工知能まで活用するようになった監視技術のお陰で中国による締めつけはますます厳しくなっている。インドがウィーチャット（微信、中国のインスタントメッセンジャーアプリ）の使用を禁止したため、中国のチベット人と亡命チベット人との間の連絡が以前にもまして難しくなっている。チベットの文化アイデンティティーの存続は極めて危うい。ゆえに、チベット文明の重要性と価値を世界に知らしめることは私たちの義務だ。この文明の消滅は、世界にとって大きな損失となるからだ[57]。

今、私の胸に去来するのは、中国による占領に反旗を翻した一九五九年三月一〇日のチベット蜂起を記念する二〇一五年三月一四日の集会――パリのシャン＝ド＝マルスで開催された「チベットのための欧州集会」――で演説したフランスの元法務大臣、ロベール・バダンテール〔先にも名前が出たエリザベート・バダンテールの夫〕の輝かしい言葉である。

> ごく若いころに祖国チベットが外国に侵略され、踏みにじられるのを目撃したゆえに、ダライ・ラマは、私たちにとっても重大関心事であるチベット人の大義のシンボルであるにとどまらず、全世界の人々の幸福の第一条件である世界平和のメッセンジャーとなった。ダライ・ラマは、人間性とは、他者すなわち兄弟である人間の尊厳と権利の絶えざる尊重という形を取って表明され

るものだ、と説く。テンジン・ギャツォ〔ダライ・ラマ一四世の法名〕にとって人権は、全人類の政治憲章なのだ。人権は、世界の至るところ、すべての人間の権利なのだ。これは貴重であると同時に脆弱な権利であり、歴史のメッセージが私たちに教えてくれるように、普遍的権利であると同時に個々の権利として専ら解釈されるべきものだ。もし人権が豊かな先進国のみの専有物であり、何十億人もの人々が貧窮、疾病、無知のなかで生きているとしたら、そのような人権は無意味だからだ。（中略）ダライ・ラマは、法の力を信じている。私たちが知っているように、チベットの人々の大義は正しいゆえに、最後には法を踏みにじる者に打ち勝つことができると、信じている。ダライ・ラマがチベットとその民のために求めているのは――ダライ・ラマは独立さえ求めていない、このことを私は時として残念に思うのだが――、

――様々な文明の競演の中で重要な役割を果たすことができるチベットの文化アイデンティティーが保全されること、そしてチベット人も含めたすべての人の基本的な権利が尊重されること、

――抑圧的な体制と、文化的ジェノサイドに終止符を打つこと、

――自治体制を確立し、チベットに法が支配する国を建設すること、

以上だけである。

中華人民共和国の完全性やその国際的な主権を脅かす要求は一つもない！

ゆえに、友よ、力を合わせ、暴力も退け、決意を固め誠心誠意を貫き、法の手段と正義のスピリチュアルな力を武器として、チベットの民の正しい大義を倦むことなく支援しつづけよう

ではないか[58]。

以上のロベール・バダンテールの言葉に加え、チベット蜂起六二周年にあたる二〇二一年三月一〇日にアメリカ下院議長、ナンシー・ペロシが述べた言葉をここに引用することにしよう。

> 今から六二年前、勇敢なチベットの人々が、自分たちの生活様式と文化を守るため、中国による侵略に対して蜂起しました。私たちは今でもチベット国民に寄り添い、自国民の権利と自由のために命を犠牲にした人々を称え続けます。チベットの人々が望むのは、暴力や威圧を受けることなく自分たちの信仰を実践し、自分たちの言葉を話し、自分たちの文化を大切にすること、それだけです。だが、中国政府は何十年も前からチベットの文化と歴史を破壊するための作戦を展開しています。このことは今に至るまで、世界中の自由を愛する人々に行動を起こすようよびかける警鐘にほかなりません[59]。

中国による文化的植民地政策と強制的な中国への同化は、ロードローラーさながらに、新疆やチベット以外でも少数民族の文化を踏み潰す勢いだ。中国当局が中国化強制政策のターゲットとしているもう一つの地方は内モンゴルだ。二〇二〇年九月、何千人ものモンゴル人小学生、中高生、大学生が、モンゴル語を守れ、と声を挙げてデモを行った。この騒動の中心となったのは、モンゴル族が人口の四五%を占める内モンゴル東部の通遼《つうりょう》地級市であった。なお、同自治区全体では、モンゴル族の割合は一六%に過ぎず、漢人が多数を占める。新たな教育指令が「バイリンガル」政策を口実として、国語と文学を除き、ほぼすべての科目はモンゴル語に替えて北京語で教える、との方針を打ち出した。しかも、早期から、すなわち低学年から北京語に切り替える、と決まったのだ。この情報は夏の間にすでに流出していたが、八月二〇日に教員たちに招集がかかり、「中央政府が決定した」こうした教育改革に関する非公開の講習会に参加させられた。教員たちは、この教育改革について口外しない、反対しない、と誓約する書面に署名することを求められた。しかし、授業をボイコットしようという呼びかけがたちまちのうちに、中国のメッセンジャーアプリ百度《バイドゥ》のモンゴル語版で広まり——百度はサービスを停止させられた——、両親たちは子供を学校に送り出すことを拒否した。次いで、デモは内モンゴル全域に広がった。ヒンガン盟〔盟は内モンゴル自治区の行政区画〕の住民の一人は、当局から睨まれることを恐れて匿名を条件に、「内モンゴル全体で、少なくとも何万人もの人が抗議に立ち上がった」と述べた[60]。

フランス国立科学研究センターの研究員で、モンゴル史を専門とするマリー=ドミニク・エヴァンは「この地方は、清朝時代に漢人によって早くから植民地化された地方の一つです。少々矛盾しているようですが、ここのモンゴル族は正調モンゴル語がそれほど得意ではなく、北京語から多くの単語を借用しています。しかし、彼らは他の少数民族よりも人口が多く、行政機関に勤めている者も多い。それが、強みとなっています。彼らは固有の生活様式とアイデンティティーの多くを失ってしまっただけに、自分たちに残されたものに対する思い入れが強いようです」と語る。[61]

内モンゴルで始まった「バイリンガル」政策はこの一〇年間、チベットと新疆ですでに大々的に強制された実績をもっている。その結果、この二つの地方では、署名活動やデモで反対が表明されたにもかかわらず、初等教育と中等教育において、チベット語やウイグル語は北京語に置き換えられた。二〇二一年三月初旬、習近平は内モンゴル自治区の当局に対して、民族間の緊張を和らげるために教育現場での中国語使用を一般化するよう指示した。新華社によると、民族の結束を強め、教科書を通じて中国語の使用（話せるだけでなく、読み書きも必須）を推進するためには「確固たる、かつ細心の努力が払われるべきである」と習主席は述べた。習が内モンゴルの青少年に求めるのは、中国共産党の政治とその革命遺産を包括的に理解することだ。習は「文化的アイデンティティーは、アイデンティティーの最も奥深い形態である。民族間の結束と調和の根源と魂にほかならない」とも説いたそうだ。[62]

**註**

*1 中国国民の監視は、二〇一九年二月に、「習近平思想」を学ぶための「無償」アプリがアンドロイドスマホ（中国のスマホマーケットにおけるアンドロイドの割合は八〇％）所有者のために始動したことで頂点に達した。「学習強国」と名付けられたこのアプリにはバックドアが搭載されていて、スマートフォンのすべての活動（メール、写真、メッセージ、連絡、閲覧履歴）を監視することができる。九〇〇〇万人の中国共産党党員と政府職員は、日常的にこのアプリを使うように厳命されている。数か月経つうちに中国でもっと

も数多くダウンロードされるアプリとなった「学習強国」の利用者は、祖国や習近平に関する知識の度合いをチェックするクイズ形式の問いに回答せねばならない。

*2　フランソワ・エスブール著『捕食者の時代』、二〇二〇年、八二ページ。フランソワ・エスブールのこの本のタイトルが、本著の題名をインスパイアしたことは見ての通りである。

*3　アリババグループの創立者で最高経営責任者であった馬雲（ジャック・マー）は中国で人気が非常に高く、中国一の富豪として知られる。

*4　統計によると、中国人は宗教に強い関心を抱いている。なかでもキリスト教と仏教は大きく息を吹き返し始め、中国共産党の影が薄くなることが懸念された。当局はこれに反応し、ここのところ宗教の実践の監視と締め付けを強めている。

*5　アジアリスト〔アジアを専門とするウェブサイト〕と国立東洋言語文明学院が二〇二一年一月二七日に開催したオンラインセミナーにおける、中国の消費動向に詳しいナタリー・バスティアネッリの発言。

*6　ヘリテージ財団は、ワシントンに本部を置く保守系シンクタンクであり、政策提言を行い、ロビー活動も展開している。「企業活動の自由、政府の権限の制限、個人の自由、アメリカの伝統的価値観、強い国防力を原則として、保守的な公共政策を提唱、プロモートする」ことを使命としている。

*7　天安門広場で虐殺が起こった後、フランスに亡命した中国人反体制活動家を支援するために、私は数人の友人とともに、「ソリダリテ＝シヌ」と言う団体を設立した。エリザベート・バダンテール〔一九四四生まれ。哲学者、作家、フェミニスト〕は、進んで協力を申し出てくれた人々の一人であり、私はこの場を借りて彼女に改めて敬意を捧げる。彼女は自身の知名度、エネルギー、時間、思いやりを惜しげなく私たち団体に差し出し、すべての会合に参加してくれた。ダニエル・ミッテラン〔一九二四〜二〇一一、ミッテラン大統領夫人〕も同じように惜しみない支援を寄せてくれ、自身の財団「フランス＝リベルテ」の門戸を私たちに開いてくれた。ソリダリテ＝シヌは今でも存続し、著名な中国学者、マリー・オルズマンが会長を務めている。

＊8　中国の公文書を主たる情報源としているアドリアン・ツェンツの調査には、疑いをさしはさむ余地がない。チベット研究者のカティア・ビュフトリーユは「彼の綿密な調査は、目を見張るような成果を上げた」と評価している。IFRI（フランス国際関係研究所）所属研究者であるマルク・ジュリエンヌは、新疆の強制収容所に関してアドリアン・ツェンツが公表した情報は思弁的であるが信じるに足る、と考える。アドリアン・ツェンツは二〇二〇年、衛星写真、証言、公式のデータや文書を拠り所として、強制収容所で暮らすウイグル人の数を二〇一八年については一二〇万、二〇一九年については一八〇万と推定している。ただし、ツェンツの人となりに対して疑問が呈されているのは確かだ。中国当局は彼を貶めるために、ツェンツは「極右のカトリック原理主義者」であり、自分は「神によって導かれている」と考えている、と喧伝《けんでん》している。ウォール・ストリート・ジャーナルは、ツェンツを新生《ボーン・アゲイン》キリスト教徒と紹介する記事を掲載し、その中でツェンツ自身も、神に導かれているとの信念を持っている、と認めている。だが結局のところ、研究の動機は各人各様ではないだろうか。

＊9　漢人は、中華人民共和国の人口の九七％を占める。

＊10　一九八七年から一九九〇年にかけて、新疆では二〇〇回以上の爆弾テロ事件が起きた。そのうちの幾つかは少なからぬ死傷者を出したが、狙われたのは主として官公庁や人口抑制政策の拠点である。一九九三年、カシュガル市だけでも一七件の爆弾事件が起き、一九九四年にはアクスで三件の大規模な爆弾テロが発生した。一九九六年、中国政府は大々的な犯罪取り締まり作戦を発令し、これに伴って組織的な家宅捜索や逮捕が行われた。二〇一五年九月一八日、肉切り包丁といった刃物で武装したウイグル人グループが、アクス地方の炭鉱で働いていた一二人の漢人炭鉱夫を殺害した。警察による犯人狩りは、二八人の襲撃犯の死で終わった。こうしたテロ事件は、中国政府が「自治区」と呼ばれているこの地方における弾圧を正当化する主な理由となっている。

＊11　ファーウェイは、欧州における初めての生産工場を、ストラスブール市の北一七キロのブリュマト市（グラン・テスト地域圏）のビジネス・パークに建設することを決めた。二億ユーロが投資されるこの工場は、

初期段階で三〇〇人分、長期的には五〇〇〇人分の雇用を生み出す、とされる。毎年、ファーウェイの欧州におけるクライアントのためにモバイルネットワーク用テクノロジーソリューションを生産し、一〇億ユーロの年商を達成することを狙っている。なお、ファーウェイの創業者、任正《じんせい》非《ひ》は元人民解放軍の軍事技術者であり、現在でも中国共産党の党員である。

*12　中国政府はミシェル・バチェレを新疆に招待したが、罠が張られていると感じたバチェレは、少し考えさせてほしい、と言って返答を留保した。中国当局が入念に準備するに違いない視察旅行では、バチェレが望む場所を好きなように訪れることなど不可能なのは明らかだからだ。その代わりに中国は、漢人とウイグル人との友好の雄弁な証拠として、新疆に社会主義中国がもたらした偉大な成果をいそいそとバチェレに披露するに違いない。

*13　ジャーナリスト、著作家、翻訳家である鄭若麟は、政府系新聞の寄稿者であり、彼のブログは中国で人気が高い。

*14　歴史と地理の教師であったサミュエル・パティは二〇二〇年一〇月一六日、勤務先であるパリ郊外のコンフラン＝サント＝ノリーヌ（イヴリーヌ県）の中学を退出したところで刺殺され、頭部を切り落とされた。犯人はチェチェン系ロシア人のアブドゥラフ・アンゾロフ（一八歳）。幼いころに両親がフランスから難民として認められたために、本人も難民の資格を持っていた。犯行の数分後に、殺害現場の隣町、エラニ（ヴァル＝ドワーズ県）で警察官に射殺された。

*15　私はこの否認主義者を知らないし、知りたいとも思わない——裁判の法廷で被告となった姿を見ることはあるかもしれないが。この人物が、中国人の友人たちが「パンダ・フランス人」という綽名で呼ぶ連中、すなわち、進んで中国当局の卑屈な従僕となる者の一人であることは確かだ。彼らは中国語をひと言も解さないし、中国文明について何も知らないし、中国の公式プロパガンダが毎日のように流す山のような嘘や虚偽を迷うことなく受け入れ、自国で垂れ流す役目を果たしている。マキシム・ヴィヴァス（一九四二年生まれ）は、もともと人間工学技術者であったが、二〇冊ほどの著作を出版している。しかし、一〇年ほど前か

ら、中国政治の熱心な擁護者として知られている。彼は二〇〇九年に家族と中国を旅して以来、自身が二〇〇二年に立ち上げたウェブサイトLegrandsoir.info を舞台として、「社会通念」を打破することに取り組んでいる。なお、このサイトは「オルターナティブな情報を提供する戦闘的サイト」という触れ込みであるが、内容は極右と極左の思考のごった煮である。二〇一〇年に中国から招待されてチベットを初めて訪れたのち、彼は二冊の本を上梓し（二〇一一年と二〇一五年）、西側諸国のメディアによるチベット報道は虚偽である、と批判し、この地方における中国の政策がいかに優れているかを称賛した。二〇一六年と二〇一八年、ヴィヴァスは新疆探訪の旅に招待された。『ウイグル関連のフェイクニュースと決別するために』（パリ、ラ・ルート・ド・ラ・ソワ社、二〇二〇年）は、新疆に関する中国政府の広報を丸呑みした内容であり、アンチ中国の国際的陰謀の首謀者としてＣＩＡを名指ししている。ここまで来ると脱帽するほかない！

*16 メルボルンを拠点とするチベット専門家、ガブリエル・ラフィットといった一部の研究者はこの分析に反論し、チベットでも弾圧が行われていることは確かだが、チベットと新疆とは異なる、と主張する。ラフィットは自身のブログ、rukor.org に次のように記している。「チベットは新疆とは異なる。新疆では、中国は二世代前から新疆で暮らしている何百万人もの漢人植民者を動員することが出来た。これに対して、チベットに根付いている非チベット人はごく少数だ」

*17 今日、習近平はダライ・ラマを敵視しているが、彼の父親、習仲勲にはそういった傾向はなかった。毛沢東とともに長征を体験した習仲勲は一九五〇年代に、まだ若かったダライ・ラマに好意を示した。ダライ・ラマから贈られたオメガの腕時計を習仲勲は長い間、愛用していた。習仲勲については、少数民族、特にチベット人への思いやりのある人物、というイメージが定着している。

*18 カティア・ビュフトリーユは人類学者かつチベット学者で、チベット文化を専門としている。民俗学の博士号を持ち、高等研究実習院の研究技師であり、学術誌『モンゴル・シベリア・中央アジア・チベット研究』の出版ディレクターでもある。アンヌ＝マリー・ブロンドーとの共著『チベットは中国か？』（パリ、アルバン・ミシェル社、二〇〇二年）、『チベットの黄金期（一二〜一八世紀）』（パリ、レ・ベル・レトル社、

二〇一九年）などの著作がある。毎年、六か月をチベット地方で過ごすのを習慣としている。

＊19　グギ・ワ・ジオンゴ（一九三八年一月五日、カミリリズ生まれ）は、母語キクユ語と英語で執筆するケニア人作家。現在、カリフォルニア大学アーヴァイン校の執筆・翻訳国際センターの所長で、教鞭も執っている。

# 第2章 環境問題——地球環境をかき乱す中国

二位以下を大きく引き離す世界最大の環境汚染国である中国は、二〇六〇年までに、カーボンニュートラルを達成すると約束している。近い将来に世界一の経済大国となるこの国の急速な経済成長がもたらすインパクトにかんがみて、この約束が守られることは決定的に重要である。中国が産業および環境に関して今日どのような方針を選択するかは、明日の地球の運命に重くのしかかるであろう。

「捕食者というものは、滅びない。犠牲者とは違い、互換性があるからだ。その残酷さは別の形に置き換わり、捕食は再開される」——アンドレア・H・ジャップ（フランスの生物学者でありミステリー作家でもあるリオネル・ニュジョン＝ボドンのペンネーム）作『La Raison des femme』より

## 二〇六〇年までのカーボンニュートラルは夢か現実か

二〇二〇年九月二二日、習近平主席はニューヨークの国連総会にオンラインで参加し、中国は「二〇六〇年までに」カーボンニュートラルを実現することを今後の目標とする、と大々的に打ち上げた。同年の一二月一二日、気候変動をテーマとしたオンライン気候野心サミットにおいて習は、中国はパリ協定の目標達成のために「さらなる貢献を果たし」、二〇三〇年までにはＧＤＰを分母とした二酸化炭素の原単位排出量を二〇〇五年比で「少なくとも」六五％は削減する、と宣言して、なおも意欲を見せた。加えて習は、森林蓄積量を六〇億立方メートル増大させることに着手し、次の一〇年でエネルギーミックス中の非化石エネルギー（太陽光、風力）の割合を二五％に高め、少なくとも毎時一二億キロワットにする、と付け加えた。大反響を呼んだこの演説の余勢を駆《か》って、中国新華社通信は同日、中国のこうした新たな約束は「責任ある大国の決意と野心」とを示すものである、と報じた。また同時に、中国外交部報道官の華春瑩は、中国は「この約束を厳守」し、「気候変動への戦いに一層の貢献をなすであろう」、と宣言した。世界の温室効果ガス排出量に占める割合が三〇％で、それゆえに二位以下を大きく引き離す世界最大の汚染国である中国の絶対権力者のこうした宣言は、うるわしい約束、大向こう受けを狙った空手形なのだろうか。この約束を、真《ま》に受けることが出来るのだろうか。大国として環境問題により一層コミットする必要があると自覚した中国は、二〇一五年一二月一二日にパリ協定に署名している。[*1] 中国指導部はそれ以来、相当の努力を成し遂げた――これについては、詳細を後述する――が、約束を果たすには遥《はる》かに不十分であり、特に石炭火力発電所からの排出量は増える一方だ。実際のところ中国政府は、二〇二〇年の上半期には、二〇一八年から二〇一九年の累積数を超える石炭火力発電所の建設を認可したのである。[63] これらの新たな石炭火力発電所の発電能力はほぼ二五〇ギガワットに達し、インドと米国の石炭火力発電能力を合算したものをも凌駕する。

ジャン＝フランソワ・ユシェは二〇一六年に上梓した著作の中で、中国における石炭消費は、世界の消費量の五〇・六%を占める。これは米国の四倍、日本の一八倍、ドイツの二四倍、そしてフランスの一二八倍に相当する、と指摘した。[64] 現在の中国は、約一四〇〇基にのぼる石炭火力発電所を有し（米国は六四七基）、そこからは年間に三億七五〇〇万トンもの石炭灰が空気中に排出される。二分三〇秒ごとに、オリンピック公式プールを満杯にする量の灰が放出されているのだ！　三〇か国が、二〇二〇年以降の石炭火力発電所の建設を中止する脱石炭同盟〔PPCA〕に加入している。しかし、中国は未加入だ。石炭火力発電所の建設数は世界中で減っているが、中国（およびインド）は、二〇三〇年までにその数を急増させる予定である。中国のエネルギー部門を統轄する国家能源局の電力司は、今後一〇年間でこれら石炭火力発電所の発電能力の三割増加を見込み、二〇三〇年には一三〇〇ギガワットの生産量に引き上げることを提案している。「それは、現在の水準よりも発電能力を二九〇ギガワット高めることを意味し、この増加分は米国の総発電量を上回る」と、サンフランシスコに拠点を持つNGOグローバル・エナジー・モニターの研究員であるクリスティーン・シェアラーは述べている。[65] 現在の中国は一国のみで、全世界の石炭火力発電能力のおよそ半分にのぼる約一〇〇〇ギガワットの発電量を持ち、二位の米国（二五九ギガワット）、三位のインド（二二一ギガワット）を引き離している。

ＩＥＡ（国際エネルギー機関）およびＥＩＡ（米国エネルギー情報局）による予測では、中国経済は二〇三〇年以降も石炭火力にもっぱら大幅に依存することになり、そのエネルギーミックスの半分近くは二〇四〇年に至っても石炭火力由来という状態のようだ。しかも、さらに深刻なことには、多数の石炭火力発電所が、中国企業の手によって国外に建設されているのである。二〇一八年には、北京政府は、発展途上国において中国企業の手で石炭火力発電所を建設するために、三六〇億ドルを投資した。

これによる大気汚染は、中国大陸の都市部はもとより、隣接する諸国にも及んでいる。被害を受ける国には、韓国、日本、台湾はもとより、北米までが含まれる。この現象は主に春の季節に見られ、その理由は、一九八〇年代初頭から明確に加速した砂漠化と土壌風化に起因する中国西北の砂嵐が春に最も激しく吹くからである。中国上空における急速なオゾン対流圏の進行は、米国西海岸にまで到達している。「アジア由来の」オゾンは、カリフォルニアにおけるオゾン量の二割程度を占めている。[66] ＩＥＡの予測によれば、このままいけば、二〇三〇年までには、世界の温室効果ガス排出量の四分の三近くが中国由来となる。[67] この大気汚染に、過酷な水資源不足も加わる。すなわち、中国では六六〇の大都市のうち、四四〇が深刻な水不足に悩んでおり、また五割の都市の水道水は、ＷＨＯ（世界保健機関）が飲用に適しているとする基準を満たしていない。

習近平が国連総会で演説した当日、事務総長のアントニオ・グテーレスは、世界のすべての国に「気候非常事態」を宣言することを呼びかけ、もし現状が逆転しなければ国際社会は「破滅的温暖化」に直面するであろう、と警鐘を鳴らした（フランスは二〇二〇年に、いまだかつて記録されたことのない暑い年を経験した。これは、地球温暖化を明らかに示す現象である）。中国がその野心的な目標を達成するには相当な努力が必要だが、専門家の一致した意見によると、そうした努力はおそらく壁にぶつかることになる。『中国のための気候計画』と題された調査の中で、ボストン・コンサルティング・グループ[68]は、今後三〇年間の削減努力コストを一〇〇兆元（一五兆ドル）以上と見積もっている。二〇五〇年までに$CO_2$の排出を七五％から八五％程度削減する――そのコストは、同期間の予測ＧＤＰのおよそ二％に等しい――には、中国は「早急な行動」に着手せねばならない[69]。「時を逸してはならない」と、このコンサルティング会社の常務取締役であるトーマス・パームは言う。「中国は、二〇三〇年に排出のピークを迎えると思われる。これからの一〇年を無駄にしてはならない。いま始めねばならないのだ」。遅滞なく開始すべきその行動の一つが、石炭火力発電所の新設を、今後永久に停止することだ。しかし二〇一九年時点で、石炭は国家の主要消費エネルギー源の約五八％を占めており、残りが天然ガス、原子力、再生可能エネルギーである（原子力が占める割合は四・九％）ことを考えれば、石炭火力発電所新設の凍結はほぼ不可能である。原子力にかんしては、中国は二〇三五年までに、その割合を一〇％に引き上げようとしており、原子炉の建設ペースは年間六基から八基におよぶ。すなわち、一五年間で一〇〇基近くも新設されるのである！　習近平が約束した意欲的な目的の達成のためには、中国は太陽光と風力による再生可能エネルギーの発電量を、二〇二一年から二〇二五年までの毎年、ほぼ一〇〇ギガワット増大させねばならない。理論上、これが二〇六〇年のカーボンニュートラル達成目標のために支払うべき代償である。だが中国の現状を考えると、石炭を捨て去るなど夢物語だ。二〇一九年の中国は、石炭の世界一の生産国（世界産出の四六・六％）、世界一の消費国（世界総計の五一・七％）、世界一の輸入国（世界輸入量の二二・一％、ただし中国は国内の石炭需要量の九七・七％を国内で賄っている）と、三冠王である。

　中国の政策の優先順位が、何をおいても経済発展にとどまる限り、習近平の約束はヘラクレスの難行のごとくに艱難辛苦を強いるチャレンジである。ただし、中国が「持続可能な発展」へと舵を切り、経済発展優先にややブレーキをかける方向に戦略を変えようとしていることは事実ではある。現在の最優先事項は社会の安定であり、それには環境保護に以前よりも力を入れることが必須だからだ。

　とはいえ、他の先進諸国に比べて、中国国民一人当たりのエネルギー消費が低いままであることには変わりはない。二〇二〇年において、その数字は石油換算で二二三六キログラムであった。ちなみに日本は三四七〇キログラム、インドは六三六キログラムである。しかし、二〇〇〇年代に入ってからは文字通り爆発的に増えていることは事実であり、四三年間で三八一％の増大という記録を残しているのである！

　確かに、中国政府は、地球温暖化に対する戦いにおいていくつかの努力を講じてきた。この点は強調する必要があろう。例を挙げるなら、中国はソーラーパネルやリチウムイオン電池の世界最大の生産国となった。中国はまた、全世界で製造される電気自動車の半分を生産しているし、電動バスにいたってはほぼ全量を製造している。[70] ほとんどの中国の大都市部では、タクシーも、公共バスも、スクーターも、みな電気化されている。それら大都市の空気は自動車交通と周辺の工業化で劇的に悪化しているものの、上記の交通手段の電気化は大気汚染物質の放出量のそれなりの減少をもたらしている。だがこうした成果の裏には、すべての電気自動車は石炭火力発電所が生み出すエネルギーを消費している、という不都合が隠れているのである！　加えて、標準的な電気自動車のバッテリーには、レアメタルであるニッケルが平均一六キログラム使われているが、ニッケル精錬後にはスラグの山が残る。また一六キロのリチウムも含まれ、これもまた採掘の際に土壌汚染の一因となる。さらには一〇キロのコバルトも使われているが、この鉱物はアフリカで採掘され、児童が平均して日当二ドルで雇われている[71]。

　とはいえ、バイデン大統領がその気候プランの中でも強調したように、トランプ前大統領就任後の最初の一年間、中国は再生可能エネルギーに米国の三倍の金額を投じた。中国は、クリーンエネルギーへの投資にかけては、はるかに群を抜いている。二〇一四年には、世界のクリーンエネルギー（太陽光発電、風力発電、バイオマス発電、水力発電）投資総額に占める中国の割合は二九％であった（約九〇〇億ドル）[72]。さらに、二〇一五年の一月一日には中華人民共和国環境保護法が発効した。そこには環境保護のための気候温暖化対策が明記され、環境保護と経済活動を調和させる必要性を原則として認めている。同法により行政当局は、汚染基準に重大な違反をした企業の活動を停止させる権限を持つようになった。それ以前には罰金の制度しかなく、企業は違反金を払って汚染を続けていたのであった。この新法は、通報者の保護を定めるとともに、環境基準違反を告発する権限を持つ人々の範囲を汚染被害者とＮＧＯにまで拡大した。環境問題に詳しい中国研究者であるジャン＝フランソワ・ユシェは、「これで中国は、法規の枠組みを整備した。理論上は、国家を公害から保護することができるようになったわけである」と述べる。[73] ただし、「中国の多くの分野（人権、経済的権利、社会的権利）で見られるように、ここでも法とその適用との間には深淵がある」と付言する。[74] 実際のところ、地方政府は雇用維持と地域産業振興ばかりに血道を上げ、他は眼中にない。ゆえに以前と同様に、工場の閉鎖は例外である。

　二〇一九年における世界の$CO_2$排出量の中で、中国とアジアの分は、どれくらいの割合を占めているのだろうか。中国の排出量は、米国の二倍以上、またEUのほぼ三倍にあたる。アジア全体が世界に占める割合は今や、半分以上にもなる。二〇一九年の中国の排出量はさらに悪化して三・四％増大したが、その差分だけでも、同年のフランスの総排出量を上回るのである。新型コロナウイルスのパンデミックの衝撃にもかかわらず、世界の排出量のなかで中国が占める割合は二〇二〇年にも増大した。中国でも排出量は減ったが、減少量の世界平均を下回ることはなかったからだ。カーボン・モニター[*2]によれば、全世界の排出減が六・三％であったのに対して、中国はマイナス一・四％にとどまった。この違いは、今回のコロナ禍に中国経済が他国よりも持ちこたえたことを意味している。二〇二一年には強靱な回復ぶりを示すことが予測されているので、これは$CO_2$排出のリバウンドを引き起こし、おそらく二〇二一年末には世界の総排出量の三分の一に達するであろう。とはいえ、再生可能エネルギーについても、中国は意欲的である。再生可能エネルギー生産施設（太陽光発電、風力発電、水力発電）の発電能力は二〇一四年から二〇一九年の間に倍増し、二〇一九年には八二〇ギガワットを得るに至った。とはいうものの、中国の一次エネルギーの総需要のなかで再生可能エネルギーが占める割合は二〇一九年においても、一三％をやや下まわっている。二〇三〇年までにこれを二五％に引き上げるという目標は、エネルギー効率化や森林保護の目標とくらべて、明らかに非現実的である。現実問題として、エネルギー需要全体の中での再生可能エネルギーの割合の伸びは、年間〇・六％でしかない。二〇三〇年までに二五％に引き上げるという目標を達成するためには、増加率を文字通り倍加させる必要があるのである。[75]

## 深刻な大気汚染

中国の大都市は、今や深刻な大気汚染に直面している。北京では、限りなくひろがる灰色の空から太陽が顔をのぞかせることはめったになく、首都の住民は、永遠かと思われるスモッグの下に生きている。

> （前略）北京の空気を呼吸するということは、アメリカの空港の喫煙室に常時いることに等しい。[76]あるいは、一日に二三本の紙巻きたばこを吸うことに相当する。[77]（中略）イエール大学環境法政策センターは、二〇の基準を設けて諸国の大気汚染レベルとその変化を判定しているが、その格付けによれば、中国は一七四か国中の一一八番目に位置する。[78]

北京を覆う厚い大気汚染層は、ロックダウンによって二〇二〇年の春にはほとんど完全に消失していたことが衛星写真によって明らかになった。だがその後、この雲は、かつてないほど分厚く濃密になって戻ってきた。首都圏での経済活動および自動車交通の再開の結果である。大気汚染は、年間一六〇〇万人の早死を引き起こしており[79]、これは一年間のＧＤＰの五・八％の損失に値する。すでに二〇〇一年の段階で、世界銀行の報告書に掲載された汚染が深刻な都市ワースト二〇のリストに、中国の都市が一六もランクインしていた[*3]。この大気汚染は、急速に増加している肺癌の第一の原因であろう。いくつかの研究によれば、中国全体で今後三〇年間に、肺癌は四六五％も増加し、北京においては一〇年で六割増えると予想されている[80]。

排出された温室効果ガスは、国境内にとどまるわけではない。中国は今や、九・七ギガトンを排出しており、これは世界総量の二八％にのぼる（米国は五・九ギガトン、インドは二ギガトン）。それ以外にも大気汚染は中国大陸に酸性雨をもたらし、また近隣国の空気も汚染する。酸性雨の被害は中国国土の四〇％近くにおよび、とくに南西部に顕著である。酸性雨の経済面への影響も深刻である。植生が最初の犠牲者であり、まず森林が、そして耕地が被害を受けるのである[81]。

温室効果ガス排出だけが、中国の汚染物質放出の唯一の問題ではない。中国は何年も前から、世界一のプラスチック生産国である。中華人民共和国生態環境部によれば、中国は毎年二億立方メートルの廃棄物――その大部分がプラスチック製品――を直接海洋に投棄している[82]。世界最大の廃棄物産生国である中国からは年間一〇億トンの廃棄物が出る。この問題への対応として中国政府は二〇二〇年一月二〇日、二〇二〇年末までにまず大都市でのプラスチック袋の使用を禁止し、二〇二二年までにはこの禁止令を全国に適用する、と発表した。その一方で当局は、プラスチック廃棄物の加工工場をいくつも稼働させた。グリーンピースが二〇二〇年一二月一七日に公刊した調査報告によれば、二〇二〇年には中国国内で開業した企業のうち三六が、プラスチック廃棄物の処理施設を建設する意向を持っている。そうなれば廃プラスチックの総処理能力は年間で四四〇万トン増えることになり、たった一年間で七倍となる計算だ。だがeコマース部門だけでも[83]二〇二五年までに五〇〇万トンの生分解性プラスチック廃棄物の産生が見込まれるとき、それだけの処理能力では十分とは程遠い。また、中国のプラスチックの生分解性プラスチックへの移行をもってしても、すべての問題を解決できるわけでもない。グリーンピース・イースト・アジアの研究者であるジア・ジョンナン博士は、「ある種類のプラスチックを他の種類に転換しても、それは私たちが直面しているプラスチック汚染危機の解決にはつながらない」と述べている。

## 将来展望

二〇二一年一月二七日にフランス国立東洋言語文化学院がアジアリスト〔取り上げるトピックスをアジアに特化したフランスの情報ウェブサイト〕と共催したオンラインセミナーにおいて、パリ政治学院で教鞭を執る東アジアの専門家ユベール・テスタールは次のように述べた。

私たちは、この状況をジェットコースターに例えることができる。まずぐいぐいと上りはじめる。そして頂点に着き、坂を滑り落ちていくのだ。習近平は、二〇六〇年には、ゼロ地点にまで滑り降りるつもりだ。問題は、今のところ、まだ坂を上っている途中であるということだ。一九九〇年には、中国の二酸化炭素産出量は世界の一〇%をやや超える程度であり、全アジアの排出量の四〇%に過ぎなかった。二〇一九年には、一〇%から三〇%越えになり、アジア全体における中国の割合は四〇%から六〇%超になった。大きく見れば、中国は排出量爆発の状態にあるのだ。温室効果ガス全体の排出についても、同様である。二〇二〇年には、排出量は多少減少したものの、目につくほどではない。二〇二一年には、力強い経済成長が記録されるだろうし、そうすれば排出はまたも跳ね上がる。二〇二一年の終わりには、おそらく世界の総排出量の三三%にまで達することになろう。中国ただ一国で、世界の温室効果ガス排出量の増加に大きく加担することになるのだ。

二〇一九年には、中国の排出量の増大分だけで、フランスの総排出量を越えていた。中国はこの状況を立て直すと約束している。だがエネルギーミックスに関して言えば、相変わらず石炭火力が主力である。七割超を占めていたものが六割弱に減少したに過ぎない。まだまだ大きな割合を占めている。

中国の発電の三分の二は、いまだ石炭火力によるのである。今日では中国は二〇一三年の水準に戻っている。つまり、石炭需要の頂点に立ち戻ったということである。というのも、中国は恐るべき数の石炭火力発電所の建設に乗り出したからである。それゆえ、今でも世界の石炭総産出

> 量の半分を消費している中国は、石炭依存から脱却するどころではない。
>
> 　中国が設定した目標は約束通りに二〇六〇年に達成されるのだろうか？　現状では判然としない。今のところ、コミットメントが先行して前進している段階であり、革命とは呼べない。よって、私の意見としては、中国がその目標に向かっていると言える段階からは、はるかに遠いということである。再生可能エネルギーについては、中国は非常に野心的な目標を立てている。しかし実行中のすべての努力にもかかわらず、中国の再生可能エネルギーはまた、第一次エネルギー総需要の一三％を満たしているに過ぎない。ゆえにその可能性は非常に限られている。この図式を変えるためには、再生可能エネルギーに莫大な投資をしなければならない。二〇〇九年には、中国は第一次エネルギー需要の一五％を再生可能エネルギーにすると約束していた。また二〇一五年には、この目標を見直して二〇％にすると約束し、直近ではさらに二五％に引き上げている。二〇％から二五％への移行は大《おお》ごとではないように思えるが、実に巨額の投資が必要となるのである。

フランス国立東洋言語文化学院の院長であり、パリ政治学院出版から二〇一六年に出版された『中国の環境危機』の著者である中国学者のジャン＝フランソワ・ユシェは、同ウェブセミナーにおいて、次のように発言した。

> 　中国は長期にわたり、環境政策とは無縁であった。これが登場するには、二〇一三年まで待たね

ばならなかった。その理由は、石炭が中国のエネルギー資源政策の中心であったから、そして今でも中心であるからだ。一九七八年から二〇一四年の間、中国はほぼ同様のエネルギーミックスを維持してきたが、エネルギー消費は文字通り爆発した。その結果、中国はおよそ四二〇億トンの石炭を燃やしているが、これは中国を除いた全世界の消費量を越えている。

　中国の石炭埋蔵量は世界第三位であり、現在のペースで消費し続けたとしても、中国はなお二世紀にわたって、現在の石炭消費レベルを保つことができると見られている。中国におけるエネルギー関連の数字が桁外れに大きいことを我々は自覚する必要がある。中国は、二〇〇六年から二〇〇九年の間に、一〇〇〇メガワットの発電量をもつ石炭火力発電所を、ほぼ一週間に一基半の割合で建設してきた。その後、ペースは一旦《いったん》やや減速したものの、二〇〇九年から二〇一三年には一週間に三基の新設となった。中国は二〇〇六年より、フランスのすべての発電所を併せたのと同規模の発電所を、毎年建設してきたことになる。まさに莫大である！　これは大気汚染の主な原因となり、これに対応する改革は二〇一三年から二〇一四年にかけてはじまった。二〇一三年から中国の大都市で起こった大気汚染の悪化により、それまでのペースを続けることが不可能となったのである。

　エアポカリプス〔airpocalypse 黙示録 Apocalypse にかけた造語〕のエピソードが話題になっている。とくに北方の大都市、なかんずく北京のエアポカリプスが話題の中心だ。大気汚染対策で得られた成果とは、何だったか？　最も目覚ましかったのは間違いなく、再生可能エネルギーの大々的な振興であった。二〇一五年から二〇一六年にかけての一時期、中国の石炭消費は落ち着きを見せ、二〇三〇年以前に確実にピークに達して後は減少するだろう、という印象を与えた。そして経済発展に応じて必要となる電力も、もはや化石エネルギーではなく、再生可能エネルギー生産増加によってまかなうことが可能だ、と確信すらしたものだ。私たちは、これを大いに望ましい兆《きざ》しだと思っていた。私たちはその後、中国で新たな経済振興が打ち出されるたびに、インフラや不動産に頼る旧来の振興策が採用される、と言う事実に次第に気付くようになった。インフラや不動産の建築は、大量のセメントと鉄鋼の生産を伴う。と言うことは、大量のエネルギー生産が必要になり、その多くは石炭から作られる電気である。今後なお長期にわたり、中国は「緑の中国」と「褐色の中国」の共存という、一種の統合失調症じみた状態に置かれ、「褐色の中国」は、悲惨な健康問題の原因となる大気汚染を停止せず、多数の分野において事態の深刻な悪化をもたらし続けるだろう。それと同時にもう一つの中国、すなわち「緑の中国」は前進することだろう。これには、必要性に迫られて、という側面があるのも確かだ。「褐色の中国」の生産モデルは、工業発展と環境へのインパクトの両面で物理的限界に達したからである。それゆえ、「緑の中国」は、グリーン産業に巨額の投資をして、環境悪化の衝撃を減衰させるように努めている。中国は国際舞台で――当然ながら――、「緑の中国」が現在いかに膨大な努力を傾けているかを強調している。おそらく二〇三〇年には、中国のエネルギー消費は一つのピークに到達するだろう。とはいえ、二〇六〇年のカーボンニュートラル実現に関しては、この目標を達成することは中国にとって非常に難しいと思う。そもそも、この約束自体、優等生であるかのように思わせるための政治的思惑に満ちた宣言に近いと思う。

## 森林破壊、土壌と水の汚染による荒廃

環境問題に関して、中国が直面するもう一つの厄災は森林破壊である。世界の森林の半分以上（五四％）が、たった五つの国の領土内にある。ロシア、ブラジル、カナダ、米国、そして中国である。二〇一五年に行われた概算では、地球上には三兆四〇〇〇億本の樹木が生育していたが、打ち続く森林破壊のためにその数は激減している。

この概算結果を弾《はじ》き出した研究報告の著者たちは、一五三億本の樹木が毎年、とくに熱帯地域で伐採されていると警鐘を鳴らしている。[84] ただし、アマゾンの森林破壊が大きな悲劇だとしても、事態はアマゾンのみにとどまらない。中国は、この四〇年来というもの、森林が大規模に破壊されるのを放置してきた。その原因は止《とど》まるところを知らない都市部の発展と工業化に加えて、特にチベットにおいて顕著な違法な森林伐採である。[*4] 近年では、砂漠化進行がもたらす事態の深刻さが当局の目にも明らかになったため、その進行のスピードは落ちているとは言え、森林破壊は中国の大地を侵食し続けている。NGOのグローバル・フォレスト・ウォッチ〔ワシントンにある世界資源研究所の傘下にあるNGO〕によれば、二〇〇二年から二〇一九年にかけて、中国は総計で七万四九〇〇ヘクタールの多雨林（中国森林全体の〇・七七％に相当）を失った。同時期に、原生林の面積は四・三％減少した。[85] 二〇〇一年から二〇一九年までの間に、中国は九九二万ヘクタールの植生面積を失ったが、これは二〇

○○年と比べると六・一%の減少を意味し、$CO_2$吸収量三・一八ギガトンの喪失に相当する。中国の地図は、経済発展が最も急速な沿岸地域において森林破壊が急速かつ持続的に進んでいることを示している。経済発展に伴って都市部の面積が拡大しているためだ。だが、近年では森林再生のために中国は大々的な努力を傾けており、砂漠化の進行と闘うために何十億本もの樹木を植えた、という事実を指摘しておかねば不公正と言えよう。

加えて、中国は発展途上国の森林破壊にも手を貸している恐るべき捕食者である。とくにアフリカと東南アジアでは、中国の木材に対する貪婪な欲求を満たすために無数の木が伐採されており、その中には、完全な消滅の危機にある樹種も含まれる。たとえばラオスでは、一九九〇年代においては、国の表面積の三分の二は森林で覆われていた。ところが現在では、それがたった四割になっている。この国は三〇年間で、フランスの森林の四分の一に相当する分量を失ったのである。その最大の原因は違法伐採で、九八%は中国およびベトナムへの輸出用である。[86] カンボジアにおいては、事態はさらに深刻だ。二〇〇一年から二〇一四年までの間に、カンボジアは世界で最も大きな割合（マイナス一四・四%）で森林を失ってしまった。もっぱら中国の需要を満たすためのこの森林破壊の急速な進行は、環境だけでなく近隣の少数民族をも脅かしている。同様の問題はインドネシアにおいても起きていて、パーム油の原料となるアブラヤシ栽培のために森林が伐採されている。[*5] 中国はまた、アフリカでも森林破壊進行に積極的に加担している。国際連合食糧農業機関（ＦＡＯ）の二〇二〇年五月の報告書によると、アフリカ大陸の森林消失は加速し、毎年の消失面積は二〇〇〇年が三四〇万ヘクタールであったのが、二〇一〇年には三九〇万ヘクタールとなっていて、アフリカ大陸に与えられた「森林破壊のトップランナー」という悲しむべき地位を不動のものとしている。[87]

中国における環境汚染は、土壌と河川にも及んでいる。国内最長で、アマゾンとナイルに次いで世界第三位に相当する六三〇〇キロメートルの長さを誇り、チベット高原から始まって東シナ海に流れ込む、あの著名なる揚子江〔下流名〕、すなわち長江もまた、脅威にさらされている。長江の生物多様性を保持するために、二〇二〇年の初めには、一〇年間の禁漁令が出された。中華人民共和国農業農村部が二〇二〇年一二月初めに発表した数値によれば、一年足らずの間に、この「母なる川」とその支流が潤す一九の省と少数民族自治区で暮らす二三万人の河川漁業者が、転職を余儀なくされた。だがこれは、工場廃水による汚染の問題の解決にはならない。それというのも、長江は中国水資源の三分の一を占めるのと同時に、廃水の四割以上を受け入れているからである。過度に開発され、至る所にダムを増設され、国家水力発電量の五分の三を供給している長江は、安静を必要としている。「水青き」長江の「グリーン開発」を確保するために、流域の砂利採取は「厳格に規制され」、河岸から離れた場所への化学工場の移転も加速されねばならないと、政府広報は伝えている。[88] 長江の流量は、少しずつ減少している。科学的計測によれば、一九八〇年代からは平均して五年に二センチメートルの割合での水位低下がみられる、とサウス・チャイナ・モーニング・ポストは警告している。こうした水深低下が長江流域に生活する四億六〇〇〇万人の経済と環境に多大な影響を及ぼすことは間違いない。中国の教育部〔教育省〕地理情報科学重点実験室のニエ・ニンらはこの現象について、地球温暖化の気候変動の影響も否定できないが、人間の経済活動と多数のダム建設に起因する、と結論づけている。現に、流域の一〇〇〇もの天然の湖が、いまや姿を消しているのである。[89]

では黄河はどうか。中国文明の揺籃であり世界第六位の規模をもつこの川は、一九七二年以来、冬季に二か月から三か月のあいだ干上がることがあり、その期間はますます長期化している。一九九七年には、こうした乾河化［断流現象］は、三三〇日近くにも及んだ。黄河だけでなく、中国を横断して他国を潤す大河、たとえばメコン川（ラオス、ミャンマー、タイ、カンボジア、ベトナム）やブラマプトラ川（インド、バングラデシュ）は、気候温暖化と砂漠化によって危機にさらされている。[90] この四〇年で、中国の湖の一三％が消失していることは特筆せねばならない。しかも、中国全域で水質汚染が見られる。二〇〇七年のＯＥＣＤ（経済開発協力機構）の研究データによれば、中国の大都市の半数では、水道水は国内基準に合致していない。[91] 黄河に関して言えば、河口から二五〇〇キロメートル近くにわたって、その水質は人間の使用に適さない。北中国の自由地下水のほぼ六割近くが、飲用できないレベルにまで汚染されている。[92] 加えて、河川への汚染物質の流出と産業廃棄物の放出は、回復まで長い年月を要するであろうインパクトをもたらしている。いくつかのダメージは、ほぼ不可逆的である。[93]

　懸念すべき問題は他《ほか》にもある。中国がこれらの河川に建設したダム群が、下流の近隣諸国に重大な影響を与えているのである。たとえば、中国雲南省に源流を持つ紅河［ベトナムではホン川、別名はソンコイ］に造られたダム群は、その下流に位置するベトナムの環境と経済を大きく揺るがしている。「紅河上の中国ダム群は、沖積土の持続的欠乏、洪水、そして干ばつの事例をベトナムにもたらしている」と、ベトナムの新聞であるＶＮエクスプレスは指摘する。紅河の全長は一一四九キロメートルにわたり、ラオカイ、イエンバイ、フート、ヴィンフック、そしてハノイといった北ベトナム諸都市を経由する。そこには、二六〇〇万人が生活している。中国が建設したダム群は、上流に相当量の堆積物を堰き止めて、自然にベトナムへと流れていくことを不可能にしている。ベトナム河川ネットワーク理事長のジャオ・チョン・トゥーはVNエクスプレス紙の取材に答え、「その結果として、ホン川デルタの農業活動は激しい被害をこうむっている」と説明する。堆積物の不足は、河床の低下につながり、河の水が流域田野を潤し灌漑することを阻害する、と同理事長は懸念する。中国ダム群はまた、雨季に中国当局がダム貯水湖の安全を守るために放水せざるを得ないことによって、ベトナムに繰り返し氾濫を引き起こす。ジャオ・チョン・トゥー理事長は「このことは、ベトナムがたびたび洪水の被害を受ける、という状況を作り出している」と述べる。[94]

二〇二〇年一二月、中国は、チベットのヤルンツァンポ川に巨大ダムを建設すると発表した。この川の下流はブラマプトラ川であり、インドとバングラデシュの水利資源でもある。このダム計画に伴い、六〇ギガワットの水力発電所の建設が予定されている。中国電力建設集団有限公司の晏志勇会長は、エネルギーに関する会議の席で、このプロジェクトは「歴史的好機」になると考えていると述べた。晏会長によれば、この計画は中国のグリーンエネルギー需要問題の解決、水資源の確実な供給に資する。この発言は、人民日報とも連携するチャイナ・エナジー・ニュース（中国能源報）（国家エネルギー委員会および国家エネルギー局の機関報）で報じられた。この建設計画の発表を受け、環境保護グループとチベットの人権擁護活動組織は、懸念を表明した。彼らは、上流におけるこれほど規模の大きい水力発電所建設は下流の水利資源に衝撃を与える、と断言する。この計画に反対するいくつかの団体は、三峡ダムを筆頭に、長江やその支流に建設された多数の水力発電所により、中国の河川はすでに危機的局面にある、と指摘する。こうした危惧に対する答として、「中国はつねに国境をまたぐ河川の開発と利用に関して責任ある態度を堅持しており、保護と開発が不即不離であるという政策を適用している」と駐インド中国大使館は表明した。大使館の報道官である稽蓉参事官は、どの計画も科学的論証と立案の対象であり、下流地域への影響と、上下流の諸国の利益に十分に配慮する、と述べた。「現在の時点では、ヤルンツァンポ川下流の開発はなお初期的な立案と論証の段階である」と説明し、「この点について、憶測する必要はない」とにべもなかった。[95] 二〇二一年三月八日、中国共産党チベット自治区委員会副書記でチベット自治区人民政府主席のチェ・ダルハ〔雲南出身のエリートチベット族。中国名斉扎拉〕は、地方当局者は「ダム建設に今年中に着手するべく努力せねばならない」、「このプロジェクトに関する包括的計画と環境影響アセスメントは、可及的速やかに承認、認可されねばならない」と述べた。[96] ちなみに、中国はすでにメコン川〔中国の上流部はチベット自治区に発する瀾滄江。その隣の谷を下るのが、長江の最上流にあたる金沙江である〕に一一基の巨大ダムを建設し、下流にミャンマー、ラオス、タイ、カンボジア、ベトナムを抱えるこの川の水位に、すでに重大な変動をもたらしている。

二〇二一年三月、ウェブサイトの「ユーラシアネット」が、カザフスタン東部にあるバルハシ湖が、すでにほぼ消滅したアラル海同様の運命をたどる可能性がある、と警鐘を鳴らした。「中国による土地の集約的開発と稲作地の拡大」が、数十年前から「湖に深刻な脅威を」与えているが、「北京は一向に意に介《かい》さない」と、このサイトは指摘する。

六〇〇キロメートルにわたって三日月形に延びるバルハシ湖は、カザフスタン（人口一八〇〇万人）の淡水の主要水源の一つである。加えて、世界でも特殊な湖でもある。なんとなれば、その西半分は淡水であり、その東半分は鹹水なのである。その水量の八割は、中国新疆ウイグル自治区［イリ・カザフ自治州］の高山氷河——溶けはじめている——に源流をもつイリ川（一五〇〇キロメートル）から供給されている。スイスに本部のあるオープンアクセスの科学出版社であるMDPI（Multidisciplinary Digital Publishing Institute）のジャーナル『Water《ウォーター》』に一月に掲載された論文の中で、オックスフォード大学の研究者たちは、バルハシの湖水に関するデータと気候変動に関する知見とを組み合わせながら、今後の状況の変転について七三八通りのシナリオを検討した。その結論は「すべて同一であった」。「バルハシ湖を救うためには、中国は水消費を劇的に減少させねばならない」。ユーラシアネットは、国境を接する二国——カザフスタンと中国——のどちらもバルハシ湖の水を汲み上げているのは事実だが、中国の土地利用進行の方が「カザフスタンとは比較にならないほど大規模である」と指摘している。[97]

オープンアクセスeジャーナルのエンヴァイロンメンタル・リサーチ・コミュニケーションズが二〇二〇年に掲載した論文によると、一九九五年から二〇一五年までの間に、国境地帯における中国側の耕地面積は三割増しになった。「もし両国が水利について協力し連携すれば」、「四〇年後に現実となりそうな」バルハシ湖の消滅は避けられる。だが中国は「データの提供を拒んでいる」。その理由は、湖の水源が新疆ウイグル自治区という政治的に敏感な地域にあり、そこにはウイグル人が居住しているからである。解決策は、稲作や綿花栽培ほどは水を大量消費しない作物栽培を優遇奨励することだ。しかし、北京政府は、まったく逆のことを考えている。すでにこの湖は一度、「消滅の寸前」に至ったことがあると、ウェブサイト「ユーラシアネット」は指摘している。一九七〇年代、ソ連の技術者たちは、カザフ・ソヴィエト社会主義共和国の首都であったアルマ・アタ〔当時の名称。現在はそれぞれ、カザフスタン共和国、アルマトイ〕に供給するために、カプチャガイ貯水池を建設した。そのため、一七年にわたってバルハシ湖の湖面は低下したが、二〇〇五年前後にその傾向が逆転した。だからバルハシ湖消失を心配することはない、というのが中国の考えだ。それでも、中国の科学者がバルハシ湖問題を完全に無視しているわけではない。中国科学院より研究費の補助を受けた科学者たちが二〇二一年六月に化学雑誌『ケモスフィア』に発表した論文は、国境をはさんだイリ川の川上と川下における殺虫剤の問題を指摘している[98]。

もう一つ、深刻な現実がある。土壌汚染である。耕地の一九・四％と大地の一六・一％が汚染され、森林の一〇％と草原の一〇・四％も同様である。これはもっぱら、工業および農業活動に由来する。今日、この公害は食物連鎖に汚染を広げ、考えうるありとあらゆる影響を人々の健康に及ぼすことが懸念される。これに加えて、過放牧、燃料や建築用の木材の伐採、建設が土壌の侵食を加速させ、とくに国土西北の砂漠化を助長している。中国当局が実施した調査によれば、二〇〇〇年前後から改善が見られるものの、中国国土の四分の一は砂漠化あるいは劣化している。その原因は、気候変動要素に、人的要素（過度の農業開発、土壌が脆弱な地域での畜産、水利資源の過度な利用）が加わった複合的なものである[99]。中国国土の一七％にあたる一七〇万平方キロメートル近く（フランスの国土面積の三倍）は、今や砂漠である。こうした現象は森林破壊と同じく、人口増加の圧力、さらには一九八〇年代初頭から爆発的に進んだ工業化、都市化によって加速した。二〇三〇年には一〇億人近くが都市で生活することになり、都市化の割合は人口の六五％に達するであろう。都市化は長期的かつ不可逆的な現象である以上、これが中国の環境にこれから何十年にもわたって甚大な影響をもたらすことは必《ひっ》定《じょう》だ。(100)

　この破滅的状況に直面し、時間が経つにつれて中国国民のあいだにも集団的な危機意識が芽生え、関心は高まる一方である。このことは、当局にとって紛《まぎ》れもない政治的時限爆弾となる可能性がある。「大都市にあっては、環境保護運動の広がりと、若年層の意識の高まりがみられる。その結果、ウィーチャット（中国の意見交換サイト）上には膨大な数の環境保護グループが生まれている」と、環境ＮＧＯのWe Belong[*6]の創設者で、中国市民社会に詳しいナタリー・バスティアネッリ［フランス人女性の起業家。持続可能な発展のために中国と欧州の架け橋となることを目指して活躍している。中国通名は白娜麗］は説明する。ＳＮＳ上でイベントを主催することにも熱心なバスティアネッリは、次のように語る。

　観光を例にとってみよう。航空会社が環境保護のためにどのような方策を講じているかを広報すると、中国人は通常の四倍以上の反応を示す。そうした姿勢を支持する、と声を挙げるのだ。いくつかの調査によれば、中国の都市住民の八割は、自然保護のためならば、旅行に通常より高い代金を払ってもよい、と考えている。また肉の消費に関するアンケートを見たところ、回答者の八二％が週に一度は肉を食べなくとも構わないと、また六三％は週に二回以上肉食しなくともよいと答えている。これでお分かりだろう。そこには健康への関心という側面もあるのは当然であるが、気候変動の悪影響に対する懸念もあるのだ。今では、中国国民の環境問題への関心がますます高まっていることを示す膨大な研究が揃っている。当然ながら、国営メディアは、これについて沈黙を保っている。ゆえに若年層はソーシャルメディアネットワークから、とりわけブロガーから情報を収集するのである。売れっ子ブロガーの李子柒は、政府の手先だとも言われているが、それでもレディー・ガガ並みのフォロワーを抱えている！　驚くべきことではないか！

　李子柒は、手作り化粧品のレシピや、環境負荷を軽減する自然染料で染めた服の着こなし方を紹介している。李は女性ユーチューバーとして二〇一〇年にデビューし、今や絶大な影響力を誇っている。二〇二〇年六月末に、彼女の YouTube の視聴回数は一〇〇〇万回に達したはずだ。中国では現在、政府から要請されて環境問題に関する世論喚起に協力しているインフルエンサーが何人もいる。ベジタリアンやヴィーガン料理の爆発的急増も然《しか》りであり、今や皆が話題にしている。欧米で台頭したこのトレンドは、中国にも到達している。「ミートフリーマンデー〔ポール・マッカートニーが二〇〇九年に提唱して始まった、週に一回は肉を食べない日を設けよう、という運動〕」は、フランスより三～四年早く中国に上陸し、定着しつつある。菜食主義者である私自身の体験になるが、二〇一六年に上海に滞在していたころ、あるレストランでテイクアウトのベジタリアン用の料理を一皿注文すると、二皿目を無料でもらうことができた。私が月曜日にベジタリアン用の料理を買っていたからだ。つまり、菜食主義が奨励されている、ということだ。これは一民間飲食業者の例に過ぎないが、社会全体が食肉消費を減らそうという傾向を示していることが分かる。

しかしバスティアネッリはこうも言う。中国では、あらゆる社会組織に習近平主席の強大な影響力が浸透しているので、市民社会が自分たちで組織を作ったり、意見を述べたりすることは、ほとんど不可能に近い。とはいえ、市民社会が当局を譲歩させることも時にはある。

公害がその頂点に達した二〇一三年の一月頃、市民は路上に繰り出した。かつてないほどの抗議が沸き起こり、街角の輿論《よろん》が化学工場新設計画を後退させた。

彼らはデモをする許可も得ていなかったが、大気汚染に我慢できなくなった大衆と政権との間に力比べが起きたのだ。しかも、中国の全都市で起こったのだ。その当時は、大気汚染のせいで、一メートル先も見えない状態だった。東北の都市ハルピンでは、赤信号を無視した自動車の運転手は取り締まりを免れた。何しろ、信号が見えなかったのだ！

二〇一八年には、ナタリーは幾人かの著名人、そして数十人のブロガーをゲストとするイベントを開催し、すべての発言を収録してソーシャルメディアネットワーク上に投稿した。

この話題はたちまちのうちにネット上に拡散した。何の宣伝もしていないのに、イベント動画の視聴回数は四二〇万を超えた。完璧にオープンマインドで、さまざまな懸案にコミットすることを求めている若者や生活者が中国にいることが、お分かりいただけるだろう。（中略）彼らは自分たちの健康を心配しているのだ。このことは、西側では余り知られていない。大気汚染は眼の前にあり、今では計測されて多少とも制御されているが、人々に大きな不安を与える現象であることに変わりはない。しかも水質と土壌の汚染という、目に見えない汚染もある。中国人も、日々呼吸し、飲み、食べていることに変わりはない。そうした日々の営みが、途轍《とてつ》もない心配の種なのだ。心身の健康に関わるすべてが、中国人の不安を掻き立てている。先進的イノベーションを理解、発見するチャンスを彼らに提供すると、多くの人を直ちに動員することができるのだ。[101]

## 気象を自在にコントロールすることを目論む中国政府

二〇二〇年一二月、中国政府は、途方もない計画をぶち上げた。自然をコントロールすることで地球温暖化と砂漠化を防止する、というのが目的だ。[*7] 具体的には、大規模な気象改造計画である。中国政府は公式発表の中で、今から二〇二五年までに、気候を制御するために、これまでは極めて局地的にしか使っていなかった人工降雨技術を大規模に展開する、と伝えた。国土面積の半分以上にわたる五五〇〇万平方キロメートル（インドの総面積の一・五倍に相当する）の領域に、必要に応じて降雨を起こさせるという計画である。近隣諸国にもたらす影響への配慮はないに等しい。人工的に雨を降らせることは、それ以外の場所で雨不足を引き起こすことは明らかだと言うのに。「気象改造」の最初の実験は、中国共産党によって一九六〇年代に実施された。それは、（飛行機と対空砲で）少量のヨウ化銀を一定の湿度を持つ雲中に投入するというものだった。これが水滴の凝結を引き起こし、最終的に降水が生じるのである。中国のこの分野における進歩を世界が目《ま》の当たりにしたのは、二〇〇八年であった。この年の夏、中国はヨウ化銀粒子を何百発も発射した。その目的は、オリンピック開会直前に雨を降らせておくことで開催期間中の晴天を確保する、というものだった。

これ以後、大多数の大きな行事は、中国政府の指令によって、青天白日の下に開かれるようになった。この「雲の種蒔き」は、雹害と干ばつに対処する必要があるときに決まって行われてきた。この技術が最初に応用されて実現を見たのは、一九五八年、六〇年ぶりという最悪の干ばつに襲われた中国東北部の吉林省においてだった。人民日報社によれば、中国は二〇一二年から二〇一七年の間に、さまざまな気象改造プログラムに対して一三億四〇〇〇万ドル以上の投資を行い、それによって二三三五億立方メートルの人工降雨量を得た。この量は中国内陸部の最大の鹹湖である青海の湛水量の三倍にあたる。二〇一七年、中国はさらに一億六八〇〇万ドルの投資を行った。目的は、中国全土の一割をカバーする地域の気候に介入するための、航空機、ロケットランチャー、そしてデジタル制御装置の整備である。[102] ちなみに、ヨーロッパの農業従事者によるヨウ化銀の利用は一九六〇年代にまでさかのぼる。つまり、問題となるのは、この技術の是非ではなく、規模なのだ。

## 世界一の資源消費国かつ資源輸入国

中国は、世界でも飛びぬけた資源消費国かつ資源輸入国であり、貪欲なエネルギー喰らいである。さらには年平均四億二三〇〇万トンという、地球上で最大の石油輸入国であり、二〇一七年に米国から首位の座を奪っている。中国の現在の原油備蓄に関する公式データがないため、税関によって提供された石油輸入の数値、内国生産量、および精製量を根拠にして、中国は備蓄努力を倍加させ、二〇二〇年の第一四半期には一日当たり二〇〇万バレル近く積み増していると、専門家は見積もっている。さらにそこに、パイプラインによるロシアと中央アジアからの輸入を付け加えなくてはならない。このルートによる輸入量は、二〇二〇年三月の数字では、一日当たり八四万バレル以上にのぼる。二〇一九年には、外国産石油への依存の割合は七二%という、かつて記録されたことのないほどの水準に達した。なるほど、底値の時に備蓄を増大させることに中国政府が熱心なのも道理である[103]。中国はなお石炭エネルギーに大きく依存したままであるとはいえ、経済が大きく変貌していることを要因の一つとして、この国のエネルギーミックスの中で石油が担う役割はますます重要性になっている。中国は最終的には再生可能エネルギーと天然ガスエネルギーへの転換を進めていくとはいえ、石油消費はこのさき数年にわたって大幅な増加を続けるだろう。もしこの需要の増大に供給が追いついてゆけないとしたら、中国の石油消費は原油相場と重油価格の上昇を引き起こすことになる。実際のところ、鉱物資源（鉄、銅、亜鉛、アルミニウム、石炭、希土類元素〔いわゆるレアアース〕）消費のための、中国経済の国外への依存は高まるばかりである。この旺盛な需要を満たすための貪欲な探求のため、中国はありとあらゆる供給国へ秋波を送っている。米国の敵（イラン、ロシア、スーダン）はおろか、米国に最も近い同盟国（サウジアラビア、アラブ首長国連邦、オーストラリア、ブラジル）までもが、さらには多数のアフリカ諸国が、そろって中国の膨大な要請に応えている。すなわち二〇二〇年には、中国は二〇八〇億ドルの石油、五九二億ドルの鉄鉱石、四四二億ドルの天然ガス、三六九億ドルの金、三三八億ドルの大豆、そして三一七億ドルの銅鉱石を輸入した。しかも、それに完成品も加わる。一三三〇億ドルの電子集積回路、四五二億ドルの乗用車その他の車両、三一七億ドルの自動車部品、それに二八五億ドルの飛行機、ヘリコプター、その他の航空機である。年間で総額一兆六一〇〇億ドルという大枚をはたく中国は、米国に次ぐ世界第二の輸入国となったのである。[104]

中国は天然ガスの消費大国でもある。それは主に、隣国ロシアから輸入される。二〇一九年一二月二日、中国政府とロシア政府は、ガスパイプラインであるパワー・オブ・シベリア〔中国語で中俄東線天然気管道〕の開業式典を盛大に行った。最終的にはシベリア東部から中国東北の諸省にまで三〇〇〇キロメートル余にわたって伸びることになる、この新設ガスパイプラインは、二〇二五年には最大能力に到達して年間三八〇億立方メートルの天然ガスを中国に送り届けることになる。契約期間は三〇年で、総額は四〇〇〇億ドルにのぼる。これは、ロシア政府との関係が深く、ロシアから延びるガスパイプラインによる天然ガス輸出を独占しているガスプロムにとって、これまでに獲得した中では最大の契約である。中国にとってみれば、これは天然ガス需要の増加に対応する決定的なインフラであり、汚染度の高い石炭に替わって暖房と工業とを支えるために北京政府が推進するエネルギー供給源である。この一〇年で天然ガスの需要は三倍になったが、国全体のエネルギー消費の中での割合としては、世界平均の二三%に比べて、まだ八%でしかない。よってそのポテンシャルは巨大である。中国は自らも天然ガスを生産しているが、十分とは言えない。その需要量の四割以上を満たすのが輸入品で、その割合は増加の一方である。[105]すでに中国は、トルクメニスタン、カザフスタン、そしてミャンマーとガスパイプラインで結ばれている。また、オーストラリア、インドネシア、そしてカタールから、液化天然ガスの形でも大量に輸入している。現役稼働中の一四〇〇基ほどの火力発電所の燃料として必要不可欠な石炭については、中国は自国で三七億トンを産出するが、二〇一九年には、主にオーストラリアより、また同時にコロンビア、南アフリカ、そしてインドネシアより、合計三億トンを輸入している。[106]

中国の超成長〔ハイパー・グロース〕経済の捕食者的性格のもう一つの――余り認知されていない――側面は、砂の消費である。建設部門が、砂資源を枯渇させる主要な原因となっている。全世界で毎年、四〇〇億トンもの砂が海底から、鉱山から、河川から、そして湖から、建設部門のために採取されている。コンクリート成分の三分の二は砂であるが、残念なことに、砂資源は無尽蔵ではないのだ。海底から大量の砂を採取することによる影響は多方面に及ぶ。まず海浜が消失する。つまり、海砂を取ると、浜辺の砂がその穴を埋めるのだ。海岸の砂は――それ自体が採取されていない場合だが――少しずつ海底に滑り込み、そうして最終的に砂浜は消滅する。フロリダでは、一〇か所あった砂浜の九か所までが、すでに姿を消した。海浜の砂は自然災害に対する防壁の役割も果たしているというのに……。そして極めつけは、大規模採取が多数の深海生物の存続を危うくすることだ。要するに、人間による砂の過剰採取は、環境に破滅的影響をもたらすのである。[107] 中国は、一国だけで世界の砂消費量の五七％を占める。砂を必須材料とするセメントは過去二〇年間、度を越した建設熱に伴って中国で大量に使用されてきた。その結果、二年間（二〇一六年〜二〇一七年）で、中国は米国の一〇〇年分（一九〇一年〜二〇〇〇年）の砂を消費したのだ！ この三〇年で、世界の砂の需要は三六〇％も増加し、中国の需要を主因として増加の勢いは続いている。従って、中国の急激な都市化は、これからも何十年にもわたって環境に重大な影響を及ぼすであろう。中国の都市化の率は二〇三〇年にはおそらく六五％に達し、一〇億人近くが都市に住むことになる。建設部門の空前の発展は、建蔽総量に現れており、一九八〇年には一億二五〇〇万平方メートルだったものが、一九九〇年には二億三〇〇〇万平方メートルを超え、二〇〇〇年には七億平方メートルとなり、ついに二〇一二年には一八億平方メートルという、気の遠くなるような数値に達したのである！

この二〇年というもの、上海、深圳、重慶などの都市圏が蛸足のように四方八方へと拡大するスピードは増すばかりであり、三峡ダムなどの巨大プロジェクトが実現し、数千キロメートルにもおよぶ道路および高速道路が建設された。これらすべては主としてセメント、コンクリート、アスファルト、そしてガラスで作られていて、そのためには途方もない量の土砂が使われている。これらの建造物は数億トンものコンクリートやセメントで作られるので、つまり砂も数億トン使われていることになる。

アメリカ地質調査所が弾き出した数字によれば、中国は二〇一七年に二四億トンのセメントを製造したが、それは他の諸国を合計した総量を上回っていた。[108] 中国で使用される砂の大部分は自国で採取されているが、不足分を主として東南アジアから輸入している。アジアの数か国（カンボジア、ミャンマー、バングラデシュ、スリランカ、フィリピン）は砂を輸出産品とした。この選択は、砂を大河とその支流から採取している場合、地域の住民と生態系にとって重大な結果を引き起こしている。メコン川を調査している研究者たちは、この大河に徐々に迫っていた危機的状況は何年か前から切迫した脅威となった、と警鐘を鳴らし、その要因として人工的な営為による二大事象を挙げている。まずは砂礫の採取、次にラオスと中国による上流でのダム建設である。この二つが、川の流量、堆積物の含有量、そして川の色までを変化させているという。「川砂採取船が、メコンデルタの至るところに見受けられる。砂は、超高層ビル建設に使用されるコンクリートの製造のために大量に必要とされるからだ」と、フィナンシャル・タイムズの記者であるジョン・リードは説明する。[109] こうした低コストでの砂採取は、ますます高騰する砂価格の実態を分かりにくいものとしている。砂は、大いにうまみがあり、不透明で、ほとんど規制されていない取引の対象となったのだ。

脅威に晒されているのは、人の手の触れていない自然の楽園ではなく、人口稠密で、国家経済に不可欠な地域である。ベトナム人が「飯茶碗」と呼んでいる地域だ。オランダと同等の大きさと人口を持つメコンデルタは、ホーチミン市の肥沃な楽園であり、またベトナム最大の内陸漁業水域を形成し、魚類、貝類、甲殻類の重要な供給源である。

「メコン川やその他の河川の沿岸にある都市と村落では、浚渫によって脆《もろ》くなった河岸は水中に崩落し、それに田園、養殖場、商店、そして家屋が巻き込まれている。近年では、何千ヘクタールもの水田が失われている」と、アメリカのフリージャーナリストでこの問題に関する調査研究を専門にしているヴィンス・ベイザーは強調する。[*8]「政府の情報源によれば、メコンデルタの約五〇万の住民が、この現象のために移住を余儀なくされた。この河川砂礫の浚渫は、住民のみに係わる問題ではない。河床を破壊し、そこに生息する魚類や植物などの多様な生物の命を奪っている[(110)]」

中国による消費のもう一つの側面も見過ごすことはできない。それは、中国による穀物の巨大消費である。中国は二〇二〇年に穀物輸入を加速させた。このことは世界の農産物取引を活発化させ、価格高騰を招いた。中国税関によれば、二〇二〇年の一月から八月までの中国の総輸入量は、対前年比で小麦は一三七％（四九九万トン）、トウモロコシは五〇％（五五九万トン）、そして大豆は一五％（六四七四万トン）も増加した。二〇二一年には、中国の大豆輸入量は一億トンに達するはずだ。「トウモロコシは二〇一四年以来の高値を記録している。中国の需要が世界貿易の様相を激変させているからである」と、フランスアグリメール「フランスの農水産物輸入を管理する公的機関」の穀物・砂糖部門の主任であるマルク・ズリビは見なしている。また、匿名という条件でAFPの取材に応じたある仲買人は、「中国が輸入する穀物――とくに欧州産の穀物――の価格高騰は第一に、トランプの通商政策に起因している。トランプの通商政策により、中国は原産地を多角化することになったのだ」と解説した。アフリカ起源の豚ペストの流行で中国の畜豚業は壊滅的被害を被《こうむ》ったが、「予測をはるかに上回る速度の」飼育豚の頭数回復が飼料の需要を高め、中国の穀物輸入増加に輪をかけた。加えてもう一つ別の要因が、中国による輸入を活発化させた。それは、コロナ禍にともなう先行きの不透明である。食糧不足の「リスクを最小限にすることは、中国政府にとっては自明の理だ」と述べるのは、農業シンクタンク「デメテル」の理事長で国際戦略関係研究所「イリス」（パリ）研究員のセバスティアン・アビスだ。毛沢東時代の一九五九年から一九六一年にかけての「大飢饉」〔一九五八年から一九六一年まで、毛沢東によって推進され、大失敗して毛の一時的失脚につながった「大躍進」政策の結果を指している〕の先例が「中国の現指導者世代にはトラウマになっている」だけに、食糧確保は重要性を帯びている。今日の中国はほぼすべての農産品の生産にかんして世界一であるが、実は、同じ農産物のマーケットにおいて中国は世界一の輸入国でもあるのだ。「仮に中国国内で基幹作物が五〜一〇％欠乏するとしよう。これは大変な分量であり、たちまち国際的な影響が出て」、農産物市場はかき乱されると、セバスティアン・アビスは説明する。今後どの程度まで中国の買い物熱が持続するかを予測するのは困難だとしても、アビスによれば、北京政府は「国家の食糧安全保障については一歩も引かないだろうし、国内生産を補完するために国際市場からの輸入に頼るのは必然である」[11]。

現在の中国の環境問題を総括するにあたり、ジャン＝フランソワ・ユシェの話に耳を傾けてみよう。

（前略）中国は、（世界の）経済発展の歴史上、前代未聞の危機的な環境問題を経験している。ここ何年か前から意欲的な政策転換の意向を示してはいるものの、環境に配慮した長期的な持続的成長の軌道に乗るには程遠い。（したがって中国は）今後何年にもわたって統合失調症的で不安定

> な状況下に生きていかざるを得ない。つまり中国は、グリーンエネルギーの世界最大の実験室かつ投資国となるであろうが、それと同時に、他国すべての総量以上の石炭を消費し、自国生態系を極度に悪化させる国であり続けるのだ[112]。

中国の環境問題の専門家であるユシェによると、二〇六〇年までにカーボンニュートラルを実現する、という習近平主席の宣言は、〝中国は国際的責任を遵守しようとする優等生である〟と印象付けるためのアナウンス効果狙い、という性格が強い。

> （二〇六〇年の）カーボンニュートラルという目標は、約束を果たす期限がはるか未来であるので、このような目標をアナウンスすることは極めて容易である。中国がインドとは対照的に顕著な努力を重ねているのは事実だが、中国の経済は石炭エネルギーにいまだ大きく依存している。（中略）二〇四〇年までに、中国は毎年およそ四〇億トンの石炭を燃やすだろう。さらにまた中国による石炭火力発電所の技術の輸出は〔グリーンエネルギーへの転換を〕相殺するだろうし、この輸出は現在も急速に進行している。新シルクロードプロジェクト〔一帯一路構想〕でわかるように、中国は極めて発達したノウハウを獲得しているが、新シルクロード経済ベルト沿線では残念なことに、多数の石炭火力発電所が建設されている。（中略）いずれにせよ、中国が掲げている目標は実現不可能ではないとしても、二〇六〇年のカーボンニュートラル実現と中国の現状とを隔てる距離は果てしない。そもそも、テクノロジーの発達と、中国の経済発展の方向性に関する我々

郵便はがき

料金受取人払郵便

神田局
承認

1280

差出有効期限
令和５年３月
31日まで
（切手不要）

１０１-８７９１

５３５

千代田区外神田
二丁目十八—六

春秋社

愛読者カード係

＊お送りいただいた個人情報は、書籍の発送および小社のマーケティングに利用させていただきます。

| | | |
|---|---|---|
| (フリガナ)<br>お名前 | 歳 | ご職業 |
| ご住所 〒 | | |
| E-mail<br>小社より、新刊／重版情報、「web 春秋 はるとあき」更新のお知らせ、イベント情報などをメールマガジンにてお届けいたします。 | 電話 | |

※**新規注文書**（本を新たに注文する場合のみご記入下さい。）

ご注文方法 □**書店で受け取り** □**直送(代金先払い)** 担当よりご連絡いたします。

| | | | | |
|---|---|---|---|---|
| 書店名 | 地区 | 書名 | | 冊 |
| | | | | 冊 |

ご購読ありがとうございます。このカードは、小社の今後の出版企画および読者の皆様とのご連絡に役立てたいと思いますので、ご記入の上お送り下さい。

〈書　名〉※必ずご記入下さい

●お買い上げ書店名(　　　　　地区　　　　　　　　書店　)

●本書に関するご感想、小社刊行物についてのご意見

※上記をホームページなどでご紹介させていただく場合があります。(諾・否)

●購読メディア

新聞
雑誌
その他
メディア名
(　　　　　)

●本書を何でお知りになりましたか

1. 書店で見て
2. 新聞の広告で
(1)朝日 (2)読売 (3)日経 (4)その他
3. 書評で (　　　　　　紙・誌)
4. 人にすすめられて
5. その他

●お買い求めになった動機

1. 著者のファン
2. テーマにひかれて
3. 装丁が良い
4. 帯の文章を読んで
5. その他
(　　　　　　)

●内容

□満足　□不満足

●定価

□安い　□高い

●装丁

□良い　□悪い

●最近読んで面白かった本　(著者)　　　　(出版社)

(書名)

㈱春秋社
電話 03-3255-9611　FAX 03-3253-1384　振替 00180-6-24861
E-mail:info@shunjusha.co.jp

の知識にかんがみて、三〇年というのはそれほど長い期間ではない。二〇〇〇年から二〇三〇年までの中国の経済発展の方向性を分析すればいくつかの変化があることは明らかだが、それらはエネルギー利用方式の一八〇度転換というよりも、単なる軌道調整に過ぎない。（中略）二〇三〇年までに温室効果ガスを六五％削減するという北京政府の目標は実現不可能ではないにしても、カーボンニュートラルの目標に関しては、私は中国の遂行能力について極めて懐疑的である。（中略）この手の壮大な宣言は、約束履行の責務を引き受けることを意味しない。いずれにせよ、これから五〇年後には、我々は皆すでに死んでいるだろうし、中国が約束を果たしたか確認することもできない。この宣言の背後には、多くの政治的思惑もあるのだ[113]。

とはいうものの、大気汚染に関しては、明らかに成果が出ていて、この分野で中国当局は長足の進歩を遂げた。

これについては（破滅的状況に直面していたので）、実際に努力が払われた。政界も含め、中国社会のすべてのセクターにおいて強い環境意識が生まれている。この意識は今や、中国人のメンタリティーに以前と比べて浸透している、と私は考える。このことは、中国が環境問題に対してより自覚的になり、他のすべての分野におけるのと同様に、いったん自覚したら迅速に動いたことを示している。中国は、私たち（西側諸国）よりも短期間に、成果を挙げた（現在の中国同様の高度工業化を驀進していた一九七〇年代から一九八〇年代にかけての日本に似ていないこともない）。この一〇年で、メンタリティー革命が生じたと、私は見ている。[114]

## 補足――組織的略奪としての中国漁業

中国が捕食者として振舞っている、もう一つの分野がある。それは、漁業である。

ブリティッシュ・コロンビア大学の著名な生物学者であるダニエル・ポーリーがコーディネートした国際研究によると、中国漁船による海産物略奪は莫大な規模となっている。急速に減少している水産資源に中国がいかに触手を伸ばしているかを初めて数値化したこの研究報告はまず専門雑誌『フィッシュ・アンド・フィッシャリーズ』に掲載され、ついで科学雑誌『ネイチャー』に二〇一三年四月四日に再掲された。その結論は、中国漁船は沖合や遠洋で、二〇〇〇年から二〇一一年までの間に、年間で三四〇万トンから六一〇万トンにのぼる魚を、まさにサイフォンのごとくに吸い上げている、というものだ。ところが国連食糧農業機関（ＦＡＯ）に対して、北京政府は、同時期の漁獲高をたった三六万八〇〇〇トンしか報告していないのである。水産資源の専門家が推算した実際の数値の、わずか一二分の一である！　中国の手で毎年海外から水揚げされる魚は価格ベースで八九億ユーロに達している。[115]

「中国漁船団の船舶について、正確な数を知る者はいない。ただその大群が地球全体を網の目のように覆い、規模においても、行動半径においても、他のすべての国を圧していることは確かである」[116]。実際のところ、中国領海の外に出て魚を捕る能力がある船の数はおよそ一万七〇〇〇隻近く、と見積もられている[117]。

中華人民共和国の漁師たちは、自国の沿岸から一万七〇〇〇キロメートルも離れたアルゼンチン、チリ、ペルーの沖合にまで乗り出している。多くの国の漁船団も同じことをしているが、中国の漁船団の規模と手法は世界でも突出している。中国の漁船は太平洋の真只中にある、仏領ポリネシアの首都パペーテの眼前にも、その姿を見せるのだ。時には、度を越えた彼らの強欲と漁船の過剰な数が問題を引き起こす。仏領ポリネシア近海ではさまざまなＮＧＯが、中国漁船団の動きをモニタリングするために、衛星写真による監視体制を敷くことを余儀なくされた[118]。

船団の大半は底引き網漁船（壊滅的な漁法の最たるもの）で、主として太平洋の北西部やインド洋のセーシェル諸島沖合で操業している。最も集約的に行われているのは、太平洋の南東部と大西洋の南西部におけるルアーによるヤリイカ漁だ。これらの遠洋漁業の最たる問題点は、その利益が発展途上国の住民の利益と相反している点である[119]。

中国による海産物の消費は、世界の漁獲量の三分の一を占める。中国漁民は現実的であり、水産資源の中でもとくに魚を求めて、遠くへ遠くへと（中略）進出していく（北京政府がその海域の九〇％を領海として主張する南シナ海でもまた同様である）。例えば、中国漁業者はだいぶ前から西沙諸島〔英語でパラセル諸島。中国の実効支配下にあるが、ベトナムと台湾との間に領有権問題がある〕近辺に出没している。領土問題の渦中にある南沙諸島〔英語でスプラトリー諸島。中国、台湾、ベトナム、フィリピン、マレーシア、ブルネイとの間に領有権問題がある〕に漁場を求める中国漁業者の数も増える一方である。かれらは拿捕も覚悟で、他国の排他的経済水域（ＥＥＺ）の中で、白昼堂々操業しているのである[120]。

中国によるこうした遠洋漁業の最大の問題は、その利益が発展途上国の住民の利益と相反するという点である。二〇二〇年七月、漁船と洋上加工船二八〇隻以上からなる船団が、エクアドル領ガラパゴス諸島の海洋保護区沿いで探知された。ここはユネスコ世界遺産に指定されている。世界でも特異なその生態系には何十種もの絶滅危惧種が生息しており、中でも複数種のサメは有名である。環境保護活動家たちは生態系の深刻な激変を危惧しており、地元の漁師はすでに漁獲の減少を実感している[121]。中国船団は、アフリカでも嘆かわしい影響を与えている。中国の洋上加工船が、アフリカの水資源を使い尽くしているのである。また多数の中国底引き網漁船が、ガーナ、セネガル、アンゴラ、ソマリア、モロッコ、モーリタニアその他のアフリカ諸国の沿岸に進出している。関係諸国との相互協定の枠内における操業の場合もあるが[122]、完全な違法操業の場合もある。一九八五年の段階では、アフリカ沿岸に出漁する中国船はわずか一〇数隻であった。今日では、何百隻もの大型トロール船が中国からやって来て、西アフリカの海底をこそげている。「これらの大部分の船は海底に底引き網を打つが、これは、通り道となる海域の海産資源総ざらいとなるきわめて破壊的漁法である。そもそも、中国領海における漁獲資源枯渇の大きな要因はこの底引き網漁法であるのだ」と、グリーンピースは説明する。[123]四〇〇隻を超える中国の遠洋漁船団は、西アフリカの海上における最も大規模な船団であり、年間四億ユーロにのぼる漁獲高を叩き出している。

「中国は、西アフリカ沿岸海域が魚の宝庫であり、監視の目がほぼ無いことに気付いた。その結果、この海域における外国漁船は急増し、ときには完全に違法操業のこともある。ゆえに乱獲が瞬く間に現実となった」と語るのは、海洋保全活動を行うNGO「ブルーム」の科学部門理事フレデリック・ル・マナクだ。[124]

しかしながら、中国は水産養殖が世界一発展した国であり、今日では養殖が自国の海産物消費もかなりの部分を賄っている。この点を無視するのは、中国に対して公平ではない。

**註**

*1　このパリ協定の目的は、二一世紀末までに、気温上昇を二度までに抑えるということであった。一九五か国が署名した。米国は前大統領ドナルド・トランプの指図のもとに、二〇一七年六月一日に脱退を宣言したが、二〇二一年一月二〇日のジョー・バイデン大統領就任後、直ちに復帰した。

＊2　カーボン・モニターは日々の二酸化炭素排出量の科学的推計を定期的に更新して提供している。www.carbonmonitor.org

＊3　ただし、二〇一九年のCBSニュースのランク付けによれば、世界で最も汚染された一〇都市のうち、九つはインドの都市であり、ランキングに最初に登場する中国都市は一九位である。ジェシカ・リアリッシュ《世界汚染都市ランク》CBSニュース、二〇一九年八月二三日。htpps://www.cbsnews.com/pictures/the-most-polluted-cities-in-the-world-ranked

＊4　チベット亡命政権が二〇一八年一二月に発行した環境白書によれば、伝統的にアジアきっての原生林の宝庫であったチベットは、中国人民解放軍の侵攻（一九五〇年）以前には二五二〇万ヘクタールの森林で覆われていたが、中国当局による大規模森林破壊の結果、森林面積は一九八五年には一三五七万ヘクタールに減少した。

＊5　ただし、このことに責任のあるのは中国ではなく、インドネシア、マレーシア、およびシンガポールの企業グループである、との反論にも一理ある。

＊6　二一世紀における環境および社会の課題に応えるソリューションとイノベーション、持続可能なソリューションとイノベーションおよびグリーンテクノロジーによる環境に配慮した持続可能な新消費スタイルをプロモートする社会連帯的企業。

＊7　たとえば、中国北部から北西部にかけて広がるゴビ砂漠は、毎年何千平方キロメートルも拡大している。この砂漠の進出を防止するために、中国当局は、世界最大の人工造林、すなわち緑の長城を作ることも決定した。実際のところ、今でも中国の国土の二七%を占めている砂漠の拡大は急速である。一九五〇年代には、耕作可能地の侵食面積は一年で一五万五〇〇〇ヘクタールだったものが、二〇〇六年には年間二六万ヘクタール（ルクセンブルク大公国の面積に相当）に至った。

＊8　週刊誌『ル・ポワン』は二〇二一年一月二八日発行の第二五二八号で、「砂戦争を開始した中国」と題したルポルタージュを掲載している。その中で、台湾特派員のジェレミー・アンドレは、ここ数日、一〇〇隻

以上の中国の浚渫船が台湾海峡に出没して、台湾の実効支配下にある馬祖列島から数鏈〔一鏈は約二〇〇メートル〕のところで砂を採取している、と報じている。二〇一七年には馬祖列島沖にはわずか二隻の浚渫船が目撃されたにすぎなかったものが、いずれも延べで、二〇一八年には七一隻、そして二〇一九年には六〇〇隻になった。そして二〇二〇年には、三九八七隻の航行が記録されている。

# 第3章　未来のテクノロジー——中国は「世界の工場」から「世界の研究所」へ

中国はこの数十年で、二一世紀の生活様式を生み出すさまざまな新技術の分野で急成長を遂げ、今や世界的な研究拠点として、米国、欧州、日本―韓国の極東ペアと肩を並べるまでになった。次世代のテクノロジーを開拓する新しい研究機関としての中国を振り返り、その現状と将来の展望を探る。

「人はコンピュータに教えて『愛しているよ』と言わせることはできるが、愛することを教えることはできない」

——アルベール・ジャカール〔遺伝学者〕

## 「中国製造二〇二五」――ハイテク分野への中国の野望

技術革新は世界的に大きな争点となっている。中国は、莫大な資金をこの分野に投入しており、米国を世界トップの座から引きずり下ろそうとしている。今世紀を通じて人類の進歩を牽引するのはハイ・テクノロジーであり、この分野で勝利を収める者がおそらく明日の世界の歩みを制することになろう。だから、中国は尋常でない努力を傾けて重要なハイテク分野の全てで覇権を握ろうとしている。それは航空機、宇宙の征服、電気及び水素自動車、情報通信、人工知能、マイクロプロセッサ、量子コンピュータ、レアアース、ロボット、それに高速鉄道の分野である。現在繰り広げられている熾烈な産業競争を象徴する存在が、間違いなく中国の通信事業最大手で世界のスマートフォン生産第一位の巨大企業ファーウェイ（華為技術）である。ファーウェイに対して、米国は徹底的な制裁措置を講じている。経済と社会の営みにとって生命線となる部門の主導権を巡って、地球レベルで今なにが進行しているかを、米国は認識しているからだ。対する中国政府もその野望を隠さない。二〇一五年五月には「中国製造二〇二五」計画を策定し、国の将来に不可欠な十大重点分野を選定した。すなわち情報通信技術（ＩＴ）、ロボット、航空・宇宙設備、ハイテク船舶、先進鉄道設備、省エネ・新エネルギー自動車、電力設備、農業用機械設備、新素材、そしてバイオ医薬である。習近平自ら、目指すべき目標を掲げた。すなわち、現在（二〇二一年）から二〇三〇年までに「最も技術革新が進んだ技術強国」の仲間入りをし、中国共産党の権力の掌握から一〇〇年の節目の年となる二〇四九年には「技術革新で世界最強国」をめざす。目標達成のため、北京政府は性急に事を運んでいる。二〇〇八年から二〇一七年までの一〇年間で、中国の研究開発（Ｒ＆Ｄ）費は九〇〇％増加した。金額にして、国家統計局、科学技術部及び財政部の合同資料によれば、二〇一九年には二兆二一四〇億元（約三二一三億ドル）にのぼり、前年比で一二・五％の増加である。ここ四年連続で二桁の伸びを記録している。[125]

二〇二〇年七月一日、米連邦通信委員会（ＦＣＣ）は公式に、ファーウェイと、もう一つの中国通信機器大手、ＺＴＥ（中興通訊）を米国の国家安全保障上の脅威に認定した。同委員会によれば、二社は中国政府及び中国軍との間で機密情報を共有した疑いが濃厚とされる。米行政当局が初めてトランプ政権と意見の一致を見た事例である。更に、ＦＣＣは米国の事業者に、ファーウェイまたはＺＴＥによって設置された既存の全ての通信機器のネットワークを撤去し差し替えるように要請した。「我が国は中国共産党に通信網の脆弱性を利用され、我々のインフラを危険にさらされるような事態を今も、将来にわたっても許すことはできない」とＦＣＣのアジト・パイ委員長は強調する。二〇一九年五月以降、ファーウェイとＺＴＥはアメリカ市場から閉め出されている。若干の猶予期間はあるにせよ、この二社は米国に本拠地を置く企業とは商取引ができない。ドナルド・トランプは貿易戦争も辞さぬ構えで、二社が中国政府のために働き、北京の情報機関のために機密データを収集していると公然と非難してきた。大統領がジョー・バイデンに代わってからも、米政府の主張は基本的に変わっていない。中国では二〇一七年に公布された法律によって、中国に本拠地を置く企業には国の情報機関に協力する義務が課されたことを思い起こそう。[*1] これまでのところ、ファーウェイとＺＴＥは全てのスパイ嫌疑を固く否定している。ファーウェイの創業者で中国人民解放軍出身の任正非は、中国当局が国内の企業活動に干渉することはないと断言する。「私は祖国を愛しているし、中国共産党を支持している。しかし、世界中のいかなる国にも損害を与える行為におよぶことは決してない」とファーウェイのオーナーは明言する。中国の法律が強制的にファーウェイに、政府のために外国の情報を盗ませることはないという。だが、それを鵜呑みにする国はなく、米国の同盟国やその他の西側諸国では、ファーウェイをブラックリストに入れる例が引きも切らない。英国、オーストラリア、ニュージーランド、カナダ、フランス、イスラエル、ポーランド、チェコ共和国、インド、スウェーデン、日本、台湾やその他多くの国が続々と同様の措置に踏み切っている。[*2] 二〇二一年三月一二日、米連邦通信委員会（ＦＣＣ）はファーウェイを中国のその他の通信機器企業と共に国家安全保障に脅威をもたらす企業に指定し、ジョー・バイデンの大統領就任によって米中関係が緩和することを期待した中国に冷や水を浴びせる結果となった。ＦＣＣは、ファーウェイと他の中国通信大手であるＺＴＥ、ハイテラ・コミュニケーションズ、ハイクビジョンとダーファ・テクノロジーの五社が、国家の安全保障上の「容認しがたいリスク」を生むと考えている。

　なぜこうした強硬策が必要なのか。現実にアメリカ当局は、ファーウェイとＺＴＥが通信網、特に新しい５Ｇのネットワークを整備する過程で、バックドア機能〔正規ではない方法で外部からプログラムに侵入できるようにするデバイス〕という禁じ手を使って、行政、防衛、政府といった社会の中枢に関わる多くの機密情報にアクセスする可能性があると確信している。一方、より憂慮すべき点は、ある国家がひとたび北京との関係悪化や戦争突入などの事態に陥ったならば、その国のビッグデータを手中に収めた中国とその情報部が通信網を遮断して、国家を機能不全に追い込むことも可能になったことである。そうなればほとんど全てのデジタル・ネットワークが一気に麻痺し、それに伴い、通信機能はもちろんのこと、航空、道路、鉄道の輸送網、病院、公共企業体や一般の経済活動のほとんどが大打撃を受け、経済社会活動への深刻な影響は避けられない。それ以上でも、それ以下でもない。この深刻かつ明白な脅威を突きつけられた西側諸国の政府は、米国に追従してファーウェイとZTEへの自国内での操業禁止に踏み切るべきか、検討を重ねている。

ジャーナリストのアントワーヌ・イザンバールはその著作『フランスと中国、危険な関係』[126]の中で、欧州諸国、そして特にフランスにおいてファーウェイが圧倒的な優位に立った理由について掘り下げた分析を展開する。この中国巨大企業が、強力なロビー活動と組織ぐるみの潜入工作を駆使して、フランス政府、主要な大学、そして元首相のジャン＝ピエール・ラファラン[*3]やロラン・ファビウス、あるいは政治家のジャン＝ルイ・ボルローなど親中派の政界人に取り入り、どれだけの支配力を築いてきたかを説く。そしてファーウェイの世界市場での躍進が、中国の銀行からの無条件で巨額の資金供給に支えられていると説明する。かくして、二〇〇五年から二〇〇九年までの間に、国家開発銀行（CDB）〔中国政府が一〇〇％出資〕はファーウェイの世界進出のために三〇〇億ドルにのぼる融資を供与した。さらにイザンバールは、ファーウェイ・グループの中に、中国情報機関に関与する従業員がいることを突き止めた。ファーウェイ従業員二万五〇〇〇人の履歴書をチェックする中で「複数名の就業者がファーウェイと同時に、中国軍あるいは情報機関にも勤務している」ことが明らかになったという。[127] 二〇一九年六月には既に、アメリカの通信社、ブルームバーグが、ファーウェイの数名の従業員が同様に、研究プロジェクトで軍の情報機関に協力していることを暴露していた。[128]「過去一〇年間にわたって、ファーウェイの複数の従業員が人民解放軍の異なる部署に所属し、人工知能から無線通信まで、少なくとも一〇件の研究プロジェクトに関わってきた」とブルームバーグは指摘した。[129]ファーウェイがどのようにフランスの国家中枢に潜入してきたかについて、更に資料を参照されたい向きには、二〇二一年三月三日付の『ル・モンド』に掲載された、ソレン・ドゥロワイエとナタリー・ギベールによる詳細な調査をお薦めする。それによれば、ファーウェイのフランス側経営陣が八方手を尽くして、ファーウェイトップの任正非とエマニュエル・マクロンとの会見を実現させようとたびたび奔走したものの、大統領府はことごとく丁重に、しかしきっぱりと拒絶した。[130] 経済財政相のブリュノ・ル・メールも同じく会見を拒否した。ドイツの文化人類学者アドリアン・ツェンツによれば、「新疆ウイグル地区は中国圧政の前代未聞の実験室である。この大がかりな実験は、とりわけファーウェイの協力抜きではなしえなかった」。ファーウェイはこの地域に少数民族のウイグル族に対する大規模な監視システムを構築したのである。「だがファーウェイは新疆ウイグル地区への保安と監視のシステム構築で満足してはいない。この地域は二一世紀の警察国家の実験台となっており、そこにファーウェイが緊密な協力関係を築いている」と彼は『ル・モンド』のコラムに寄稿している。[131]

　今日、風向きが変わり、５Ｇの展開をきっかけにしてノキアやエリクソンといった欧州の通信機器メーカーが立ち直りを見せている。フランス政府はファーウェイのフランス国内への５Ｇ参入の動きを事実上閉め出している。だがファーウェイも簡単には引き下がらない。二〇二〇年一二月一七日、次の欧州域内工場をフランス、アルザス北部のブリュマトに二〇二一年に建設することを表明した。ファーウェイはこの生産拠点において二億ユーロの投資と最終的には五〇〇人の雇用創出を予告しており、欧州市場全般に向けて４Ｇと５Ｇ規格の通信設備、ハイテク移動通信システムを生産することになる。ファーウェイ・グループはフランス国内で既に約一〇〇〇人を雇用しており、拠点はニース、ソフィア・アンティポリス、グルノーブル、パリに分散している。

## 世界制覇をかけた半導体戦争

スマートフォン、自動運転車、クラウド・コンピューティング、人工知能（ＡＩ）、ＩｏＴ家電、デジタル機器、そしてコンピュータ。二〇世紀末に始まり今後も数十年続くであろう第三次産業革命を定義する製品や産業はあまたある。この新たな技術革新の元をたどれば、一九四七年一二月二三日に米国人のノーベル賞受賞者ジョン・バーディーン、ウィリアム・ショックレーとウォルター・ブラッテンが開発したバイポーラトランジスタにまでさかのぼる。その二年後、電界効果トランジスタ（ＭＯＳＦＥＴ）がモハメド・Ｍ・アタラとダウォン・カーンによって開発された。基本的に電子部品で構成されるトランジスタは、電流の操作を機械的な動作を使わずにおこなうスイッチである。これを電子チップとして知られる集積回路の形にすることで、小型化が実現した。第三次産業革命を特徴づける技術革新の著しい加速化には、ムーアの法則が寄与している。インテルの創業者にしてＣＥＯ

も務めたゴードン・ムーアは一九七五年にこの法則を発表し、集積回路の中のトランジスタの数は二年ごとに二倍になると予測した。この予言は的中し、集積回路の微細化が進行している。現在の電子チップはシリコンなどの半導体材料から製造され、その大きさは切手より小さく、髪の毛より薄いが、その中に一億個ほどのトランジスタが組み込まれている。この半導体事業が今日の技術革新の推進力となり、従って世界一熾烈な競争を生む戦略部門となっている。当然の帰結として、米中、そしてこの二強にはさまれた台湾が、全面対決の様相を呈している。そこに米国は国家の安全保障をかけて臨み、そして中国はさらにその先の覇権を狙っている。

　一九八五年、モリス・チャン（張忠謀）が米国で華々しい業績をあげた後、全てをなげうって小さな台湾島に拠点を移す決心をしたとき、気でも狂ったかと思われたことだろう。チャンは一九四九年に将来の成功を夢見て中国から米国に移り住み、大成功を収めた。まず、ハーバードとＭＩＴで学び、最終的にスタンフォードで電気工学の博士号を得た。その二五年後、当時、半導体企業の最高峰であったテキサス・インスツルメンツ（ＴＩ）の副社長に就任した。だが、「持ち家に車は二台、犬は三匹」のアメリカン・ドリームでは満足せず、もっと壮大な夢を見ていた。当時の半導体ビジネスは米国のインテル、テキサス・インスツルメンツ、韓国のサムスン電子、日本の東芝とＮＥＣといった、いくつかのビッグネームに独占されていた。これらの企業の形態はいわゆる垂直統合型で、電子チップの設計から製造までの全工程を一括して管理していた。モリス・チャンは、そこにビジネスチャンスを見た。そこで彼はＴＳＭＣ（台湾積体電路製造）を創業、電子チップの製造を専門に行う工場（ファウンドリとも呼ばれる）を立ち上げ、顧客別にカスタマイズされた集積回路の製品を提供することにした。チャンは直観的に、電子チップ製造は複雑な工程をかかえる上、垂直統合型の製造方式では新規参入者が入り込む余地はなく、技術革新も進まないと感じていた。彼の直観が正しかったことがやがてわかる。数十年がたって垂直統合型企業は挫折を経験し、新しい担い手が登場している。ファブレスと言われるこれらの企業は半導体の開発と設計に専念し、製品の製造には携わらない。製造のプロセスを受託したのがＴＳＭＣだった。こうして、アップル、ブロードコム、ＡＭＤ、エヌビディア、クアルコム（米企業だけに限っても）といったファブレスが頭角を現し、繁栄している。ファブレスメーカーは多様化する機能に適合するチップを設計し、それをＴＳＭＣが製造しつつ改良を加える。そして二〇〇四年、ＴＳＭＣは新規に液浸露光技術〔半導体の微細化を導く製造工程の一つ〕を開発した。大変革新的な技法だったが、露光装置の分野で先行していた日本のキヤノンやニコンは試行さえ拒み、ＴＳＭＣに冷笑を浴びせた。台湾ＴＳＭＣに唯一手を差し伸べたのがオランダの小さな企業ＡＳＭＬだった。結果的にこの技術がブレイクスルーとなり、露光装置で主導権を握っていた日本企業はＡＳＭＬに業界一位の座を明け渡し、ＴＳＭＣがこの分野の技術力でトップに立った。

　今日、ＴＳＭＣは世界市場で半導体製造の三分の一近いシェアを握る。各社とも回路線幅の微細化を競う中で、五ナノメートルプロセスどころか三ナノメートルも実現一歩手前まで来ているＴＳＭＣは、いまだに七ナノメートルノード〔回路の最小線幅を実現するプロセス〕にてこずるインテルやサムソンらライバル企業の五年から一〇年先を行っている。ナノメートル単位で表わされるノードが各ファウンドリの微細化能力を表わしている。因みに一ナノメートル＝一〇〇万分の一ミリで、七ナノメートルの線幅で刻まれたマイクロプロセッサには一〇億個のトランジスタが詰め込まれている。さらに、マイクロプロセッサは小さくなればなるほど消費エネルギーが減少し、放熱量も少なくなり、この二つの長所はどんな集積回路にも必須な条件である。台湾が半導体外交に身を投じるにあたって、半導体で圧倒的優位に立つＴＳＭＣの存在は、米中経済戦争の新たな荒波に呑み込まれないためのまさに切り札となっている。

二〇二〇年にトランプ政権はファーウェイを、ついで中国半導体ファウンドリのＳＭＩＣ（中芯国際集成電路製造有限公司）を矢継ぎ早にエンティティ・リスト（禁輸措置対象リスト）に加え、間違いなく米国は中国半導体業界への攻勢を強めている。ファーウェイは当時世界のスマートフォン生産でトップに立っていたが、同時に台湾ＴＳＭＣで製造されたクアルコムのチップの大量ユーザーでもあった。そこで中国が電子チップ製造の純国産化を目指して二〇〇〇年に設立した企業が他ならぬＳＭＩＣで、ＴＳＭＣその他メーカーと肩を並べる存在を目指してきた。通常、エンティティ・リストに加えられた企業が米国原産品・技術が二五％超含まれる製品を輸入、使用する場合には、米商務省の許可を得る必要がある。サプライチェーンが多国籍にまたがるグローバル・エコノミー下で、このような制裁はＳＭＩＣにとって、部品、化学製品や生産設備など電子チップの設計及び製造に不可欠な物資を断たれ、活動不能の状態に追い込まれることを意味する。ＳＭＩＣはエンティティ・リストへの追加が「一〇ナノメートル未満の製造工程の研究開発に重大なダメージを与えることになる」[132]と公式に認めた。同様に、米国はＥＵＶ（極端紫外線）露光装置の供給をストップするよう、オランダ政府にも強く圧力をかけた。ＥＵＶ露光とは一〇ナノメートル未満の微細化に不可欠な技術で、現在のところ量産できる企業はオランダのＡＳＭＬに限られる[133]。トランプ政権が打ち出し、バイデン政権にも引き継がれているこの地経学《ジオエコノミクス》的な戦略は、米国のグローバル戦略の一環をなすもので、半導体を含む戦略物資のサプライチェーンの本国への還流を図り、次に中国の技術革新の進展を遅らせる狙いがある。かくして、ジョー・バイデンは就任二か月にして商務省に、サプライチェーンの脆弱性――特に半導体とレアアースについて――に関する報告書の提出を命じる大統領令に署名した。大統領は「サプライチェーンの脆弱性が米国に対する圧力の手段として用いられることがあってはならない[134]」と警告した。グーグルの元会長、エリック・シュミット率いる人工知能に関する国家安全保障委員会は、二〇二一年三月に米議会に報告書を提出し、バイデン政権に対して、中国の半導体部門が米国より技術面で二世代遅れている現状を維持し、追いつかせないために、さまざまな規制措置を勧告している。また、過去数十年間、韓国や台湾の下請けに回してきたチップ製造をアメリカ国内生産に振り向けるよう推奨する方策も盛り込んだ。

　アメリカの新戦略を受けて立つ中国も、自国のテクノロジー主権を高める努力を重ねている。米国が中国の技術革新を抑えこもうと躍起になれば、北京政府はこれまで以上に自給自足体制の構築を加速させる。米中二国が経済の切り離しを図るデカップリングの流れの中で、半導体部門はいわばワシントンと北京の離婚届の役目を担っている。

　中国電子チップの国内需要と製造能力の間には大きなギャップがあることがはっきりしている。米調査会社ＩＣインサイツ社の報告によれば、二〇二〇年に中国の企業が製造した電子チップは国内需要のわずか五・九％に留まる。これに外国企業が中国国内で製造したチップを足し合わせれば、その比率は一五・九％にまで上がる。[135] 不足する電子チップを中国は輸入に強く依存してきたから、北京政府が需給ギャップを減らすために最大限の努力を払うこともうなずける。中国共産党第一九期中央委員会第五回全体会議〔五中全会。二〇二〇年一〇月開催〕の際に発表されたコミュニケで、政府の意図が明らかにされた。二〇二〇年一〇月以降二〇三五年までに、中国経済は必ずや、半導体などの戦略技術分野で大躍進を遂げ、中華人民共和国はイノベーション型国家の先頭集団入りを果たす、との目標を掲げた。既に二〇一五年には、十か年計画の一環として「中国製造二〇二五」計画を掲げ、半導体自給率を二〇二〇年に四〇%、二〇二五年には七〇%にまで引き上げる目標を設定している。結果はついてきていないが、国家の大改革への野心が確かに見て取れる。

　一九五八年、毛沢東は大躍進と名づけた農業再編成政策に着手した。毛主席は国家機関とプロパガンダを駆使して、人民を強制的にこの運動に参加させた。現実を直視しない改革は完全な失敗に終わり、大飢饉が引き起こされ、数千万人の国民が餓死に追いこまれた。三〇年後、鄧小平が中国経済の開放にかじをきる。貿易の自由化と国営企業の改革に取り組み、農業のてこ入れも図った。鄧小平の改革によって、二億人の中国人が貧困から抜け出すことができた。この改革は明らかに成功した。国家規模の大改革の指揮を執るにあたって、中国共産党は良くも悪くもその力を遺憾なく発揮した。さて、半導体産業についてはどうなるだろうか。

　半導体事業に関する国家目標を達成するため、国家集成電路産業投資基金（ＣＩＣＦ）と名づけた投資ファンドが創設され、半導体産業に向こう一〇年間にわたって総額一億五〇〇〇万ドルを上限とする資金提供を掲げた。中国のイノベーション政策を専攻する香港城市大学の政治学教授ダグラス・フラーによれば、「これまで、これほど巨額の資金を半導体事業に投入した国はない」[136]。フラーの言うところのメガ計画が引き金となり、まさに中国全土で人々がシリコンに殺到している。しかし教授の見方はあくまでも慎重だ。「中国の半導体産業は、特に製造の過程で無駄が多かった。どの地方自治体も自分の郡に生産拠点を一つ持ちたいと願ったからだ」。中国半導体産業の発展も、実は失敗抜きには語れない。たとえばＨＳＭＣ（武漢弘芯半導体製造）の場合、二〇一八年から二〇一九年にかけて二〇〇億ドル近くの投資を享受しながらも、支払不能に陥って国家の監督下に置かれることになった。二〇二〇年夏には、ＨＳＭＣの立て直しのためにＳＭＩＣから抜擢されＣＥＯを務めていた蔣尚義が辞任し、ＨＳＭＣに移籍していた時期を「悪夢」と語った[137]。名門、香港科技大学の研究所長、陳文新教授はこう指摘する。

「中国は巨額の資金を投入しているが、現在までのところ、目立った進歩を遂げていない。問題は、地方政府の幹部が責任ある地位に決して長くは留まらないことである。彼らの目標は国家的イノベーションの創出よりは、自らの貢献を見せつけることにある。彼ら役人は、工場用地を見つけて立派な建物を建て、看板を立てて写真を撮る。全て、自分を売り込むためなのだ[138]」

最終的に、国家が資金提供した大規模プロジェクトのうち一〇件近くが失敗に終わり、国家発展改革委員会〔国務院に属し、経済政策の研究と調整にあたる行政部門〕は混乱状態にある半導体産業の新規プロジェクトへの規制強化に乗り出した[139]。陳文新は、資金投入するだけでは不十分だと言う。

「この分野には時間をかけて経験を積み上げる必要があり、これまで米国、日本あるいは韓国がそうして築いた道を中国はこれから追いかけることになる。中国政府の取り組みは将来に向けてバラ色のビジョンを示すが、そのロードマップを明らかにしない。往々にして、掲げる目標は全く達成不可能である[140]」

自立自強への道のりは長く、しかもあちこちに罠が仕掛けられている。

現在、まさしくその岐路に立っているのが、中国半導体のファウンドリ最大手ＳＭＩＣであり、その将来を自ら決する必要に迫られている。数名の幹部がトップの座をめざしてしのぎを削り、自らの描くビジョンを強く主張する。武漢ＨＳＭＣでの挫折を経て、蔣尚義は二〇二〇年末に副社長待遇でＳＭＩＣに戻ってきた。この人事にＳＭＩＣの共同ＣＥＯ梁孟松は不快感を示し、入れ違いに辞任を申し出た。この椅子取りゲームはＳＭＩＣの将来を左右する経営方針をめぐる争いとなった。敗者となった梁孟松は最先端技術を極める経営をめざし、研究開発へ追加投資をしてまず一〇ナノメートル、ついで七ナノメートルエッチングの実用化を指向した。勝者の蔣尚義は、技術的には最先端でないが商売として利益を生み出す製品に特化して展開する路線を選んだ[141]。陳文新はこの現実路線を当然のことと受け止める。陳自身、香港科技大学ナノテクノロジー製造ラボの所長という立場でもあり、製造ラインの作業効率が鍵を握ると語る。ＳＭＩＣは一四ナノメートルチップを製造する能力があるが、歩留まりが悪く廃棄率が高いので、現状では十分な利益を生むに至っていないと言う。「一四ナノメートルチップ製造ラインの効率を改善するのは簡単ではない！　何年ものフィードバックと学習が必要なのだ」。ＳＭＩＣのケースは確かに、半導体製造という大変競争の厳しい分野で、中国を待ち受ける未来がどうなるのかを示す良い例である。フラーと陳、この二人の専門家によれば、米国が課した禁輸措置によってＥＵＶ露光装置やその他機器の入手が困難になった中国は、今後、生産目標が達成できず、一四ナノメートル未満のノード技術を真に制御できるようになるまでに、数十年とは言わずとも数年はかかるという。おそらく中国としては今後、最先端技術より手前の技術水準に照準を合わせ、次第にそのレベルでの世界シェアを高めていく戦略に出ると予想される。

　ボストン・コンサルタント・グループ（ＢＣＧ）は最近まとめたレポートで、米中経済のデカップリングにかかる費用という難問に取り組んでおり、その結論が大変参考になる。試算では、米企業が中国市場で失う金額は四〇〇〇億ドルにのぼる。この金額が企業総所得に占める割合は五％にすぎないが、これを失うことは米国の株式時価総額の一五％近く、金額にして二兆五〇〇〇億ドルの損失となる！　大きな代償と言わねばならない。それに比べて中国企業側がこうむる損失額は、その三分の一から四分の一ほどと見込まれる[142]。半導体ファウンドリを米国内での操業にシフトする場合、ＢＣＧの試算では、米国工場の操業コストは台湾や韓国のファウンドリの三〇％増し、中国ファウンドリに比べると三七％ないし五〇％増しになると予測される。一つのファウンドリ建設にかかる初期投資と当初一〇年間のランニングコストを合算すると、四〇〇億ドルにまではね上がる可能性がある[143]という調査結果を考慮すれば、デカップリングのコストは中国より米国の方にずっと大きな負担を強いることがわかる。半導体が中国と米国の離婚を決定づけたとするならば、とりわけ米国にとって歴史上最も高くついた離婚、と言わねばなるまい！

ダグラス・フラーはもっと現実的なシナリオを描く。米国家安全保障戦略の機密に関わる電子チップ製造は世界のチップ製造全体の中のごく一部に過ぎない。たとえばトマホーク・ミサイルやＦ－35戦闘機に搭載される戦略的チップの製造は、現在台湾のＴＳＭＣで行われている。フラーは、半導体事業の立ち上げに巨額の費用がかかることを前提に、米国は真に戦略的なテクノロジーのみに特定して本国製造に切り替え、その他は現状のまま世界各地の製造拠点に任せるのが得策だと考える。このシナリオを追認するような動きが最近見られた。ＴＳＭＣが一二〇億ドルを投じて、最先端技術のファウンドリをまさしく米国内のアリゾナ州に建設すると発表した。[144] この決定の理由を尋ねられた陳文新は断言する。「それはもちろん、軍事的な理由からだ！　米国が自国の軍事物資を海外で製造し続けることはありえない！　中国のＳＭＩＣも同様にふるまうだろうと考えている。中国が軍事利用目的のチップの製造を台湾に発注することは絶対にない」。確かにデカップリングにはゴーサインが出ているが、戦略的に最重要な技術に限定した上で、ということになろう。

米国圏とアジア圏の板挟みという立場の欧州連合は、コロナウィルスの感染拡大当初から半導体業界を襲ったチップ不足にも追い打ちをかけられ、問題点を自覚している。「マイクロエレクトロニクスの分野で欧州が自立できなければ、デジタル分野で欧州が主権を握ることはできない」と欧州委員会のティエリー・ブルトン委員（産業担当）は宣言した。欧州の半導体域内生産の世界シェアは、それでも二〇二一年現在一〇％程度あるが、二〇三〇年までにこの比率を倍増させることをめざしている。現在、米グローバル・ファウンドリー社がドイツで工場を稼働させており、これが欧州の集積回路製造の主力工場として二八ナノメートルチップを主に製造している。ブルームバーグの消息筋によれば、欧州勢はＴＳＭＣやサムスン電子の協力を仰いで一〇ナノメートル未満のチップ製造能力の開発を急いでいる。[145] これは実現には何年も要するような困難な企てであると言わねばならない。いずれにしろ、フランス財務相ブリュノ・ル・メールは二〇二一年二月初頭の記者ブリーフィングで明確に答えた。「欧州の弱点は、ベンチャー企業への投資と、資本市場形成の遅れである」。欧州連合加盟国二七か国の内、一九か国がこの半導体産業の戦略案に興味を示し、資金調達に参加する用意があると見られる。欧州委員会は官民を含め最大三〇〇億ユーロに達する見込みの初期投資を発表した。この金額は、二一〇億ユーロにのぼる二〇二一年のＴＳＭＣ予算をも上回っている。

最後に、シリコンの覇権争いは、何よりもまずサプライチェーンの競争である。何もシリコン製造を全て国内に回帰させる必要はない。供給網が同盟国内で完結していれば十分であることは、過去数十年の歴史が物語っている。今日、米国、欧州、日本、韓国と台湾の同盟国相互でサプライチェーンを分担している。対する中国は孤立を深めているように見える。

半導体をめぐる競争の激化に関連して、中国と台湾の関係悪化、及び武力衝突のリスクの問題を避けては通れない。二〇一九年一月二日、習近平はマイクの放列に向かって「台湾は現在も今後も中国に統一されなければならない」と声を張り上げた。習主席は台湾に、香港で実施されている制度と同様の「一国二制度」構想を提案、ただし必要となれば武力行使も辞さないとした。それ以来、台湾海峡をはさんでさまざまな問題が起こった。二〇一九年には多数の香港人が参加した大規模なデモを何度も鎮圧し、二〇二〇年に国家安全法の制定、そして二〇二一年には香港の民主派活動家を逮捕するに及んで、中国は自ら「一国二制度」を永久に葬り去った。台湾にとって唯一の平和共存モデルが前総統の馬英九の言葉を借りれば「死亡宣告」を受けたことで、[146]半導体という戦略分野に大きな比重のかかる小さな島国、台湾を巡る緊張が一段と増している。太平洋をはさんだ米国も警戒を怠らない。ＴＳＭＣが最先端の光学装置の供給元であることを考えれば、米国がＴＳＭＣの牙城をなぜ守ろうとするのかが納得できる。陳文新も認める。「ＴＳＭＣの存在は、確かに米国が台湾を防衛する理由の一つだ。万一ＴＳＭＣが中国の手に落ちれば、西側諸国の損失は計り知れない！」バイデン大統領はその就任式に史上初めて台湾の駐米代表を招待し、台湾との関係強化の意向を改めて表明した。このような状況で、中国がリスクを冒して台湾に侵攻することはおそらくないだろう。ダグラス・フラーは、中国が目的を遂げるためには軍事行動以前に取り得る解決策があるだけに、侵攻する可能性は低いと考える。そしてリンダ・ジェイコブソンの研究を参照するように勧める。ジェイコブソンは作家で、中国研究を専門として立法府へ助言を行うオーストラリアのシンクタンク「チャイナマター」の創業者である。ジェイコブソンによれば、中国は「台湾を交渉の席に就かせ、恒久的な統一の条件をのませるためなら、戦争の一歩手前までのあらゆる手順を踏んでくる。たとえば経済面での抑圧、禁輸措置、脅迫、国家転覆の企て、サイバー攻撃、そして暗殺まで[147]」。ジェイコブソンの分析を待つまでもなく、ＴＳＭＣへの攻勢が始まった。二〇一九年から二〇二〇年にかけて、ＴＳＭＣの技術者が一〇〇人近く引き抜かれて複数の中国企業の幹部に登用された。[148]ＳＭＩＣの共同責任者、梁孟松と副社長の蔣尚義も台湾出身で、二人とも過去にはＴＳＭＣの経営陣であった経歴を持つ。戦いは始まったばかりだ。

## 宇宙開発、中国の新たなフロンティア

宇宙の征服は、中国が威信をかけて取り組むもう一つの領域だ。欧州やロシアを抜き去った今、公言する次なる目標は、米国に追いつき、優秀な中国技術者たちの手腕を世界に示すことで、そこに向かって性急に事業を展開している。二〇二〇年一一月と一二月には月面探査機「嫦娥5号」（嫦娥は中国の神話に出てくる月の女神）が月の土壌一・七キロ分を回収、三週間のミッションを無事に終えて地球に帰還し、世界の称賛を浴びた。このミッションでは、「嫦娥5号」から月探査ローバーを月面に降ろし——着陸地としてリュムケル山から嵐の海までのエリアが選ばれたが、その理由はそのエリアが月面で最も新しい、約三〇億年前の地層の一つだからである——、月面をロボットアームと深さ二メートルまで掘削可能なドリルで掘削してサンプルを採取した後、月面を離陸して地球軌道を周回する衛星にドッキングするという一連の操作が行われた。技術的には最後の工程が最難関だった。かくして中国は、米国とロシアに次いで月面からのサンプルの採取に三番目に成功した国となった。このミッションは中国の宇宙におけるロボット技術の成功を印象づける結果となった。技術の進歩、そしてこの難しいチャレンジ（月面からの再離陸、ドッキング及び地球軌道への移動）にいちはやく成功した国々の仲間入りをした事実以上に、科学の分野にもたらされる利益ははかり知れないものがある。採取したサンプルの化学的成分を分析すれば月の成立についての理解が深まり、向上することが期待

できる。特に、月の地層に含まれるレアアースの含有量の情報が得られ、結果によっては月が未来の黄金郷となるかもしれない。中国が月の土壌成分を非常にスピーディに、しかも易々と採取し地球に持ち帰ったことは驚くべきことで、中国人のロボット工学の技術レベルと宇宙工学の熟達度を示している。さらに驚かされるのは、操作の統括責任者たちがそれぞれの作業の日付と時間まで事前に予告し——それまでのミッションで予告されたことはなかった——、その工程を直接に中継画像で公開したことである。みなぎる自信のなせるわざである。この歴史的月面探査が成功した後に「今日、中国の月面活動に対抗しうる競争相手はもちろん米国しかなく、その米国は既に西側の数か国と連合してアルテミス合意〔米国の主導による月の多国間有人探査計画〕を締結している」とフィリップ・クエが強調する。[149] 彼は中国宇宙開発の第一人者で関連著書も数多く、国際宇宙航行アカデミーのメンバーだ。「偉業を打ち立てた「嫦娥5号」がこなした複雑なミッションは、一九七六年にソ連が打ち上げた「ルナ24号」以来のことである」という。

「嫦娥5号」の発射に使われたのは「長征5号」ロケットだった。ＣＺ5とも略される大型の打ち上げロケットで、二五トンの重量物を打ち上げて低軌道に載せることができ、静止遷移軌道には一三トンまで載せられる。今後一〇年間は「長征5号」が中国の宇宙輸送の主力を担うことになろう。「長征5号」を利用して、中国は低軌道に、将来の宇宙ステーションのモジュールとなるＣＳＳ「天宮3号」——二〇二一年に組立の開始予定——や、中国版ハッブル宇宙望遠鏡である宇宙望遠鏡「巡天」などの重量衛星を打ち上げることができるようになる。「更に、太陽系のいくつかの惑星に的を絞った野心的な惑星探査計画を遂行するための優れた打ち上げロケットとなる」とフィリップ・クエは強調する。[150] 現在開発中の「長征6号」は、月の裏側または月の南極といった難易度の高い着陸地点に狙いを合わせている。その場合、有人飛行も視野に入れている。打ち上げは二〇二四年の予定だが、二〇二三年中に早まるかもしれない。[151] 中国は遠からず恒久的な有人月面ステーションを設置する構想を持っている。月からの宇宙船が内モンゴルの草原に帰還したわずか五日後に、中国は次世代モデルの「長征8号」1号機を宇宙に発射した。最新型の「長征8号」はコスト削減のため第一段とブースターが再利用可能な仕組みで、年間二〇機ほどを単純化された工程で打ち上げる目標を立てている。プロジェクトマネージャーのシャオ・ユンは、できるだけシンプルに、そして迅速に打ち上げることが目標であると解説した。

「このロケットをできるだけ早く、ワンクリックで打ち上げることを目標にしている。ロケットの組立と製造を海南島で行うつもりだ。工程と輸送を（できる限り単純化して）最小限にし、最終的に四〇人ほどの人員で七日から一〇日間で製造できるようにするのが目標である[152]」

中国が「長征8号」をひっさげて参入する世界の衛星打ち上げロケットレースの競争相手として、欧州宇宙機関の開発する「アリアン6号」がある。中～重量の打ち上げ機で、巨大な打ち上げ能力を持つ「アリアン5号」の後継機であり、二〇二二年からの運用を予定している。米国の「ヴェガ・ロケット」も「長征8号」と競合する。二〇一九年に中国の衛星の打ち上げ数は米国の二七回を上回る三四回（うち三二回で成功）に達し、世界一の衛星打ち上げ国となった。

中国は二〇一九年一月三日には早くも、世界で初めて月の裏側への着陸に成功した。最初の中国人宇宙飛行士が宇宙に飛び出してから一〇年目のことである。このほかに大型プロジェクトとして、二〇二〇年七月二三日、中国は火星に向けた探査機の打ち上げに成功し、「天問1号」を二〇二一年二月に火星軌道に乗せた。おりしも二月一八日には米国の探査車「パーシビアランス」が火星に着陸し、NASAは惑星探査を司る卓越したハイテク技術を世界に見せつけた。

米国の「パーシビアランス」の火星着陸からわずか三か月ほど後の二〇二一年五月一五日、中国も独自に開発した火星探査車「祝融」で火星に着陸した。中国最先端技術の粋を集めた火星探査ロボットで、米国に次いで世界で二番目の偉業を達成した。一歩一歩、中国は先行する米国との差を縮めつつある。

中国の火星探査プロジェクトは七か月間かけて宇宙空間を三億一九〇〇万キロメートル航行し、火星軌道に三か月間周回しながら留まる必要があった。探査車を運んだ軌道衛星の「天問1号」[*4]は〝恐怖の九分間〟を通過した。この九分間には地球との交信が一切断たれ、一つの失敗でこの計画全てが無に帰するリスクがあった。

その九分間の試練を無事に乗り切った中国科学者たちは大歓声を上げた。「天問1号」は着陸地として選ばれたユートピア平原に、二〇二一年五月一五日（土）北京時間七時一八分、標準時では前日の二三時一八分に完璧な着陸を果たした。中国神話の火と戦争の女神にちなんで名づけられた「祝融」は三か月間に及ぶミッションを開始することができた。

ソーラーパネルを広げ、地球に最初の信号を送るまでに一七分間かかった。電波が地球に届くまでにまた一八分近くかかる。火星への着陸を開始する前に、探査車は二月から三か月かけて高解像度の画像を撮影し、着陸のリスクが最小になる地点を正確に割り出していた。

「祝融」からの信号が届くやいなや、習近平中国国家主席は文書で技術陣と中国国家航天局（CNSA）に祝意を表し、この挑戦が「並外れた成功であった」とたたえた。「諸君はこの困難に非常に勇敢に立ち向かい、卓越した技術を追求し、我が国を惑星探査の領域で世界のトップクラスに押し上げた」

この火星ミッションは間違いなく中国国民の愛国心に大きく訴えかけ、二年前から米中対立に駆り立てられている国民の対抗意識をさらにあおることになろう。経済、科学、技術、軍事の舞台で繰り広げられる米中二国間の競争が、まさに今後は火星にまでワープする事態になる。惑星をめぐる競争の火蓋は切られた。

「祝融」が予定通り火星の土壌サンプルを採取し、三か月間の探査期間中に分析した結果を地球に送信することができれば、中国は米国に次いでこの偉業を二番目に成し遂げた国になるだろう。

ソ連は早くも一九七一年には探査車「マルス3号」を火星に着陸させることに成功したが、ほどなく地球への信号送信が途絶えてしまった。欧州連合にとって、現状では火星探査の実現はほど遠い。だが結局のところ、もっとも高いつけを払ったのはソ連である。火星への着陸を一九回試みたが、当初の目標を一〇〇％達成できたことはただの一度もなかった。以来、ロシアのウラジーミル・プーチンは火星への挑戦を二度としていない。

米国の火星への挑戦は、「パーシビアランス」が初めてではない。その前には「キュリオシティ」

があり、全部で一〇をくだらない火星探査を成功させている。

　しかしながら中国は参入当初から一貫して、宇宙開発で急成長をとげてきた。二〇一三年には月面探査車「玉兎」が月面に着陸したのだが、火星探査の「祝融」に比べると技術的な問題はずっと少なかった。地球と月との距離は三八万キロと火星に比べてはるかに近く、地球との交信が容易だったからだ。

「月面に着陸する際には基本的にロケットモーターを減速させて制御する。月には大気がないからである。一方、火星への下降の第一段階では、火星の大気をブレーキとして使用する」と、二〇二一年五月一五日付の『サウス・チャイナ・モーニング・ポスト』の引用記事で、ある中国科学者が述べる。「天問1号」で「着陸機を待ち受ける最大の困難は、火星の大気圏に機体が猛スピードで突入するときに、非常に高温に晒されることによって受ける激しい衝撃である[153]」

　もっとも、「パーシビアランス」に比べると「祝融」は成果では大きく水をあけられている。両者の性能にはまだ大きな差があるからだ。実際、重量が二四〇キロしかない「祝融」には（「パーシビアランス」は一トンを越える）、数グラムの酸素を製造する能力もない。「パーシビアランス」に搭載された米国の火星へリ「インジェニュイティ」は火星で初飛行に成功したが、中国製のヘリコプターが火星の大気中で飛ぶことはない。従ってもちろん、地球上で興味深く見守る人々にも火星からの爆音は決して聞こえないだろう。

　ハイテク技術の各分野で激しいつばぜりあいを演じる米中の両国は、今日宇宙上でも、容赦ない全面対決の姿勢をあらわにしている。ただし、注ぎ込む資金には違いがある。ＯＥＣＤの試算では中国の宇宙開発予算は八四億ドル以上であり、それに対して米国の予算は四七一・一億ドルである。

米国は中国よりはるか昔から宇宙開発の実績を積んできた。一九七七年九月五日、打ち上げに成功した双子の探査機、「ボイジャー1号」と「ボイジャー2号」の壮大な航行は実に驚くべき偉業だった。木星、土星、天王星、海王星の上空を飛翔し、太陽系を飛び出した探査機は今もなお星間空間に留まり、貴重な科学的データを送り続けている。

二〇〇一年、ブッシュ政権の樹立と共に、米国は宇宙制覇を狙って新たな政策を発表した。宇宙は軍事面でも技術面でも、国家の安全保障と米国の覇権にとって重要な領域となっている。

しかし今日、中国が米国に返すべき借りは何もなく、二〇三〇年までに、宇宙開発の最強国になるとの野望を隠さない。「天問1号」について、米国ハーバード・スミソニアン天体物理学センターのジョナサン・マクダウェルは「中国にとって明らかに画期的な成功であり、太陽系内でさらに遠い空間への探査に踏み出す初めての試みだ」と評価する。「成功すれば、火星上で米国製以外の着陸装置と無線操縦ロボットが作動する最初の例になろう」と力説するのは中国の宇宙開発計画を報じるサイト、Go-Taikonauts.com の評論家チェン・ランである。いやはや、勝負はもう決している。中国の火星探査での成功は、米国が数十年がかりで達成した事業を、この国がわずか数年で成し遂げたという事実を証明するものである。

「天問1号」は中国国民全ての誇りとなるだろう。だが、思い起こせば、中国は以前にも私たちをあっと言わせる業績を既にあげていた。二〇一九年一月三日、中国が世界で初めて月の裏側に着陸したのは、最初の中国人宇宙飛行士が宇宙に飛び出してから一〇年後のことで、世界中が中国の高い技術力を称賛したものだ。一九七〇年に発射された中国最初の人工衛星は、「長征1号」から打ち上げられた「東方紅1号」であった。この衛星は、当時の毛主席を称える事実上の国歌「東方紅」を軌道から配信し続けた。思えば現在まで長い道のりだった。

以上を振り返る時いささか複雑な感情にとらわれる。もし米国と中国が惑星の探求という共通の目標達成のために協力していれば、惑星をめぐる航行はもっとずっと実り豊かなものになっただろうに、と思わずにはいられない。

## 圧倒的な計算能力を持つコンピュータで、中国が第一線に

最先端技術の分野で米国としのぎを削る中国にとって、もう一つ、目を見張るような快挙があった。二〇二〇年一二月三日、中国科学技術大学の研究チームが従来型スーパーコンピュータではほとんど不可能と思われた演算処理に成功したと発表したのだ。世界最速とされるスパコンをもってしても二五億年（！）かかる計算を、量子コンピュータ「九章」は三分で処理した。この演算のために中国の科学者たちは非常に複雑な光学装置を開発した。すなわち、三〇〇個のビームスプリッターと七五個の鏡を搭載した三平方メートルの基板に、光量子ジェネレータ（約摂氏マイナス二七〇度の超低温状態を保つ必要がある）で動力を供給し、量子の軌道と状態を観測して動きを予測する。平均して四三個の光子——同量のQビット（超伝導物質からなる量子ビット）〔量子ビットは量子コンピュータの基本的な

情報単位）に相当する――を検知し、最高で七六個まで検出することに成功した。光の粒である光子を活用するこの光量子コンピュータが、中国の研究者によれば、いかなる従来型コンピュータも実現できなかった演算を実行し、量子超越性（量子コンピュータの性能が従来型（古典）コンピュータの性能を超えること）を実証した。これを中国の前に達成したのはわずかに一度、それが、グーグルが開発し、二〇一九年当時、計算能力の世界最速記録を打ち立てた量子コンピュータ「シカモア」である。しかし「シカモア」は量子ビットの実現に光ではなく超伝導方式を採用し、電気抵抗がゼロの状態で回路を構成する。それに対して「九章」（紀元前二〇〇年に中国で書かれた数学書『九章算術』にちなんで名づけられた（成立年代については諸説あり、定説はない））は光子を運ぶ複雑な光学装置のネットワークで構成される。装置には光源、数百個のビームスプリッター、数十個の鏡と一〇〇個の光子検知器が含まれる。しかしこのプラットフォームには一つ欠陥がある。つまり、この演算を解くためだけに構想されたため、異なる演算に応用できるプログラムになっていない。そのため研究者たちはこのコンピュータの新バージョン、すなわちプログラミングが可能で、カナダのスタートアップ企業ザナドゥが開発中の先進型光量子コンピュータのようなモデルを開発中である。[154]

## 核融合、次世代エネルギーの聖杯

核融合の研究に取り組んでいるのはごく少数の国々に限られるが、その中で中国は卓越した実績を積んできた。未来のテクノロジーである核融合（現在運転されている原子炉内で発生させる核分裂とは違うことに注意）は再生可能エネルギーの聖杯と期待されている。太陽エネルギーのように無尽蔵で、廃棄物も温室効果ガスも発しない、未来のエネルギーである。研究者たちはそれが私たちの世代が直面するエネルギー問題への究極の答えであると考えている。というのは、原子核を融合させてエネルギーを生み出す過程——太陽のメカニズムそのもの——では、温室効果ガスを放出せず、放射性廃棄物を出さず、事故の危険性も低く抑えられるからだ。中国は二〇一九年、最高性能のトカマク型核融合反応実験炉が二〇二〇年にも操業見込みであると発表、目標通り二〇二〇年一二月にトカマクＨＬ―２Ｍが稼働を開始した。その愛称は「人工太陽」に決まった。最終的に、磁場を閉じ込めた内部でプラズマが摂氏二億度という想像を絶する高温を生み出すとされる。これは地球の内核の温度の一〇倍を越える。中国の「人工太陽」は、フランスに本拠地を置く核融合反応炉の国際的開発プロジェクト、ＩＴＥＲ（国際熱核融合実験炉）[*5]に貴重なデータを提供するだろう。二〇〇六年に発足したこの国際プロジェクトには六つの国とＥＵが結集し、当初の計画より五年以上遅れて二〇二五年の稼働開始を見込む。総工費は当初予算の三倍を超える二〇〇億ユーロと見積もられている。巨大な国際版「人工太陽」の無数の部品の組み立てが二〇一九年七月よりサン・ポール・レ・デュランス（ブーシュ＝デュ＝ローヌ県）で開始された。[155]先行する中国は二〇一八年一一月に合肥市（中国東部の安徽省）に設置した実験炉で、世界で初めて核融合に必要とされる条件を一〇〇秒以上にわたり維持し、二〇一七年に自らが打ち立てた世界記録を更新した。ついで二〇一九年一一月には、これまでの記録をあっさり塗り替え、太陽の中心部の熱の六倍にもなる一億度を達成した。「この反応炉を用いて、中国は人類の核融合技術の活用に貢献したいと望んでいる」と責任者の一人、宋雲濤は控えめに語る。[156]だが、この研究分野で記録に挑戦するのはもはや中国だけではない。二〇二〇年の終わりに韓国で大きな進展があった。ＫＳＴＡＲ装置（大韓民国超伝導トカマク先進研究装置）が一一月の終わりに一億度プラズマを二〇秒間維持することに成功、これは、それまでどの融合炉も達成できなかった高温と維持時間である。それまでの同装置での記録は二〇一九年に出した八秒間だった。[157]

## レアアース

さて、その他に中国は世界のレアアース市場を支配するに至った。

> （戦略物資として活用されるこれらの希少金属は）一七種類の元素の総称であり、技術革新の波に乗ってその重要度を著しく増してきた。レアアースが活用される分野はマグネット、ハイブリッド・モーター、通信技術、プラズマテレビや液晶ディスプレイはもちろん、人工衛星、各種誘導装置やテレコミュニケーション・システム、ミサイル防衛システム、航空宇宙部門、及び広くデュアルユース（軍民両用）技術全般である。（中略）中華人民共和国はレアアースの開発と生産に関して徐々に寡占を進めてきた。中国本土のレアアース埋蔵量は、現在把握されている世界全体の埋蔵量の五〇％しかないにもかかわらず、現在中国は、世界のレアアース生産の九七・三％を

支配する。レアアースは中国以外にもロシア（把握された世界埋蔵量の一七％）、米国（一二％）、インド（二・八％）あるいはオーストラリア（一・五％）など広く分布するが、これらの地域ではまだほとんど、または全く開発が進んでいない。実際、中国が意図的に維持する「衝撃価格」のせいで、主として先進国の開発拠点は軒並み閉鎖を余儀なくされている。しかもこれら先進国の企業では、有害物質の採掘への世論の強硬な反対という逆風も吹く。こうした状況を背景に、中華人民共和国は二〇〇四年にレアアース開発の数量規制に乗り出した。その目的は自国企業の供給量確保と、表向きはレアアースの生産にかかる環境対策費を制限するためとされている。二〇〇六年以降、中国のレアアース輸出量は半減したが、世界市場でレアアース価格は二〇〇八年以降三〇〇％急騰した。二〇一〇年には中国のレアアース生産量の割り当ては七二％削減、二〇一一年には探鉱と開発の認可が二〇一二年まで公式に凍結され、中国の輸出は更に三五％減少した[158]。

かつて世界のレアアースの主要産出国の一つだった米国は、今日、レアアースの八〇％近くを中国からの輸入に依存する。中国政府は過去に数回、レアアースを暗に政治取引の材料にしたことがある。レアアースが交渉の武器となった最初の例は二〇一〇年、相手は日本だった。日本海の尖閣諸島（中国は釣魚島と呼び、領有権を主張している）周辺で、一隻の中国漁船が日本の巡視船二隻に衝突し、拘留されたが、中国は乗組員の釈放を求めてすぐにレアアースの日本向け出荷をストップした。たちまち、一〇社ばかりの日本のハイテク企業へのレアアースの供給が断たれ、日本列島に激震が走ったのだった。二〇一九年五月二〇日、習近平主席と国務院副総理にして対米貿易交渉の責任者である劉鶴が江西金力永磁科技を訪問して注目を集めた。この会社は江西省（華中）にあるレアアース生産の主力企業である。そのメッセージは明らかで、米国と世界に向けて、中国がこれら戦略的な希少金属類を支配していることを見せつけたのだった。[*6] 中国は二〇二一年二月初頭、米国の新政権へのご祝儀とばかりに、レアアース生産を二〇二一年第一四半期に二五％増産し、六万六〇〇〇トンから八万四〇〇〇トンに引き上げることを表明した。「バイデン政権はこのメッセージを真剣に考慮すべきだろう。中国は米国と安定的で、相互に利益を生み出しうる貿易を維持したいと願い、関係修復を望んでいる」と北京大学国際関係論センター所長王勇は強調した。「しかし、もし米国側が経済制裁を続け、我々のハイテク部門を妨害するならば、我々はレアアースの供給を、常に局面を打開する奥の手とする用意がある」と述べた。[159] それでも米国は中国への依存度を減じる目的で、レアアースの国内生産の再開を決定した。[160]

## 古き良き北京は消え、代わって台頭する未来都市

北京には、かつて路地裏に伝統的な低層の家々が立ち並び、その街並みはフートン（胡同）と呼ばれて首都の景観に独特の美しさと雰囲気を添えていたものだ。これらの家々がほとんど全て、有無を言わせず取り壊され、跡地にはコンクリートの超高層ビルが建設されつつある。中国は今や未来都市

を見据えている。一九八〇年代の終わりから、大都市ではディベロッパーたちが大手を振って歩き、特に北京ではブルドーザやパワーショベルが増殖して、四角い中庭を家屋で囲んだ四合院という優雅な家々をことごとく破壊した。住人たちは容赦なく立ち退きを迫られ、時には遠く離れた郊外のみすぼらしい家をあてがわれ、そこに閉じ込められた。あらゆる絆を断たれて、彼らはすることもなくただ死を待つだけの日々を過ごしている。今日の北京が昔とは全く違った街になってしまったのは、実に悲しむべきことである。人口二〇〇〇万人を越える大都市北京は醜悪で冷たいコンクリートでできた怪物であり、まるで大ダコが脚を伸ばすように、果てしのない大渋滞に終日見舞われている五つの環状道路〔北京五環路〕の外まで伸展している。かつて三五年前には、私はそのあたりのフートンを徒歩で、または自転車で散歩を楽しんだものだ。老人たちは家の前に籐椅子を出して座り、のんびりと太陽を浴びていたし、その横では通りで遊ぶ子どもたちのはじけるような笑い声が聞こえていた。まさに「北京、広大で静かな街[*7]」だった。定期的に、市の東南部、空の橋近くの鳥市場をのぞきにいくのが楽しみだった。そこではお年寄りがコオロギの入った自分の虫かごを大事そうに見つめて、鳴き声にうっとりと耳を澄ませていた。よく私は琉璃廠の骨董品街をあてどなく歩き、ありそうもない掘り出し物との出会いを楽しみにしていた。それは、おそらく何度も複製を重ねたような骨董〔中国人は複製にかけては名人である〕だとか、絵画、陶器、漆器あるいは古書などだった。この一角は今もあるがピカピカに化粧直しされて、罠にかかる観光客を待ち受けている。昔のあの路地は二度と戻ってこない。その上、北京の真髄が永遠に失われてしまっただけでなく、北京では大気汚染のために晴天の日が大変少なくなってしまった。鼻を外気にさらすと、とたんに汚染された空気が執拗にのどに刺すような刺激を与える。ディベロッパーと建築家がいち早く構想する未来都市、それはある日突然、降ってわいたように地上に現われる。そして彼らは大金を手にするのだろう。容赦なく時は流れる。歴史の歯車は勢いよく回転し、誰もそれを止められない。農村部から都市部への人口の流入がピークとなり、まだ続く勢いである。わずか三八年間で都市部の人口は一億八九〇〇万人から八億人にふくれあがった。率にして四倍以上の増加である。最近のある調査によれば、人口が一〇〇〇万を越える都市が二二一以上になるもようである。人口の都市部集中は確かに中国経済の変化と成長の証しだが、それ以前に国家レベルの、むしろ世界レベルの、ともいうべき混乱を露呈する。都市部のバランスを欠いた急激な肥大化は、憂慮すべき環境汚染、市民の健康状態の悪化、住宅問題などの重大な社会問題を生み出した。[161]

これら巨大都市の周辺には、貧しい農村から出てきて、生き残りをかけてもがいている民工と呼ばれる人々がいる。彼ら未来のない下層階級は国家の高度成長から置き去りにされ、近代化路線の辺境に追いやられて、〔都市には〕戸籍がないため一切の権利が奪われたまま、その日の仕事をなんとか探して食いつないでいる。中国政府は今後二〇三五年までに都市部の人口が一〇億人になると試算する。国務院住宅都市農村建設部が熱心に取り組む未来都市の一つに、成都未来科学技術都市と命名した経済特区がある。中国の南西部、四川省の州都、成都市から五〇キロ圏に位置する特区は、まだ原案の段階に過ぎないが、更地に完全なデジタルシティをゼロから作り上げる構想である。面積は四・六平方キロで、建設中の成都天府国際空港から数キロ離れている。この空港が完成すると、成都は既存の成都双流国際空港と合わせ、北京、上海に次いで、二つの国際空港を備える中国で三番目の都市となろう。二〇二一年二月に、すべてがコンピュータ上で設計された全体像が明らかになった。建物エリアと緑地帯が交互になるように巧みに組み合わされ、大学、研究所、オフィスと住居が配置される。人間味のない街だろうか。時がたってみないとわからない。また、環境デザイナー、兪孔堅が彼の事務所「土人設計」を通じて提案するもう一つのプロジェクトが「海面城市」（スポンジ・シティ）である。彼はいくつかの産業都市のランドスケープをデザインして、緑の建築〔環境への負荷を軽減した建築物〕のモデルケースにしようともくろんでいる。たとえば同じ四川省の重慶市にある悦来地区のニュータウンでは、屋根に庭を造って雨水を吸収させるようにしたり、歩道を保水性の高い素材で舗装したり、雨を湿地帯に誘導してそこを公園にしたりする。こうして、台風の時期には排水の速度を緩めることによって大河の破壊力を弱めようとした古代の知恵に学ぶ姿勢を見せている。「このように集められた水は灌漑や貯水池への貯蔵、地面の清掃など生産的な目的に使用される」と兪孔堅は英国の日刊紙『ガーディアン』へのインタビューで語っている[162]。

一方で中国は二〇〇五年より、スマートシティのコンセプトを採用し、現場は世界に公開された実験場の様相を呈している。二〇一〇年代の初めには中国の実情に即した中国仕様のスマートシティが登場した。当時、スマートシティは「智慧城市」と訳されていた。その後も似たり寄ったりのプロジェクトの呼称として「スマーター・シティ」「スマート・グリーン・シティ」「スマート・パイロット・シティ」または「デジタルシティ」等が登場した。造成中のスマートシティの中でも飛び抜けた存在が武漢経済技術開発区で、中国とフランスの協力体制の先行例となっている。二〇一〇年以来、武漢開発区は持続可能な都市開発と環境の分野での中仏協力のモデルケースとして、両国首脳の注目を集め、少なくともメディアにたびたび話題を提供している。中仏両政府が関わるプロジェクトは武漢の南西近郊に位置する蔡甸《さいでん》区に新たに開発区を作るもので、およそ三〇平方キロの区画に住民一〇万人を想定する。フランス企業には、新開発区の建設にその持てる専門性と新技術の粋を駆使して、フランスの高い技術水準を披露する狙いがある。たとえばEDF（フランス電力）は武漢大学中南病院への効率的なエネルギー供給システムに貢献することになろう。SNCF（フランス国鉄）系列のAREP〔駅及び周辺整備など公共交通事業に携わる企業、近年はアジアにも進出〕はブルジャップ〔フランスの環境土木企業〕の技術陣と共に環境面に配慮したプロジェクトを検討している。輸送面ではSNCFが七〇％の株を保有する旅客運輸会社ケオリスが複数の交通手段を統合したシステムを構築している[163]。二〇一二年に武漢が先陣を切ったスマートシティのプロジェクトに他の都市も続々追随し、八年後の現在、何百ものスマートシティ計画が策定されている。すべての始まりは二〇〇八年、米IBMの主導によるものだった。IBMは当時、デジタル化されたクラウド・コンピューティングによるインフラ投資に限定して助成した。だがスマートシティ市場は急速にファーウェイ、テンセント、アリババなど中国の巨大テクノロジー企業の注目を引きつけた。中国版アマゾンであるアリババは杭州市（東部）に目を付けた。「城市大脳（スマートブレイン）」と名づけたプラットフォームを投入、そこにビッグデータを集積して地方自治体につなげることで、住民との相互作用を通じてより良いサービスを提供するもくろみだ。その結果二〇一八年には、緊急車両の出動に要する時間が五〇％削減された。それが可能になったのは、アリババのプラットフォームが大量のデータを収集しているからだが、その中にはバス、タクシー、特殊車両の位置情報など、ビデオ監視カメラと信号機が提供する個人情報も含まれる。スマートシティというコンセプトを打ち出すことの裏には、権力側にとってのもう一つの利点が秘められている、とニコラ・ドゥーエとカリーヌ・アンリオは強調する。「反対の声があがるのを避けるため、開発に関わる争点を政治問題化させないという動きに加担している。確かに、誰が持続可能でインテリジェントな都市というものに異を唱えることができるだろうか？」[164]（既出、第一章第一節の「中国国民――世界で一番監視されている国民」を参照）。

## 産業スパイ――被告席につく中国

中国が戦略的ハイテク技術分野で数々の華々しい業績をあげるにつれ、どうしてもある重大な疑問が湧いてくる。それは現代の捕食の一形態としての産業スパイ、経済情報活動、知的財産の横領の問題だ。多くの先端技術部門で数十年にわたる努力と莫大な資金を研究開発（Ｒ＆Ｄ）に費やして現在の地歩を築いてきた欧米諸国に、どうやって中国はこれほど短期間に追いつき、追い越すまでになったのか？　米国のアナリスト、デイヴィッド・Ｐ・ゴールドマンにとって、それは驚くにはあたらないという。

「中国は先進国に拝み倒して技術を借用し、盗用して、その技術力で経済を押し上げて米国と肩を並べるまでになった。中国は知的財産の利用のために年間三六〇億ドルのロイヤリティーを文払っているが、本当はそれよりはるかに高い金額が支払われるべきだろう。それだけ、単純に考えてもかなりの部分が盗まれていることになる[165]」

二〇一九年二月、当時の大統領ドナルド・トランプは中国に対して貿易戦争も辞さない構えで歯に衣を着せぬ声明を出し、こう宣言した。「今、中国にはっきりと言っておく。何年間も我々の産業を標的にし、我々の知的財産を盗んできた中国には、今後一切、米国の雇用と富を盗むことを許さないことを」

二〇二〇年七月初め、米連邦捜査局（ＦＢＩ）長官、クリストファー・レイは、過去一〇年間に「中国が関係した経済的スパイ案件は一三〇〇％の増加を見た」と指摘し、ＦＢＩは「一〇時間ごとに一件」中国がらみの防諜捜査を開始している、と述べた。レイ長官は、これらの産業スパイは中国共産党の指示で組織的に展開されていて、米国の安全保障に対する「長期にわたる最大の脅威」となる、と見ている。長官は既に二〇一九年七月二三日には米国上院司法委員会で、知的財産の窃盗に中国第一線の企業、機関、大学の関与が疑われる案件が一〇〇〇件を越えると証言していた。先端技術の分野で「金をかけずに優位に立つために、スパイ活動をこれほど強力にしかけてくる国は中国をおいて他にない」と断じ、スパイが「実際、米国内の全ての産業に害を及ぼしている」と強調した。それに対して中国は外交部の報道官を通じて、これら全ての糾弾を全面的かつ組織的に否定した。ビル・バー米司法長官はディズニー、グーグル、マイクロソフト、アップルやヤフーといったハリウッドやシリコンバレーの大企業を名指しして、彼らがアジアの巨大な市場への足がかりを失うことを恐れるあまり「あまりにも簡単に中国共産党に協力している」姿勢を非難した。米当局は二〇一四年から二〇一七年の時期だけをとっても、知的財産の窃盗額は一兆二〇〇〇億ドルにのぼると試算する。[166]

　フランスでも中国に根強い疑惑の目が向けられている。国民議会元議員のベルナール・カラヨン（国民運動連合）が米国のスパイ行為と中国が仕組む大がかりなスパイ行為の微妙な違いを明らかにしている。「米国は、ならず者と変わらない手法で情報を傍受することがあるにしても、あくまでも民主主義国家だ」。だが中国については、政府が二〇一七年に可決させた国家情報法の存在が大きく物を言う、と指摘する。その七条には、中国の全ての機関または企業は「国家情報活動を支持し、援助し、協力しなければならない」という規定がある。

「つまり、中国人は全員、共産党員であるかないかに関わらず、事実上、強制的に国家の情報活動への協力員にさせられるということである。（中略）中国人の遵法精神は有名だが、特にそれが彼らの戦略的な利益を守るためとなればなおさらであるから、この法律の意義は大きい。西側諸国は、この規程の深刻度を理解していない[167]」

　二〇二〇年一二月一二日、英『デイリー・メール』、ベルギーの『デ・スタンダールト』、豪『オーストラリアン』と一人のスウェーデンの記者が連携して、中国共産党員一九五万人分の氏名漏洩の事実を暴露した。二〇一六年に中国の反体制派の人物が上海のＩＴサーバから取り出したものだった。

　このリストは中国問題を審議する議員団である〃対中政策に関する列国議会連盟〃（ＩＰＡＣ）[*8]に引

き渡され、最終的には公表された。中国共産党の党員が多数、西側諸国の大学や領事館に在籍することが明らかになったが、それだけでなく防衛、銀行または製薬業界などの戦略部門にもいることが判明した。新型コロナウィルスのワクチン生成にかかわるアストラゼネカとファイザーの二社にも在籍する。『デイリー・メール』は、英国の大銀行、ＨＳＢＣとスタンダード・チャータードの一九の系列会社に六〇〇名の中国共産党員がいるもようだと言う。またエアバス社、ボーイング社、タレス社、ロールスロイス社でも党員の関与が取りざたされる。

中国が開発中の旅客機Ｃ９１９は、あと数年でエアバスＡ３２０及びボーイング７３７の競合機になると予想されているが、米企業へのサイバー攻撃対応サービスを展開するクラウドストライク社の調査によると、同機の開発がここまで進んだのは、二〇一〇年から二〇一五年にかけて中国企業が安全保障局と結託して、西側の民間航空会社数社に対してサイバースペース上で大がかりなスパイ行為を働いたためであるという。

「中国共産党と国有企業が自国の情報機関に重要な技術の情報を提供したプロセスはかなり不透明だ。だがクラウドストライク社が把握し、米国政府の裏付けも取れている限りでは、中国政府は必要な情報を得るために、強引な技術移転、ジョイントベンチャー、知的財産の物理的な窃盗、サイバー空間でのスパイ行為といった複数の手段を併用している[168]」

たしかにＣ９１９がＡ３２０とあまりにも類似していることは不可解に感じられる。ＡＦＰ通信社が複数のセキュリティ専門家に照会した結果、エアバス社が二〇一九年に下請け企業を介して複数のサイバー攻撃にさらされた事実が判明、それが中国からの指示によるものではないか、との疑念が浮上している。情報セキュリティ筋二社は、エアバス社の下請け企業が過去一年間に大きなサイバー攻撃を四回受けたとＡＦＰに報告した。問題のサイバー攻撃に詳しい六つほどの情報筋に取材し、匿名を条件として回答を得たＡＦＰは、一連の攻撃の概要と目的を把握することができた。[169] これについて質問された中国政府は二〇一九年九月二七日、嫌疑を言下に否定した。

「中国は情報ネットワークのセキュリティを万全に守り、あらゆる形のサイバー攻撃にも決然と対抗することを保証する」と中国外交部の耿爽報道官は宣言した。「このところ、数多くの記事がサイバー攻撃を取り上げ、記事の中で中国をおとしめるために、何の根拠もなく常に中国を犯人に仕立て上げようともくろむ者が一定数いる[170]」

　以上が見えざる部分の話である。ただし、見える部分についても解説しておこう。中国の法体系に技術移転の項目は明文化されている。かのレーニンもこう言ったではないか。「資本家たちは我々に、彼らの首を締める縄まで売りにくる」と。過去何十年にもわたって、海外の企業が中国に拠点を構えようとすると、強制的に中国企業とのジョイントベンチャーの形をとらされ、更にその資本の五一％以上を中国企業が所有する必要があった。しかも海外企業には中国への技術移転が義務づけられたから、中国は西側諸国の最新テクノロジーを最小限のコストで横取りし、その過程で多数の技術者も育成して、海外の最先端技術を複製する能力を身につけさせた。こうして、ＥＤＦやフラマトム（アレヴァ）〔フランスの原子炉メーカー〕は中国でビジネスを始めるにあたって、いやおうなしに莫大な技術移転を余儀なくされたがために、中国はわずか四〇年で民生利用の原子力技術をまるまる手中にした。[*9] 今日の中国人技術者たちは、フランスが数十年かけて構築した民生用原子力の開発過程全体を完全にマスターしている。二〇二〇年九月一一日、中国は純国産の最新型ＥＰＲ（欧州加圧水型炉）の運転開始を誇らしく発表した。ところがこの時期、本家のフランスでは、フラマンヴィル（マンシュ県）でＥＰＲ1号機の建設工事が暗礁に乗り上げていた。一〇年に亘る再三の技術的な立ち遅れとその間膨れ上がった建設費（追加額は九〇億ユーロ）から膠着状態に陥り、二〇二二年の年末までは稼働が見通せない状況になっている。冗談ではない！　中国広核集団（ＣＧＮＰＣ）と広東エネルギーグループ（ＧＥＧ）が国内に電力を供給する初のＥＰＲ原子炉の稼働にこぎつけたのはＥＤＦやフラマトム、アレヴァのおかげなのだ。「台山1号基」は二〇一八年一二月に、ついで二基目のＥＰＲ、「台山2号基」は二〇一九年九月に広東（華南）で営業運転を開始した。世界初となる欧州加圧水型炉の稼働は、フラマトムからの技術移転なしには成し遂げられなかっただろう。フラマトムは、出力一七五〇メガワットのこれら二基の原子炉の開発にあたった合弁企業に三〇％出資している。その建設現場では、最盛期には中国人労働者一万五〇〇〇人とフランス技術陣二〇〇人以上が働いていた。フランス側は中国人の技術者養成にもかかわった。一九八五年まで原子炉を一基も持っていなかった中国で、二〇一九年現在およそ四六基が稼働中で、二〇三〇年にはこれを一一〇基まで引き上げて、フランスと米国に入れ替わって、世界一の原子炉大国になる見通しである。北京政府は既に、今後Ｅ

PR炉を輸出する意向であると発表した。旧型ではあるが中国製の原子炉を数基、パキスタンに建設中である。英国ヒンクリー・ポイントに建設が予定されているEPR原子力発電所への出資額の三分の一は中国が負担する（EDFとの合弁）。中国は他にもアルジェリア、アルゼンチン、スーダン、ケニヤ、南アフリカ、ルーマニア及びトルコにも原子炉を供給する予定である。

次に高速鉄道に目を向けよう。中国が非常に短期間で高速鉄道の開業にこぎつけたのも、やはり技術移転の恩恵を受けたためである。一九八〇年代初頭に中国はフランスのアルストム・グループ、ドイツの巨大企業シーメンス、日本の川崎重工業、カナダのボンバルディアの各社から技術協力を仰いだおかげで、そこから二〇年で世界最大の高速鉄道網を構築することができた。二〇二〇年末には高速鉄道線路の総延長が三万五〇〇〇キロメートルに及んでいる。これは一九八〇年代初めに開業したフランスTGVの総距離の実に二〇倍であって、世界中の高速鉄道網の三分の二は中国国内を走っている計算になる。「中国の鉄道業者は今ではすべてのノウハウがわかっている」と言うのはフィリップ・ウルリッヒ、一九一八年創業で中国の複数の高速鉄道会社にバッテリーを納入するフランスのサフト社のアジア地域担当部長である。「彼らはひとり立ちし、次第に独立性を高めている。できる限り独自の技術を追求している[171]」。しかも、ここに至るまでに中国は海外の高速鉄道会社からただの一両も高速車両を購入していない。結局海外勢は何も売ることができずに中国市場から閉め出される結果となった。しかし、フランスのある権威筋はこれに異論を唱える。中国に技術を提供した西側のどの企業も、技術移転の条件を呑む代わりに相当額の契約金を手にしたのであり、結局は契約に絡む金の誘惑に負けた結果、中国の自立を許したと、彼は指摘する。そもそも中国は他国に比べて巨大な市場と国務院鉄道部からの巨額の融資という利点をフルに活用したのだった。

二〇二〇年一二月三一日、七年間にわたる困難な交渉の末に、中国とEU（欧州連合）はようやく投資協定についての合意に達し、今後中国政府は欧州企業の中国参入の際に、前提条件として技術移転を求めないことを明白に約束した。中国にとって地政学的判断に基づく譲歩となった。[*10]この協定には今後欧州議会による承認が必要である。欧州は強制労働を禁止するILO（国際労働機関）条約二九条への中国の批准調整を要求しており、議会の承認はいまだ得られていない。EUは新疆ウイグル自治区（西北部）で中国が数十万人のウイグル族を強制労働に従事させているという公然たる非難に配慮して、中国政府に保証を求めている。

調査報道ジャーナリストで世界の情報機関に精通し、特に中国に関する数冊の著書があるロジェ・ファリゴ[172]の意見では、中国が経済、技術、科学の分野で世界全体に張り巡らせた効率的な諜報網の助けがなかったならば、一九七八年以来、長老鄧小平が推し進めた「改革開放」政策によって経済と技術がここまでの発展を遂げることはなかったであろう。この巨大な大ダコのような諜報ネットワークを主に操作するのは、国務院国家安全部である。北京市東長安街一四号に堂々たる本庁舎を構え、近くには公安部もある。国家安全部のトップは陳文清で、国内に数万人の諜報員、アナリスト、専門家を抱え、おそらく世界中に数十万人の配下を従えると見られている。経済を扱う政経情報局は一九八〇年代よりめざましい飛躍を遂げてきたが、それには外交官の地位を利用したスパイ集団とともに、秘密裡に海外の企業に入り込み、影響力をふるって、中国に何らかの形で協力を惜しまない外国人を募る深海魚たちも大きく貢献している。加えて国防部の情報機関内にも経済情報任務に携わる人間がいる。

当然のことながら、これらのエージェントは内密に働いている。外交官として勤務する者の中には、西側の防諜活動担当からスパイと特定され、厳しい監視下に置かれる者もいるが、大多数は正体を隠したまま活動する者たちであり、中国籍やアジア系国籍を持った者が選ばれやすい。「一九七八年以降、彼らの主目的の一つは、当時産業力をつけていた日本を模倣することだった」とロジェ・ファリゴは解説する。[173]「しかし、すぐにスパイ網は米国、欧州、そしてロシアまで拡散した」。欧州ではスパイ案件が明るみに出ることは稀である。標的にされた企業がほとんどの場合、中国国内での業務を続行したいがために、口をつぐむからである。その点、米国では事情が違い、「中国のスパイが告訴される例は掃いて捨てるほどある」。それでも、フランスを含め、世間を賑わせた事例はいくつかある。フランスでは二〇〇五年に自動車部品メーカー、ヴァレオに雇われていた若い中国人女性、黄麗麗が追及の上拘留され、二〇〇七年にヴァレオのコンピュータから情報を抜き取ったとして有罪になった。[174]不正の手法としてしばしば取られるのは、西側の最先端企業とジョイントベンチャーを作り、欲しい技術を盗み取りする、または大きな国際プロジェクトに参加する、などの方法である。たとえば欧州のＧＰＳシステム衛星〝ガリレオ〟計画への参入だ。「最初は『はい、ぜひともイタリア、フランス、スペインやその他の国々と共に参加したいです』と言っておきながら、技術を獲得したとたん、去っていった。全ては中国版のＧＰＳ〝北斗衛星測位システム〟[*11]を構築するためだ」。中国の情報活動チームの特徴は、指令が常に二人ひと組のチームから下されるということだ。一人は専門分野に熟達した人物で、もう一人は党の代表、こちらが本当のリーダーである。「戦略的な、あるいは戦術的な決定は常に、その分野の操作に熟達した者と、党の代表者の二人から同時に下される」とファリゴは説明する。中国国内の情報部は各省、各地方に分散している。湖北省とその省都武漢には自動車産業が集約され、人口一一〇〇万人を擁する省都にフランスのPSA〔プジョー〕はじめ、欧州の大手自動車メーカー数社が拠点を構える。「中国が外国製品のクローンを作る能力には愕然とする。だから彼らが米偵察機を回収し、完全に解体してから再び組み立て、アメリカ側に返還する、などは造作もないことだ」とファリゴは強調する。[*12] 中国が世界に張りめぐらすスパイ網は軍用偵察衛星の恩恵も受けている。この五年間に中国は九六機の偵察衛星を打ち上げた。それに対して米国は一〇九機、フランスはわずかに二機である。

それにしても、中国のスパイ活動に対する西側の無防備な態勢には戸惑いを禁じ得ない。二〇二一年二月一〇日付の英国ロンドンの日刊紙『タイムズ』は、約二〇〇人の大学研究者が、無自覚に中国の大量破壊兵器の製造に加担したことがある、という調査結果を発表した。『タイムズ』によれば、彼らは高度な機密を取り扱う知的財産を敵国に渡さないための厳格な輸出規制法に抵触したおそれがある。彼らには軍事的領域、特に航空機、ミサイル、コンピュータウィルスの先端技術を中国側と共有した嫌疑がかけられ、英国の約一二の大学に所属している。軽率な行為のために、場合によっては最長で懲役一〇年が科せられる恐れがある。「間もなく数十人ほどの大学研究者が法廷に引き出されるかもしれない」と『タイムズ』関係者は述べた。この調査の一〇日前、英外務省のターゲットになったのは中国人の研究者と学生だった。同じく『タイムズ』は彼らのうち数千人が国家安全保障への懸念から英国への入国を拒否される可能性がある、と報じた。二〇一八年から二〇一九年にかけて約七三三〇名の中国人学生が英国で研究を行い、そのほとんどがＡＴＡＳ（アカデミック・テクノロジー承認スキーム）〔英国の国家機密保護のため外国籍の研究者の入国に審査を課する制度〕が義務づけられる研究分野を専攻していた。英国のシンクタンク、ヘンリー・ジャクソン協会によれば、九〇〇名に及ぶ中国人学士が人民解放軍とのつながりを保ったまま三〇ほどの英高等教育機関で最先端研究に携わっていた[175]。豪州では二〇二〇年一一月に、豪州の複数の大学と、中国軍のためにスパイ行為をしている疑いのある中国人学生との不正な関係についての捜査が開始されたと香港紙『サウス・チャイナ・モーニング・ポスト』が報じた。新型コロナウィルスの感染前には、豪州の大学には一五万人近い中国人留学生が在籍しており、これは全学生のおよそ一一％にあたるとシドニーの独立研究センターは指摘する[176]。

　スパイ行為に関しては、フランスの公僕にも中国のために祖国を裏切る者がいる。二〇二〇年七月一〇日、対外治安総局（ＤＧＳＥ）の元係員二人に有罪が宣告された。現役を退いたのちはパリとブルゴーニュを行き来する生活を続けていた二人だが、余生のしばらくを刑務所で暮らすことになる。彼らの罪状は「某強国への情報供与」、「国家の基本的利益の侵害」及び「海外の強国との内通」である。防衛省の文官だったピエール＝マリー・Ｈ（六九歳）は禁錮一二年の刑を言い渡された。検察側は刑の上限に近い一五年を求刑していた。職業軍人で一時期中国に駐在したこともあるアンリ・Ｍ（七三歳）の方は、検察側の求刑が懲役一〇年のところ、判決は懲役八年だった。ピエール＝マリー・Ｈの妻は「海外の強国と内通して得た、国家的利益を侵害する恐れのある財を隠匿した」かどで裁かれ、懲役四年、執行猶予二年の刑を食らった。職業裁判官のみで構成された重罪院〔通常は職業裁判官と市民とで構成されるが、近年の法改正により、テロ及び麻薬犯罪に関しては職業裁判官のみで構成される特別重罪院で審理される」は、三人全員に対して、禁錮刑に加えて一〇年間の公民権停止を宣告した。こういったニュースは珍しい。これは「海外の強国がフランスの情報機関に侵入を図った」事案であると次席検事は非公開審理の前に語った。二〇一八年五月に事件が発覚したとき、フランス当局は「非常に重大な事件」であると語っていた。二人の容疑者が「背任行為に問われる行為を働き、（中略）国防機密を持ち出した嫌疑をかけられた」とフロランス・パルリ軍事大臣は述べていた。当時の国防省は、対外治安総局が情報流出を検知し、「この事実をパリ検察に率先して提供した」と認めていた。だが当局はあいまいな言い逃れに終始し、スパイ達がどの国に加担していたかも明らかにしなかった。[177]

モンスター中国が、知らぬ間にその触手を伸ばしているもう一つの分野が科学研究である。フランスの週刊誌『ル・ポワン』の香港特派員ジェレミー・アンドレが徹底調査した結果が、二〇二一年三月一八日号に掲載された。そこで明らかにされたのはフランスのハイレベルな大学や研究機関と、中国の、同レベルで、しかも明らかに中国人民解放軍と関連している研究機関との間に結ばれた複数の協力協定である。かくして、エマニュエル・マクロンは中国の習近平主席と共に、北京大学とタレス社、エコール・ポリテクニークの間に結ばれた物理学研究での協力協定に署名した。それが事業の形で最初に具体化したのが二〇二〇年六月で、協定に基づき北京大学に高性能のレーザーシステムが設置された。確かにこの中仏研究プロジェクトは完全に民生用研究である。ただし、仏国防省装備庁（DGA）は長年にわたりこのシステムの実験施設と密接なつながりを持っているから、最終的にはその研究成果が中国の防衛技術に応用される可能性もある。

北京大学との協力関係が具体化する時点で専門家が懸念するのは、中国の大学と科学分野で提携することで、ますます技術革新の成果を人民解放軍に提供するシステムに組み込まれてしまわないか、というその一点である。二〇二〇年六月に、中国駐在フランス大使が『軍民統合新国家戦略の試練を受ける中仏の科学及び大学レベルでの協力関係』と題した覚え書きを発してあえて問題提起し、協力関係の再検討を呼びかけた。（中略）独立法人フランス戦略研究財団（FRS）のフランス人リサーチャー、アントワーヌ・ボンダーズは、二〇一七年にはこのテーマでの執筆もした人で、フランスが後手に回っていることを認める。「（中略）人民解放軍とこのように間接的にせよ協力関係を結ぶことは安全保障上の重大な欠陥であり、中国の情報機関にはそれが分かっている。[178]

「問題は、リスクに対する自覚がないことである。科学者たちには、情報の内部不正や防諜行為へのセキュリティ対策が、自由な研究を束縛する足かせに思える」とボンダーズはつけ加える[*13]。

「我々は中国の離陸に力を貸した。そして今、中国からロケットが発射されるのを見ている」と皮肉るのは、中仏科学協力の専門家の一人で、自身は中国愛好家であるベルナール・ベロックだ。

「中国とフランスでは土台が違う。中国の大学総長は共産党内での序列が大変高い党員だ[179]」

フランスの大学総長たちと中国共産党の筋金入りの面々とでは勝負にならない。

一般によく知られている中国の組織で、一見したところではスパイ活動と関係がなさそうな実例として、孔子学院があげられる。この学院は非営利目的の文化系機関で、年を追うごとにその数が増えている。現在までのところ、世界一五四か国に五四八校が設置されている。フランスのアリアンス・フランセーズ、英国のブリティッシュ・カウンシル、あるいはドイツのゲーテ・インスティテュート〔いずれも各国の公的な国際文化交流機関で、母国語と母国文化の教育にあたる〕に着想を得ている。ソフト・パワーのツールとして、中国の言語、文化、歴史と哲学を教え、国務院教育部が雇用する中国人教授陣が指導にあたる。だが、ロジェ・ファリゴの言によれば、学院はそれと同時に、現地の優秀な大学と提携関係を結び、中国人学生と外国人学生の双方から、将来、国に役立つ優秀な人材を発掘してストックしている。学院への批判勢力は、学院は中国のプロパガンダ・センターであり、表沙汰にできない目標に向かって邁進している、という。フランスの専門家たちの中には孔子学院を「トロイの木馬」に見立てる者もいる。フランス国立東洋言語文化学院（ＩＮＡＬＣＯ）でチベット学を専攻するフランソワーズ・ロバン教授は「プロパガンダの実働部隊」と切り捨てる。

「中国語の授業の中でも政治思想を伝えることはできる、たとえば台湾を含めた地図を中国の地図として見せるなどして。孔子学院はＩＮＡＬＣＯ内にも進出を試みてきたが、その必要はなかった。私たちには一五〇年間、自分たちで中国語を教えてきた実績がある」。由緒あるラング・

ゾー〔INALCOの通称〕はしっかり自衛策を講じている。二〇一六年にはダライラマをある会議に招聘した。「中国大使館高官からINALCOに、彼を招待しないように要請する公式文書が届いた」とチベット学の権威であるロバンは振りかえる。[180]

二〇一九年一〇月三〇日、ブリュッセルの孔子学院院長、宋新寧はベルギー政府からビザを差し止められ、以後八年間は欧州連合シェンゲン協定圏二六か国への入国を禁止された。その理由は「国家の安全保障への侵害」とされ、本人否認のままスパイ行為での告訴となった。米国でもここ数年、相当数の孔子学院がスパイ容疑で告発され、閉鎖に追い込まれてきた。二〇二〇年八月一三日、米国務省は孔子学院を「中国の政治宣伝を世界に広め、大学のキャンパスや学校の教室にまで有害な影響を与える外国公館[181]」に指定した。今後、大使館または領事館と同様に厳しい監視下に置かれることになろう。「孔子学院に関しては、中国共産党の活動、特に学院を仲立ちにした活動が米国の学問の自由を損なう恐れがあり、不安をぬぐえない」と二〇二一年二月一一日、ネッド・プライス国務省報道官は強調した[182]。その後、孔子学院と関連のある全米の学校の五〇万学級と六五大学に対して、彼らとの金銭面のつながりを明らかにするよう、新たな行政命令が下されようとしている。

## サイバースペース上の戦争と偽情報——采配をふる中国

八億人を越えるインターネット・ユーザーを擁する中国は、ここ近年、サイバー戦争の主役に躍り出て、産業スパイに狙いを定めている。二〇一三年二月一九日、当時の米バラク・オバマ大統領に米国の情報セキュリティ企業マンディアント社が、七四ページのレポートを提出した。六年間の調査結果をまとめたこのレポートは、数百人の中国人ハッカーが、人民解放軍六一三九八部隊からの遠隔指令によってインターネット上で活動してきたことを暴露した。レポートによると、彼らの本拠地は上海の一二階建てのビルにあり、一枚岩の組織で上層部から指令が下る。拠点に政府の旗を掲げた中国ハッカー集団は、後に「APT攻撃（持続的標的型攻撃）1」と名づけられ、二〇一〇年代を通じて二〇業種の米企業一四一社でスパイ活動に及んだとされる。こうして中国は、人民解放軍総参謀部第三部の指示で、サイバー空間において国内治安の機動力を高めたもようだ。二〇一五年に北京政府は米国の「サイバー軍」と同等の組織を創設した。それが「戦略支援部隊」で、人民解放軍のうちからサイバー戦、宇宙戦、電子戦の部門を再結成したものである。実際、中国自身も米国が仕掛けたサイバー戦争と対決している。米軍が二〇一〇年に創設した「サイバー軍」は六〇〇〇人の専門家を擁し、本部をメリーランド州フォート・ミード基地に置く。中国共産党の日刊紙『グローバル・タイムズ』によれば、二〇一八年、中国は米国内のIPアドレスから放った大量のサイバー攻撃の標的となった。同紙によれば以前から中国人サイバー専門家が、米国側が大規模なサイバー攻撃の準備をしているもようだが、中国は反撃態勢を整えたと予告していた。「米国はウィルスの埋め込みのほか、ずっと以前より中国の利用者端末から多くの情報を盗み取り、ソフトウェアを用いて情報を盗み、分析している」と北京駐在のサイバーセキュリティ担当武官が語ったと同紙は報じた[183]。

二〇一五年、米国が中国と協議し、両国政府は確かにサイバー攻撃を実行しないことで合意した。だがこれは功を奏さなかったという見方が多い[184]。二〇二一年三月初め、マイクロソフトが警告を発した。世界で使用されている「マイクロソフト・エクスチェンジ・サーバ」〔法人向けメールソフト〕のメールアカウントのうち少なくとも数万件が中国由来のハッカーに乗っ取られたという。「高度で精巧な技術を持つ」ハッカー集団が、マイクロソフトを標的にして「ハフニウム」と名づけられた作戦を展開した疑いがある。「ハフニウム」は中国が拠点だが、実際の操作は米国内で貸し出された個人向けサーバの抜け道を通じて行われたと見られている。

> このハッカー集団は、このソフトに存在する四つのセキュリティ上の欠陥を悪用して被害者のメールアカウントの中身を盗み出し、マルウェア〔悪意のあるソフト〕をインストールしてシステムを遠隔操作できるようにする。マイクロソフトは欠陥を見つけ次第修正し、クライアントにはファイルの更新を勧奨しているが、痛手を負ったことはたしかだ。「マイクロソフト・エクスチェンジ」は世界で最も使われているメールソフトである。（中略）通報を受けたホワイトハウスは報道官を通じ、「現在も進行中であり（中略）広範な影響を及ぼしうる脅威」への懸念を示した[185]。

これまで同様に、中国外交部の報道官はこれらの非難を一蹴し、中国が「あらゆる形のサイバー攻撃とサイバー犯罪に断固反対し、闘っている」と断言した。二〇二一年三月二四日、ＳＮＳのフェイスブックは一〇〇名ほどの中国人ハッカー集団のアカウントを削除したと発表した。フェイスブックを利用して海外のウイグル族コミュニティに属する人たちへのスパイ活動をしていたとされる。[186] フェイスブックのセキュリティ対策チームによると、ハッカーたちは偽のアカウントを作ってジャーナリスト、学生、人権活動家になりすまし、照準を合わせた被害者たちの信用を得て、悪意のあるサイトへ誘導する仕組みである。情報セキュリティ業界で「アース・エンプーサ」または「イーブル・アイ」の名で知られるこのハッカー集団は、フェイスブックを悪用して、多くの場合ウイグル族の活動家、ジャーナリスト、反体制派に的を絞り込む。彼らはほとんどが新疆出身で、トルコ、カザフスタン、米国、シリア、豪州及びカナダ等、主に海外の居住者たちだ。「このスパイ活動には、大規模で持続的なリソースを享受し、全く素性を隠したまま展開する彼らの特徴がよく現われている」とフェイスブックのサイバーセキュリティ対策チームは述べた。[187] フランス軍事省付属の研究機関である軍事学校戦略研究所（Irsem）は、その調査結果を二〇二一年三月に報告した。調査をまとめたポール・シャロンは中国と情報活動を専門としている。それによると、中国当局が広めている新型コロナウィルスの発生源の情報と、一九八五年にソ連が広めた、エイズウィルスを米軍が創出したという偽情報の間に、驚くべき類似性が見られるという。この調査を引用した日刊紙『リベラシオン』は「中国から始まった新型コロナウィルス感染によって戦術の刷新を迫られた中国当局は、誤ったコンテンツを広め、（中略）西側のＳＮＳ上の偽アカウントを用いるようになった」と解説する。これらの手法は二〇一九年に香港でも間違いなく取られただろうと、ポール・シャロンは指摘し、さらに中国はそれらを補完する形で、「ソ連が用いた、偽の秘密情報メソッド」も活用したと述べる。ソ連はかつて敵国である米国の信用を失墜させ、最終的に、世界的に大流行したエイズ感染の責任を米国に押しつける目的で偽情報を利用したのだった[188]。二〇一八年一一月一二日、パリのユネスコで開かれたインターネットガバナンスフォーラム（ＩＧＦ）の席で、エマニュエル・マクロン大統領はサイバースペース上での信頼と安全のための『パリ・コール』を呼びかけた。サイバースペースのセキュリティ確立のために共通の原則を練り上げようというこの宣言に、五六四団体——その内訳は国家が六七、私企業が三五八、そして国際機関及び公的法人が一三九——が合意した。中国と米国はいまだ署名していない。

### 註

＊1　米国にも同様の法律がある。二〇一八年に可決されたクラウド法である。

＊2　西側諸国の住民も同様に、今日絶え間なくサイバー監視下に置かれていることに注意すべきである。新しい電子監視手段を使えば、パソコンやスマートフォンを通して個人のメールアカウントや、インターネットを経由するアプリや活動につながるほぼ住民全員の行動様式を把握することができる。二〇一三年に、ＮＳＡ（米国国家安全保障局）の高度な監視能力が明らかになり、住民のプライバシーにまで監視が及んでいることに衝撃が走った。

＊3　ここで手短にジャン＝ピエール・ラファランの問題に触れる。多くの方々同様、私も彼には失望を禁じ得ない。フランスの首相まで務めた人物には、それなりの政治上の責務が伴うものだが、その彼が率先して中国プロパガンダの道具となり、現代の新しい暴君とも言うべき、終生主席に居座り続ける男を持ち上げるとは。ある上院議員（名前は伏せるが）の言葉を借りれば、ジャン＝ピエール・ラファランは高等法院に召喚されてしかるべきであろう。しかし、私は彼への言及を脚注に留めておく。というのも、ジャン＝ピエー

ル・ラファランの問題が我々の議論の核心に触れることはないし、この取るに足りない人物にもいつか自分の良心を試されるときが来るかもしれない。それまでの間、彼には中国人に対してもフランス人に対しても、中国について語る資格はない。

＊4　「天問」とは「天に問う」の意味で、中国古代の詩の題名からとられた。天文学にも触れるその文学に敬意を表したものである。

＊5　ITERには中国、欧州連合、インド、日本、韓国、ロシアと米国が集結している。フランスは現在サン・ポール・レ・デュランスに反応炉を建設中で、炉の中心温度として一億五〇〇〇万度の達成が見込まれる。

＊6　二〇二一年三月一一日、米国、日本、豪州、インドの四か国の首脳が一堂に会した「クアッド」の非公式会合で、米大統領ジョー・バイデン、日本の首相菅義偉、豪首相スコット・モリソンとインドの首相ナレンドラ・モディの四首脳は、中国産のレアアースへの依存状態からの脱却を図るために連携して取り組むことで合意した。

＊7　一九八六年発行の雑誌『Autrement』特別号に掲載された表現。当時、筆者は編集に協力した。

＊8　二〇二〇年六月五日に創設された対中政策に関する列国議会連盟は、欧州連合一五か国の議員と欧州議会議員を含む日米欧議員を再編成した国際議員連盟で、中国の人権侵害に対抗する政治的協力体制の強化をめざす。

＊9　フランスにも過去に同様の動きがあったことを指摘しておく。フランスは米国ウェスティングハウス社のライセンシーとして二〇年間操業しながら自国の原子力開発計画を発展させ、その後独立した事業とすることができた。

＊10　中国には欧州連合との合意をどうしても取りつけたい理由があった。二〇一八年以降米国との関係が悪化する中で、欧州とは良い関係を続けてバランスを保ちたいと願ったからだ。

＊11　二〇二〇年六月、三〇回目の打ち上げをもって、中国は「北斗衛星測位システム」を完成させ、全世界を

カバーできるようになり、米国の運用するＧＰＳシステムからの脱却が可能となった。

＊12　二〇〇一年四月一日、情報収集機能を搭載した米ＥＰ-3機が中国戦闘機Ｆ-8と空中衝突し、中国の乗員が南シナ海で行方不明になった。ＥＰ-3アリエスは海南島（華南）の陵水基地に緊急着陸せざるを得なかった。米軍機の二四人の搭乗員は、米国大統領が事件に対する「心からの謝罪」を表明したため釈放され、機体は七月三日に米国に返還された。

＊13　非欧州人からの臓器提供への倫理重視を保証する議員提出法律案に関する社会問題委員会の名で、国民議会に二〇二一年三月三一日に提出されたフレデリック・デュマの報告書より引用。

# 第4章 中国の民主主義——いまだ前途遼遠

「自由には国境がない。ある国で一人が声を上げて自由を呼びかけるだけで、地球の反対側にいる人々に勇気を与えることができる」

——コフィー・アナン（一九三八〜二〇一八年）〔元国連事務総長、ノーベル平和賞受賞者〕

中国における民主主義の成立は近い将来には望めない。いやおそらくしばらく待っても望みはないだろう。それどころか、今の中国の指導者たちは、自由主義や、衰退しつつある西側諸国の民主主義よりも自国の権威主義的政治モデルの方が優れていると、声高らかに主張している。本当のところはどうなのか、比較しつつ考えたい。

## 中国の政権が過去を忘れ去り歴史を上書きするとき

中国共産党は、一〇年（一九六六〜一九七六年）にわたって幾億もの国民を巻き込んだ忌まわしい文化大革命とその言語に絶する苦難について、未だに公式な総括をしたことがない。とはいえ人々の記憶に刻まれているこの悲劇について、ジャーナリスト、楊継縄は著書『天地翻覆 中国文化大革命史[189]』で詳細に書いている。この中国語の原書は、本国では発禁処分を受けている。中国当局は文化大革命というおぞましい災難について限定的で大雑把な見解しか示そうとしない。公式には、文化大革命を発動したのは「反革命集団」であるとして、指導者である毛沢東を免罪している。一九八一年、中国共産党は、文化大革命は「中華人民共和国建国以来、もっとも深刻な失策の原因であり、党、国家、人民が経験したうちでもっとも重大な損失を生んだ」と宣言した。以来これ以上踏み込んだ発表はなく、共産主義国家中国の現代史における、身の毛もよだつこの出来事の実態は隠蔽されがちだ。一九七六年に毛沢東が死去した後、中国共産党は毛が「七〇％正しく三〇％誤っていた」と発表した。これに対して楊継縄は、数百万人の中国人の命が奪われ、数千万人が紅衛兵による迫害を受けた暗黒時代の真実を『天地翻覆 中国文化大革命史』によって説き明かした。紅衛兵とは、毛沢東が権力奪回を期して集団的暴走をもくろみ、利用した狂信的若者たちのことである。しかし毛が号令をかけた革命は瞬く間に彼の手から離れることになった。

「文化大革命の公式な歴史は毛沢東思想と中国共産党を擁護しており、同時に官僚および彼らによる政治権力支配と権益を全面的に正当化している」と、楊継縄は序章で述べている。「文化大革命の公式な歴史は幹部に対する迫害に多くのページを割いている。だが実は、迫害を受けた一般人の数はその数百倍である」。

英国の作家ジョージ・オーウェルが「暴露したい欺瞞があったから」作品を書いたと述べているように、楊継縄は「虚偽を暴き事実を明らかにするため」、得られた知識のすべてを数年がかりでまとめたと述べている。フランス語版抄訳でも九〇〇ページ以上に及ぶこの著書で、楊継縄は「一九六六年以来一〇年にわたって、ほぼすべての中国国民が、理由と程度はそれぞれ異なるものの文化大革命に巻き込まれた。文革の歴史の重大な局面を、すべての国民は骨身にしみて知っている。彼らの人生に、運命に、心に深く刻まれている。中国の政治、経済、社会にわたる影響はより一層深い」と書いている。一九六八年一月に中国の国営通信社である新華社の記者となった楊継縄は、詳細な調査をまとめた別の大著『墓碑 一九五八―一九六二年 大飢荒紀実』〔邦訳『毛沢東大躍進秘録』文藝春秋、二〇一二年〕を上梓してもいる。この本の中で、数千万人の死者を出した、毛沢東主義によるもう一つの忌まわしい事件について詳らかにしている。

三六〇〇万人の餓死者、これは何を意味するのだろうか。これは、一九四五年八月九日、長崎に落とされた原子爆弾による死者の四五〇倍に相当する。大躍進政策による大飢饉の死者は第二次世界大戦のそれをはるかにしのぐ。数千万人が声も立てずため息すらなく、顧みられないまま、あるいはただ茫然と見守られながら消えていったのだ。

楊継縄の父も、やはり中国共産党が暗黙のうちに政策を進めたこの時代に餓死した。「通常の気候条件と戦争も伝染病もない状態で、数千万人の餓死者を出し、集団的食人行為があったことは、人類史上例のない悲劇である」。楊継縄はこの最初の著書で、「党は政治、経済、文化、思想、社会生活を全面的にきわめて厳しく統制した。独裁政権の強権支配はいかなる辺鄙な村のいかなる家庭のいかなる者の心身にも及んだ」と指摘している。この二つの著作はルイ・ヴァンスノルが見事な仏訳を出している。優れた中国の専門家であるが、これは正体を隠すためのペンネームだ。中国共産党が目を背けたがる重い歴史のヴェールをはがす待望の仏訳にヴァンスノルは数年かけた。[190]

二〇二一年一月二五日に出版された対談集で、コレージュ・ド・フランスの中国思想史教授であり優れた中国学者のアンヌ・チェンとパリ＝ソルボンヌ大学極東研究所所属の歴史家・中国学者であるニコラ・イディエは、中国当局がここ数年にわたって行った歴史の書き換えを検証し、それがどのように始まったかを明らかにした。以下のようなくだりがある。

——習近平国家主席を始め、公式演説があるたびに、五〇〇〇年来脈々と続く中国文明、という言葉が出てきます。史実として正しいのでしょうか？

アンヌ・チェン「これは比較的最近の二〇〇〇年代に広まった表現ですね。これまで中国の年代決定は前漢時代の大歴史家、司馬遷（紀元前一四五〜八九年）の『史記』に基づいていました。司馬遷はこの書物を春秋時代から書き起こしています。春秋時代とは周が東西に分裂した紀元前七七一年から始まる群雄割拠の時代です。これでは三〇〇〇年の歴史になります。一九九六年、中国政府は、最初の古代三王朝（夏、殷［商］、周）の信頼性の高い年表を確定するという壮大な計画（夏商周断代工程）を立ち上げました。実は、この数千年上乗せの本当の問題点は、中国文明をエジプト文明やメソポタミア文明と同列の古さに仕立てようと「思い切り引っ張った」ことにあります。（中略）

文字化された最初の記録——甲骨文——が見つかっている時代を歴史の始まりと捉えるなら、それは不正確です。神託とされている刻文は、現代の漢字の元になったものですが、さかのぼったところでせいぜいおよそ三〇〇〇年から三五〇〇年前の殷王朝です。ですから、五〇〇〇年の連綿たる正史というには無理があるのです（中略）

一九五〇年代から、中国の考古学は政治的方針に従う学問の一分野となりました。ですから考古学と国家主義は密接な関係があります」

——中国は今なお文明国家でしょうか？

アンヌ・チェン「いくらか挑戦的なこの問いを私はまさに投げかけたいと思います。中国の公式言説は、毛沢東政権の暴挙をことごとく覆い隠しながら、中国文明の偉大さばかり述べ立てるのですから。文化大革命という事件であろうと天安門事件（一九八九年）であろうと、あるいは数知れぬ人々を再教育収容所で死なせた「反右派闘争」（一九五七年）であろうと無視です。私がおかしいと思うのは、中国が自国の歴史を誇り、鼻を高くしながら、同時に意図的もみ消しを行っていることです。中国は健忘症が進行している、あるいはきわめて偏った記憶力[191]を持っているとしか言いようがありません」

アンヌ・チェンは中国の将来に厳しい見方を示した。

「私の考えでは、中国はいわば大型客船です……今のままの勢いで進んだら、まともに氷山にぶつかります。それまでにはまだ時間がありますが、大文明国であることを自認しているもののもはやそうではなくなった国は、長くはもたないと私は思います[192]」

「〝世界の中心［中華］〟でなくなるほうが中国にとってははるかに良いことではないかと思います」とも彼女は述べた[193]。

## 「習大大（習おじさん）」異様な個人崇拝

あらゆる自由意志から遠ざけられている中国国民は、二〇一二年末に習近平が政権の座について以来、この新しいリデルマクシモ（最高指導者）に関する反復宣伝を、至るところで執拗に聞かされている。国営テレビで繰り返し延々と流される習の演説、子供から政権幹部まで必須とされる「習近平思想」の学習、街角に掲げられた習の肖像の巨大なポスター。人々の脳裡に焼きつけるため、プロパガンダの道具が至るところで駆使される。毛沢東時代以来、中国でこれほど大々的な個人崇拝がまかり通ったことはない。習の肖像が描かれた何百万枚もの皿、習を賛美する詩、習の演説集、五〇〇万部以上を売り上げたエッセイ、ビデオ。毛沢東以来の権力を握る習近平は、単一思想の天空に輝く太陽であり、温情をこめて大衆を照らし、進歩の道へと導く。経済、国家安全保障、外交政策、インターネットをほぼ全面的に掌握しているだけでなく、公式に「習おじさん」と呼ばれる共産主義政権の指導者は、度外れな個人崇拝の中心なのだ。文化大革命（一九六六～一九七六年）後は消滅したこの個人崇拝という現象は、今日の中国で再燃した。中国の反体制派の歴史家、章立凡は「習は神をつくり上げるキャンペーンをしている。そして神とは自分だ」と、アメリカの週刊誌『タイム』に述べている。章立凡は、中華人民共和国による支配に疑問を呈する勇気を持つ中国最後の知識人の一人である[194]。中国のプロパガンダ機関は、中国を批判する国外の「敵対勢力」を激しく攻撃しつつ、救世主的指導者のイメージを念入りに練り上げている。習は毛沢東と同じ戦略を使って自ら率いる民衆を結束させ、自身のイメージを磨き立てながら、マルクス＝レーニン主義を再びたっぷり社会に注入している。中国人たちは競い合うように政権への熱意を表わすよう誘導される。中国の詩人たちは習に捧げる詩を書くよう求められる。「私の目からこの詩が生まれた。私の指は携帯電話のうえでもどかしさに耐えている」と、あるネットユーザーが書き込むと、偉大な指導者を称えたその詩は、一気にネットで大きく拡散した。全知の有難き指導者であり人類の罪の贖い主である習近平は、世界の頂点で国を導くことができる人物であると多くの中国人が信じている。「毛沢東主席とまったく同じで、強い指導者です」と、王稱は言い、習近平の肖像画の皿を毎月およそ一八〇枚売りさばく。中国社会科学院アジア太平洋・グローバル戦略研究院教授の鐘飛騰は、「習近平が描く中国のビジョンは確固たるもので、世界を巻き込んでいる。強い自信を持っている人だ」と述べる。北京外国語大学国際ジャーナリズム・コミュニケーション学院の喬木は、「習近平はまるで皇帝のように赤い貴族階級の頂点に上りつめた。（中略）国民は習を批判することなどできない。しかし習は神ではないし、全知全能ではない」[195]と異見を唱えた。二〇二一年三月四～一一日に北京天安門広場の人民大会堂で開かれた年次総会で、「両会」と呼ばれる全国人民代表大会と中国人民政治協商会議のメンバーが集まり、習近平へのへつらい合戦を繰り広げたが、こういったことは胡錦濤や江沢民の時代にはなかった。党主席への忠誠を叫ぶこの新たなしきたりは二〇一七年の第一九回に始まったが、一部の中国共産党高官が毛沢東を持ち上げたやり方とやや似通っている。追従が嵐のように浴びせられるなか、習は「领航（水先案内人）」、「党的领袖（党指導者）」、さらには「舵手（舵取り役）」と連呼された[196]！　新たな現実を前に、習近平をあえて批判する勇気ある者は厳罰を科され、目をつけられた者はただちに公の場から排除される。党内部では、完全な全員一致といかないにせよ、習近平は今までのところ、あらゆる異議申し立てを巧妙にもみ消している。おそらく救い主キリストの再来であり、ペニシリンの発明者であり、ワルシャワ音楽協会からショパン賞を受賞した同じ週末にF1モナコグランプリのチャンピオンとなり、二〇〇メートル走と四〇〇メートル走でウサイン・ボルトをしのぐ世界記録保持者である[*1]かのように崇拝され、しかも多分、今や世界一の権力者であるという人物像を敢えてまともに批判しようとする他国の指導者はほとんどいない。ジョー・バイデンだけはこの勇気があり、それを隠そうとしない。二〇二〇年二月二六日、アメリカCBSのテレビ番組で、バイデンが習近平に向けて言った言葉は記憶に新しい。この人物を「ごろつき」、「骨肉に民主主義のかけらも持ち合わせない輩」と述べたのである。アメリカ大統領に就任して三週間が過ぎた二〇二一年二月九日、バイデンは「ごろつき」を除いて同じ言葉を再度口にした。二〇二一年三月二五日、就任後初の記者会見で、バイデンは改めて習近平評を繰り返した。「彼は（ウラジーミル・）プーチンと同じく、権威主義が将来的なモデルであり、複雑化する一方の世界で民主主義は機能しないと考える者の一人だ。その骨肉に民主主義のかけらも持ち合わせないが、頭はいい」と、バイデンは言った[197]。

# 明日は民主主義？

二〇二一年七月一日に一〇〇周年を迎えた中国共産党が近いうちに凋落すると予言する人々に、フランス人中国学者のジャン＝ピエール・カベスタンは次のように答えている。

> 中国政権が崩壊するかどうかという問題には三つの考え方がある。一般に受け入れられている最初の説は、中国の経済成長、中産階級の拡大、教育水準の向上によって、遅かれ早かれ、支配階級に対する国民の要求が厳しくなり、政治制度の自由化を引き起こすというもの。第二の考え方は、政権の権威主義と自由の欠如が経済成長、とくにイノベーションの足かせになるだろうというもの。ゆえに中国は単独政党による政治制度を緩和し、民主主義に準じる形態に移行しなければならないだろう。第三の考え方は、腐敗が根深いので現政権は凋落の一途をたどり、あらゆる経済成長に歯止めがかかるというもの。（中略）共産党にとって好都合なことに、中国には民主主義の文化が足りない。中国人はいまだに強固な現体制支持派であり、他の政治体制には見向きもしない。「強い共産党がなくなれば、国は混乱と不安定に陥る」というプロパガンダは広く浸透している。

中国人は自由といった問題よりも（身の安全だけでなく財産の安全も含めた）安全を気にする。

> また伝統的に中国社会はいまだに政治との隔たりは大きく、政治体制の性質について意見を明らかにすることは危険である。ゆえに中国人はこの政治的見解を持つという特権を党幹部に委ねている……政治との隔絶は中国の伝統であると同時に、政権の抑圧的な性格によるものでもある。（中略）もちろん、いわゆる浸食作用が働いてはいる。まず中国では、社会が細かく分断されている農村地方よりも、はるかに多くの異論を潜在的に孕む都市が、目覚ましい勢いで発展している。第二の力は企業家たちである。権力に依存しているゆえに、今やかなり鳴りを潜めているにせよ、独立的な経済・金融の影響力を彼らは蓄えている。三番目の力は若者世代だ。今の若者は、政治的関心はきわめて低く、消費というアヘンに取りつかれている。しかし、突然政治に目覚めることもあり得るので、用心が必要だ。さらに、若者たちは党にアイデンティティを見出したりしないし、共産党政権が立て続けに崩壊した一九八九年を境にジェネレーションギャップがある。一九八九年以降に生まれた若者たちは別世界の人間なのだ。そして最後に民主派がいる。今日では民主派は疎外されているが、政府から間断なく攻撃されているにもかかわらず活動し、立憲政体と多元的民主主義の成立を主張し続けている。（中略）ゆえに経済成長、安定、ナショナリズムは政権の正当性を支える三つの力である。これらのうち一つが衰えても他の二つの力は依然として力を維持し、何らかの形で補うことができる。[198]

とはいえ中国共産党は衰退の危機にあるわけではない。一九八九年以降、ソ連の崩壊から教訓を引き出した中国共産党は、彼らがつくり出した新たな経済・社会状況におおむね順応しながらも、政治の独占支配の手を緩めようとしなかった。（中略）中国共産党は軍隊や警察を緊密に統制し、彼らの将来を脅かすような他の信頼できる政治勢力は存在しない。言い換えれば、共産党の権威主義的、拡大主義的、ナショナリズム的計画は、この党がこの先も長く政権を維持する可能性を多分に含んでいる。（中略）中国共産党は、他の政治勢力と連立を組んだり、経済統制をあっさり緩めたりする気はさらさらないのだ。[199]

「『中国共産党は世界でもっとも巨大な秘密社会である。独自の基準で機能し、通常の枠外に、そしてしばしば超法規的に位置する秘密社会である』という説は説得力がある」と、カベスタンは言う。[200]

習近平が政権を握っている限り、民主主義の光は見えてこない。

二〇一二年からとられたさまざまな決定、法律、安全規制からは、共産党に対抗するあらゆる勢力の出現防止、すなわち反体制派の芽をことごとく摘み取ろうとする意志が窺える。[201]（中略）共産党は国家を全面的に、社会を覇権的に支配し、手に入れた最新テクノロジーを手段として絶大な効果を上げながら、未だかつてないレベルで監視と抑圧を続けている。これだけ懸隔があるため、結果的に現中国政権の民主化は極めて困難になっている。[202]（中略）（実際）中国の主要な政治傾向は依然としてひじょうに反民主的であり、儒教の伝統的価値観とともに、単独政党政権や共産主義的プロパガンダによって七〇年以上も社会にすり込まれたレーニン主義原理が混じりあっている。[203]（中略）（中国共産党は）いわゆる「西側の民主主義」あるいは「ブルジョワ的民主主義」

と人権の普遍性に対し、絶えず正面から戦い、「社会主義的民主主義と適法性」――徐々に「中国色」を強めているという点では変化しているが、党の絶対的支配という点ではいささかも変化していない――を推進している。[204]（中略）（しかしながら、）一般に中国人は自国の政治体制を支持し、政権が設置した機関、すなわち党、政府、全国人民代表大会、中国人民解放軍の正当性を認めている。[205]

このように中国では、民主主義よりもはるかに安定と経済・社会の成長が重視される。個人の自由の拡大よりも仕事の成功が、政治的道義よりも経済・社会的道義が重視される。「将来予測として、混乱への不安から、現政権と、現政権の民主主義の解釈のしかたを大衆が支持する傾向が、今後ますます強くなるだろう」と、カベスタンは述べる。[206] 今日の中国では、「個人や財産の安全だけでなく、消費や生活のゆとりは民主主義より優先されることは明らかである」[207] と認めざるを得ない。「中産階級を含め、中国社会は依然として、権威にひれ伏し階級制を重んじ、真に民主的な国家の政治制度や実践になじまない儒教思想が浸透している」[208] だけになおさらその感は強い。

将来、中国に民主主義が根付く余地はない。

中国が、表面上は共産主義だが、それ以上に権威主義的、エリート主義的、パターナリズム的で、本質的に国家主義的で、よりいっそう帝国主義的な政体に変貌する可能性は高い。中国は、自国の経済力と外交力に意を強くし、世界中に自らの成長のモデルを奨励するべきであると信じている。[209]（中略）［将来について何と言われていようと］共産党のエリートたちは、今後も政治改革を断固阻止し、一九四九年に成立した単独政党制を一〇〇〇年間存続させることができると考えている。[210]（中略）［しかし我々はこうした状況にどう対処すべきなのだろうか？］この国の民主化の可能性は我々ではなく、まず中国人自身にかかっており、とくに、国際紛争が起こらぬ限り、経済、社会、文化、法律、政治の分野で外の世界と渡りあい続ける内発的勢力に成否がかかっている。我々が中国社会に歩み寄り柔軟な姿勢で臨むことはこの国の民主化の一助にはなる。しかしアメリカを含め他の強国に、中国の将来を構築する能力を何の根拠もなく期待するのはよそう。（中略）［しかしながら］中国共産党が私たちに、私たちの価値観や理想に闘いを挑んでいることは認めざるを得ない。[211]（中略）それだけに、［中国に対し］立ち位置を変えず、我々の価値観に対する自信を保ち、民主主義への闘いを続け、今の中国の政治状況を読者に知らせるのには意義があるのだ。この強い中国は、専制的で傲慢で大衆的な政治システムが支配している。そしてこのシステムは今後も長く権力を保つであろうが、いずれ機能不全を起こす時がくる。[212]

## 二四時間教化活動——ビッグブラザーが見ている

中国では生まれたばかりの頃から洗脳が始まる。二〇二一年二月三日、党中央委員会は、党附属の青少年組織である中国少年先鋒隊におけるイデオロギー教育強化の必要性を説く新たな方針を発表した。小学生と中学一、二年生の子どもは全員、少年先鋒隊活動を学習の目当てとする授業を少なくとも週一回は受けねばならず、教師には「習近平思想」に基づく教材が配布されるというものだった。少年先鋒隊員たちは習近平の教えを「しっかり頭にたたきこみ」、「習近平が指示したこと」を実行する必要性を学ばねばならない。幹部は、「今日の新しい生活は、我が国の優れた社会制度だけでなく党の正しいリーダーシップから生まれる」ことを子どもたちに教えるよう推奨される。子どもたちに「政治への目覚めと価値観の理解」をしっかり植えつけることは、「世代から世代へと赤い遺伝子」を確実に継承するための重要な戦略であると、二月四日付けの党機関紙『人民日報』には書かれている。この指導方針を報じる第一面の記事だ。少年先鋒隊は一九四九年に設立され、六歳から一四歳までの中国の子どもの大半を集める組織である。新指導方針によると、この組織は、若い世代を導き、彼らが党の指示を守るようにするための「かけがえのない役割」を果たす。加入者数は正確には分からないが、二〇〇七年の統計ではおよそ一億三〇〇〇万人となっている。[213]

「習近平思想」の学習は二〇一三年から党幹部、ジャーナリスト、外交官、高級官吏の必須科目になった。今や中国憲法に盛り込まれている習近平思想の学びは、すべての中国人に推奨されている。習近平はもはや党中央委員会総書記、党中央軍事委員会主席、中華人民共和国終身国家主席であるだけではない。二〇二〇年一月から習近平は「人民の領袖」にもなっている。今までにこの呼称を用いたことがあるのは毛沢東だけであり、現在のナンバーワン習近平がいかに政治的に重い地位を占めているかを物語る。二〇二〇年を目前にして開かれた中央政治局会議で採用されたこの表現は、すでに二〇一八年に『人民日報』の記事で使用されていたが、今やまったく異なる意味をおびている。すなわち、習近平はもはや他のあらゆる政界の重鎮を凌駕する地位にあり、中国全体の最高指導者となったことを意味する。[214] 習近平の六七歳の誕生日に当たる二〇二〇年五月一五日月曜、中国共産党中央党校（国家行政学院）副院長、何毅亭は習近平をカール・マルクスにたとえる論考を院のサイトに発表していた。

「中国ならではの特徴をそなえた習近平による新時代の社会主義は二一世紀のマルクス主義である。（中略）中国の発展は国境を越えて拡大し、世界史上重要な位置を占めており、この国が世界のマルクス主義の革新的発展を牽引するイデオロギーと理論の頂点となったことを意味する[215]」

何と壮大な話だ！　中国共産党指導部でどのような活発な議論が行なわれているか（いやそもそも行なわれているかどうか）を外国人の目で見抜くのは難しいが、習近平が元締めとして党や国の指揮をしっかり執っていること、また、敵が多いのは確かだが、党や国の上層機関内に習近平の対抗勢力はほとんど形成されていないことはほぼ疑いがない。

中国のインターネットユーザー八億人がどれほど強く自由な空間を求めているか、必要ならば例証はある。二〇二〇年五月にアメリカで開発された音声ＳＮＳアプリ、クラブハウスは、二〇二〇年末から中国でもアクセス可能となったが、二〇二一年二月八日に大規模情報検閲システム、グレートファイアウォール〔防火長城〕によってブロックされた。それまでの数週間で少なくとも二〇〇万人が登録していた。中国だけでなく台湾や香港の無数のインターネットユーザーが、この数週間のあいだ、中国の微妙な問題やタブー視されている問題まで取り上げ、熱い議論をかわした。一九八九年六月四日の天安門事件、台湾の独立、香港の現状、新疆ウイグル自治区のウイグル民族弾圧といった、中国のネットワークでは絶対に話題にできない問題が論じられた。[216]

この短い期間に中国人たちは、自分たちが創意に満ち、表現の自由を味わっている人々と同じように話ができることを証明した。中国人たちは順番が来て話せるようになるまで辛抱強く何時間も待っていた。（中略）数々の率直な議論や、涙と笑いの混じった嘘偽りのない話をした。（中略）中国人たちは洗脳を受けたドローンとなったのではないことを証明するチャンスを得たのだ。悪魔の手先のように見られていた人々は、血の通った人間として堂々と発言することができた。（中略）「この興奮に満ちた日々がいつまでも続くわけはないと知っていたから存分に利用した」と、月曜のインタビューで二五歳のクラレンス・ローは言った。[217]

『クリエ・アンテルナシオナル』と『ジュヌ・アフリク』の元編集長であるジャーナリストのクロード・ルブランは以下のように述べている。

「中国は最終的に民主主義制度を選ぶだろう、中国の共産主義政権は旧ソヴィエト政権と同じく崩壊するだろうと考えていた人々の期待をこの国が裏切ったことは重大だ。この四〇年間、ほとんどの欧米の指導者たちは、中国という強大国の主な原動力がマルクス主義、レーニン主義、あるいは毛沢東主義ではなく、国民の大部分を束ねるナショナリズムにあることを理解していなかったのだから、なおさら失望は大きい。習近平が導いた対コロナウイルス「国民戦争」の勝利は、ナショナリズムの表出の最たるものだ。（中略）

過去に対する雪辱《リベンジ》精神が優位を占めるこの国で、上層部は、世論の支持を得ることにほとんど苦労しない。中国との関係、コロナ禍、ジョージ・フロイド事件をイデオロギーレベルでとらえるアメリカを始めとする西側諸国の体たらくが、中国の上層部が中国という模範を擁護する口実を与えているだけに。中国は、この国を理解しようとしなかった人々を今後も失望させ続ける[218]」。

二〇二一年一月二二日に開かれた共産党中央規律検査委員会の年次総会で、習近平は述べた。

「党支配にとってもっとも大きな脅威となる腐敗は常に存在している。（中略）。腐敗と、腐敗防止の努力のせめぎ合いは、今後も長く続くことだろう[219]」

## 独裁の大海に浮かぶ民主主義の孤島、台湾

過去にはフォルモサと、また現在は中華民国とも呼ばれる島国、台湾は、一九八〇年代から、まさに民主主義の拠点になった。多党制、報道の自由、直接普通選挙による議員と総統の選出、司法の独

立など、血の通った民主主義の属性すべてが存在する。台湾の民主的発展は、民主主義は中華民族にそぐわないとする一部の人々の主張をみごとに覆した。漢民族が九三パーセントを占める人口二三〇〇万人の台湾人の大多数は、中華人民共和国との再統一に反対である。一八九五年から一九四五年にかけて日本の植民地だった台湾は、一九五〇年のチベット「平和解放」、一九九七年の香港返還、一九九九年のマカオ返還を経て、中国共産党が主導する中国再統一の最後のピースとなっている。二〇一九年三月、台湾政府の大陸問題委員会のために実施された調査によると、八割の台湾人は中国再統一に反対している。外交的には孤立している（二〇二〇年始めの時点で台湾と外交関係を結ぶ国はわずか一五か国である）ものの、台湾は独自の政府や軍隊、また独立国家の政治的特徴をすべて備えている。アメリカは一九七九年四月一〇日に制定された台湾関係法に従い、台湾が自衛能力を維持できるよう軍事支援を送りこむことを約束している。「アメリカ合衆国は正当防衛のために必要な量の防御的な器材および役務を台湾に供与する」とされている。一九七九年一月一日に中華人民共和国を承認し、「一つの中国」と呼ばれる政策を支持したにもかかわらず、アメリカは台北に非公式の「米国在台湾協会」を設け、二国間の交流の大部分をここで行っている。四五〇人以上が働くこの組織は貿易、農業、領事の業務、文化交流といった分野におけるアメリカの権益を代表している。中国政権の表現によると、「古代から、台湾はつねに中国の一部である」。本当だろうか？

「中国の歴史は漢字の発明を起点とするなら、三三〇〇年の歴史となる――が、熱心なナショナリストに言わせればもっと古い。台湾が中国に編入されたのは満州人が支配した清朝時代だから、中国史が始まって三〇〇〇年を経た頃に起きたことになる。正確に言うと、中国史からすれば『古代』というわけではない」と、台湾専門の中国学者のステファン・コルキュフは言う。[220]

実際、台湾を中国（帝国）に併合したのは満州人であり、それも一六八四年二月のことである。ゆえに北京のプロパガンダに反論するだけの理由はあるわけだ。

二〇二〇年一月一一日、中国と台湾の統合構想を断固拒絶するゆえに北京から忌み嫌われる台湾総統、蔡英文は、北京との妥協路線に傾いている国民党の対立候補、韓国瑜に圧勝して任期四年の再選を果たした。アメリカが二〇二〇年から台湾との連携強化政策をとっているいっぽうで、中国政府は台湾に対する軍事的威嚇を繰り返している。中国政府は何年も前から、平和的妥協を優先しつつ統合を模索すると主張するが、二〇一九年一月、中国は統合のためには武力行使も辞さないと習近平は明言した。二〇二一年一月二八日、中華人民共和国国防部（中国国防省）の呉謙報道官はきわめて手厳しいメッセージを送った。「台湾の独立勢力に言っておく。我々は本気だ。火遊びする者たちは自ら火傷を負うだろう。台湾の独立は戦争を意味する」と、北京の記者会見で述べたのである。さらに呉謙は「人民解放軍はあらゆる必要な措置を講じて、いかなる（台湾の）独立の企ての芽をも摘み、国家の主権および領土の一体性を断固として守る」と述べ、ジョー・バイデン政権にあきらかな警告を発した。[221]中国政府がこれほど明確な意思表明をしたのは何年振りかのことだった。それまで、蔡英文総統は独立に関する明言をいっさい避けていたが、「すでに独立国家」であるから改まって独立を宣言する必要はないと述べた。この発言によって台湾は曖昧さを保ち、中国からの激しい反発を避けることができた。その間、英国の有名な週刊誌「エコノミスト」の調査部門、エコノミスト・インテリジェンス・ユニットは、二〇二〇年のアジアにおける民主主義指数を比較し、日本、韓国ではなく台湾をトップにランク付けした。選挙手続きと複数政党制、政府機能、政治参加、政治文化、市民の自由という五つの基準に基づいた二〇二一年版ランキングである[*2]。

分野は異なるが、台湾は二〇二〇年を通して新型コロナウイルス感染症を見事抑えこみ、世界の成功例となっている。二〇二〇年四月一二日から一二月二二日まで、台湾の市中感染はゼロだった。実際、台湾の数字は世界に例を見ない。感染者八四三人と死者わずか七人、うち海外からの輸入症例が七四六である。ロックダウンはいっさいなかった上での数字だ。台湾はＳＡＲＳ（二〇〇三年）、Ｈ１Ｎ１（二〇〇九年）、ＭＥＲＳ（中東呼吸器症候群、二〇一五年）の蔓延から教訓を引き出し、細心の注意をもって備えていたのは確かだ。

> もっとも自由主義的な形態の代議制民主主義国家においてさえ、このくらい透明性のある政府は稀である。この「デジタル民主主義」のモデルは、市民が諸問題に関して最良の条件で同意に達し、議員たちをより注意深く監視することを可能とする。また、このモデルのおかげで市民社会と政府の信頼関係が強化され、コロナ禍においても台湾に有利に働いた[222]。

しかし、中国政府が強い圧力をかけているため、台湾は今までにＷＨＯ（世界保健機関）への参加を認められたことがない。

台湾問題は国際社会で喫緊の課題となった。アメリカのトランプ政権、そしてバイデン政権はかなり台湾に接近し、アメリカの上層部と台湾の高官が接触できるよう一連の手段を講じたが、中国政府は、台湾政府と外国とのそのような接触を妨害しようとしきりに働きかけ、国際舞台で台湾を孤立させるため、盛んにロビー活動を行った。ときにはこうしたロビー活動が、あやうく一国の内政問題への明らかな干渉に発展する瀬戸際となったこともある。例を挙げると、駐仏中国大使、蘆沙野は二〇二一年二月初め、仏上院の台湾交流・研究グループの長であるアラン・リシャールに一通の手紙を送り、二〇二一年夏に予定されているフランス議員団の台湾訪問についての懸念を示した。蘆沙野大使は中仏関係に亀裂が入るような会合は催さないよう要求していた。この手紙の件はフランスのいくつかのメディアに伝わり、アラン・リシャールが怒りを露わにしたことがいくつかの記事で報じられた。そこで中国大使館は、インターネットのサイトで問題の手紙を公開するとともに、台湾訪問の際、「ただ一つの中国」の原則を無視しないよう議員たちにはっきり警告した。三月一六日付で発表されたメッセージには、「フランスの議員たちは、フランスの組織の一員として、「ただ一つの中国が存在するという」この原則を尊重し、台湾当局とのいかなる形の公式な接触も避ける義務がある」とあった。翌日、フランス外相が「フランスの議員が出張や接触の際にどなたとの面談を望むかは自由です」と短い言葉で意向を明確にしたのは、中国側の働きかけに対する反応に違いない。中国大使館がさらに踏み込み、二〇二一年三月一九日、戦略研究財団（ＦＲＳ）の研究員であるアントワーヌ・ボンダーズを「つまらぬごろつき」とツイートしなければ、この一件は収まっていたかもしれない。ＦＲＳは一月に、中国の専門家として有名なボンダーズの主導で「安全保障と外交における台湾」という新たな研究計画を開始していた。中国大使館はなおも「狂ったハイエナ」、「イデオロギーのネット荒らし」などとボンダーズへの侮辱を繰り返した。中国の代表がフランスの一研究者を名指しで非難したのはこれが初めてである。ボンダーズには同じ研究者たちからすぐに多くの支持が集まった。ブリュノ・テルトレFRS副所長は「良言一句三冬暖」と中国のことわざを引用し、皮肉なツイートをした。

パリ平和フォーラム事務局長、ジュスタン・ヴァイスは、「つまらぬごろつき」――英語に訳せば“small-time hoodlum”――なる表現はただ「許しがたい」と述べた。そのうえ、駐仏大使盧氏の召喚を新たに求める声も上がった。ウイグル問題を公然と批判する社会党所属の欧州議会議員のラファエル・グリュックスマンは、自ら「断固筋を曲げない」ことに賛同すると述べ、「フランス側の指導者が多少なりとも威厳と国家意識を持つのであれば、中国側の発言に関する十二分の説明を必要とする」と主張した。欧州人民党グループの欧州議会議員、フランソワ＝グザヴィエ・ベラミーも同様に説明を求め、「ジャン＝イヴ・ル・ドリアン（外相）殿、本件を見逃さないでください。このままでは腰砕け、危険です」とツイートした。欧州議会議員でエマニュエル・マクロン政権の元閣僚であるナタリー・ロワゾーは、「外交官がこれほど自国のイメージを傷つけたことは稀である。品位がなく不躾な中国をあなたがたは見せつけた」とツイートした。三月二二日月曜、中国学者でモンテーニュ研究所アジア部門の顧問であるフランソワ・ゴドマンはフランス・アンフォ（ラジオ放送）で、「今日中国が阻止しようとしているのはまさに、中国批判だ」と述べた。中国から受けた侮辱に対し、フランス外務省は三月二二日月曜、「受け入れがたい発言」であると非難した。「独立した研究者に対する侮辱やフランスの議員との攻撃的な論争は認めがたく、また中国大使館が発展に貢献する任を負う中仏関係においてなんの意味も持たない」とフランス外務省のスポークパーソンは述べた。「中国は学問の自由、表現の自由、基本的民主主義の自由を攻撃することで、ＥＵの懸念にさらなる根拠を与えている」と、さらに外務省は公式声明を出した。このような侮辱の後、ヨーロッパ問題担当大臣クレマン・ボーヌは「こうした類の威嚇や脅しがあることは容認できない」と述べた。三月二三日火曜、「フランスもヨーロッパも言われっぱなしではすまさない」と、クレマン・ボーヌはフランス・アンフォでも述べた。蘆中国大使は数か月にわたって外交官らしからぬ言葉をありえないほど並べ立てた。二〇二〇年四月一四日、蘆大使は、自分のサイトで、フランスの高齢者介護施設の看護担当者を侮辱したことによりジャン＝イヴ・ル・ドリアン外相に召喚されていた。大使が、看護担当者たちは「入居者を飢えと病で死なせ、さっさと職場を放棄している」とあげつらったことが問題視されたのだ。中国大使館による侮辱行為の後、ヨーロッパのおよそ三〇ものシンクタンクが、表現の自由と中国研究の独立を守るためにアントワーヌ・ボンダーズを応援する、と表明したこともつけ加えておく。

「我々は、中国とヨーロッパの相互理解の深化と交流に寄与するさまざまな研究機関の長である。独立した研究者や民間組織が攻撃の的になっているのを見て我々は危惧を覚えている。議論を続けるために前向きに闘う人々の建設的な参加を妨げるものだ。これは豊富な情報による分析をする能力を我々から奪うだけでなく、もっと広く、中国とヨーロッパの関係にも悪影響を及ぼす。困難な時こそお互いの対話が重要であり、民間の研究者や機関が現在起きている緊張関係の標的になっていることは誠に遺憾である。我々は、このような形で標的にされたわが同胞の側に立ち続ける」[*3]。

## あらゆる方面で繰り広げられる中国のプロパガンダ

中国の報道機関はいずれも党の厳しい検閲を受けている。ウェブ上の討論フォーラムがすべてそうであるように、インターネット上のさまざまな情報媒体もその対象となる。中国は自国民だけでなく、外国に向けても壮大な仕組みのプロパガンダを展開する。中国の報道機関のほぼ全体を占める国営メディアのジャーナリストたちは、二〇一九年秋から、国家権力と党に対する忠誠度と「習近平思想」の理解度を測る検定を受けることになっている。ジャーナリストという立場であるかぎり、彼らは中国に関する「ポジティブなニュース」を報道するよう努めねばならない。中国政府は、種々あるものの忘れられている数か国語の雑誌以外に、外国向けのラジオ放送やテレビチャンネルからなる高度に整備されたシステムを稼働させている。チャイナ・グローバル・テレビジョン・ネットワーク（CGTN、中国環球電視網）は、ヨーロッパの状況や政治について「客観的な」ニュースを「中国の視点とともに」伝えるため、二〇一二年のナイロビ、ワシントンに続いて二〇一八年一月にロンドンに進出し、地歩を固めた。CGTNは中国共産党直轄のチャイナ・セントラル・テレビジョン（CCTV）の子会社である[*4]。およそ一〇〇人のジャーナリストを抱えるロンドン支局は、二〇二〇年始めから、毎日一時間の番組を放送していた。北京では一日一三時間、ワシントン支局では七時間、ナイロビ支局では四時間である。ラジオ・チャイナ・インターナショナル（ＲＣＩ）はアジアのメディアのなかではもっとも多くの外国放送を行っている。五〇以上の短波放送局が稼働している。アメリカ東海岸の大都市のほとんどでＲＣＩの番組を中波放送で受信することができる。中国共産党が一九三一年に設立した新華社は世界中に一万人以上の職員を擁し、一四〇か国に支局を持っている。国務院（内閣）傘下の新華社は党の公式な方針を厳密に反映したニュースを伝える。

　中国国内では、報道機関は完全に統制されている。外国メディアの放送は厳しく規制される。グーグル、インスタグラム、フェイスブック、ツイッター、スナップチャットが何年も前から中国の「グレートファイアウォール」によって締め出されているのはそのためだ。ニューヨークタイムズ、ＢＢＣ、ガーディアン、ワシントンポスト、ロイター、ＡＦＰ、エル・パイス、ヒンドゥー、シュピーゲル、エコノミスト、ルモンド、リベラシオン、ラジオ・フランス・アンテルナシオナル等々のインターネットのサイトも同様である。就労許可を得て中国で働く西側のジャーナリストとなれば、四六時中障害をクリアしながら生きる覚悟をしなければならない。中でも難関として、外国からの特派員、とくに中国語ができる者は、きわめて厳しい監視の対象になる。一挙手一投足を見張られ、尾行され、電話での会話を盗聴される。郵便物は開封され、インターネット上の活動やメールボックスはスパイされる。こうしたジャーナリストたちにとってもっとも大きな危険は、中国側の情報源だけでなく、友人たちにも深刻な累が及ぶことだ。中国に駐在する西側ジャーナリストなら誰でも、仕事の際、情報提供者や友人を監獄に追いやるかもしれない不安にさいなまれたことがあるはずだ。そのいっぽう、就労ビザの滞在日数はますます短くなっている。私が北京特派員だった一九八〇年代、就労ビザは通常一年間だった。書類に不備があると当局で見なされたら、そのジャーナリストは外務省の幹部と「一緒にお茶を飲む」よう促された。そして場合によっては容赦ない叱責を受けるわけだ。しかし、ほとんどの場合、そこで一件落着となっていた。今や、こうしたビザが下りる条件はかなり悪くなっている。一か月間のビザが普通になっているし、極端な場合、二週間だったりするのだ！　髪の毛一本でつるされたダモクレスの剣が頭上にあるかのように、おちおち仕事もできない。実際こうした状況で、中国を離れることを余儀なくされ、職を失う不安がつねにつきまとうとなれば、自己検閲せざるをえない。二〇二〇年、中国は一九八九年六月の天安門事件以来、もっとも多くの外国人特派員を排斥した。中国は少なくとも一八名の外国人ジャーナリストを——一九八九年六月の天安門事件以来この数字に達したことは一度もない——国外追放した。一八名という数字は中国海外特派員協会（FCCC）の年次報告で明らかにされており、ニューヨークタイムズ、ウォールストリートジャーナル、ワシントンポストといったアメリカの日刊紙の記者たちである。[223]

「読者がいるかぎり、視聴者がいるかぎり、プロパガンダ機関は触手を伸ばさねばならない」と、二〇一六年二月に習近平は言った。二〇一七年一〇月、習近平は「今後、すべての中国のメディアは党の直轄とならねばならない」と旗幟を鮮明にした。中国共産党第一九回全国代表大会で長大な演説を行い、「党、政府、軍人、民間人、大学教員。中央から東西南北の隅々に至るまですべてを党は支配する」と言った。こうして出版、ラジオ、映画、テレビの国営機関は中国共産党の統制下に入った。新しい指導方針により「情報と文化の生産」は「党の統一指導部」、すなわち中国共産党のプロパガンダ中央部門のもとで行われることになった。その結果、CCTVは「党の理論、政治方針、政策を報道し、プロパガンダの大々的な報道を企画・運営し」、外国に対しては「中国の歴史をきちんと伝える」ことが「主な責務」となった。[224] 二〇二一年二月四日、英国のメディアの規制機関Ofcom《オフコム》（英国情報通信庁）が英国における中国の海外向け番組の放送免許を取り消すことになったのは、CGTNと中国共産党との密な関係が問題視されたからである。「ソフトパワー」を強化しようとする中国の野望に深刻な打撃を与えたことのひとつだった。アメリカ国務省がCGTNを始めとする中国の公式メディアを「海外布教団」と呼んでから一年後にこの取り消しは決定された。英国から締め出されたCGTNは直ちにフランスへと舵を切り、CSA（視聴覚高等評議会、フランスの規制機関）に対し、中国本土からヨーロッパ全土に放送を流す許可を求めた。許可は三月三日に下りた。私は、懇意のCSAメンバーから、この許可はCGTNがヨーロッパの衛星を経由して放送するかぎりにおいて「純粋に技術的で自動的な」ものだとはっきり聞いた。「CSAがCGTNを妨害したかったのであれば、この許可は下りなかっただろう。許可が下りたことで、CGTNは今後CSAの統制下に置かれ、情報伝達の自由に関する法律を守らねばならないし、CSAはCGTNを監視することになる」と、このCSAメンバーは言った。いずれにせよCGTNがドイツ、ポーランド、エストニアではなくフランスを頼ったことに変わりはなく、フランスは中国に屈したといっていいと私は思う。この問題を締めくくる前に、中国本土に向けての放送権をフランス24に与え、相互性を持たせることをフランスから中国に要求することも可能だったことを明記しておきたい。やっていないことは明らかだが。

二〇二一年一月二一日、中国外務省報道官の華春瑩は、「二〇二〇年三月から中国は、マスク一人当たり一二七枚近くに相当する四二〇億枚以上、手袋九億組、防護服七億八〇〇〇万枚、ゴーグル五〇六六万個、換気装置一万五九〇五台をアメリカに供給してきた」と述べた。「我々は、アメリカ国民を支持し援助するため最善を尽くした」と、華春瑩は記者会見で明言した。「二〇二〇年三月から年末にかけて、中国は二二四二億枚のマスクを輸出した。すなわちマスクの輸出量全体の三〇%に相当し、中国以外の世界で一人当たり四〇枚近くを供給したことになる」。しかしながら、中国はこれらの物品を「供給」したのではなく、実際のところは「売った」のであり、しかも中国が輸出した医療用品の一部に欠陥があると分かった。

## 強制労働収容所、変わらぬ現実

ジャーナリストで、ARD（ドイツ公共放送連盟）第一ドイツテレビのアジア特派員を長年務めるハルトムート・イズコは、制度化された中国の強制労働と中国経済における強制労働収容所の重要性について語る映画を作った。

もちろん私は、毛沢東時代である一九五〇年代、中国に多くの強制労働収容所があったことは知っていた。しかし、ワシントンの「労働改造」博物館を訪ねて初めて、こうした収容所が相変わらず多数存在していることを知り、ショックを受けた。今も一〇〇〇近い収容所があり、中国の各都市にほぼ一つずつ置かれている。現在、推定四〇〇万人が収容されているという。普通法違反者ではなくたいていは反体制派である。中国政府は裁判なしで四年間も人を監禁することができる。ごく最近も、市民権擁護を主張した人々一八〇人以上が収容された。こうした逮捕は中国では日常茶飯事だ。ヨーロッパでは、新聞雑誌の囲み記事でとり上げられれば良い方だ。

中国の収容所はソ連やナチ時代のドイツの強制労働収容所とどう違うのだろうか？

大きな違いは、収容所の運営が囚人の労働力に依存していることであり、この点でソ連の強制収容所《グラグ》やナチ時代の強制収容所とは異なっている。収容所職員は国から報酬を受け取るのではなく、囚人たちが生産するものを生活の糧にしている。すなわちナチ政権下と違い、中国の収容所では特定のターゲットの抹殺を目的としていない。看守たちの大事な仕事は、囚人たちを搾取できるよう生かしておくことである。収容所は地方政府の管轄なのだ。中国政府からこの制度を廃止する動きが出てくるとはとても思えない。

かつての中国では、強制労働によってインフラ整備や農業がまかなわれていた。現在、中国経済で強制労働はどのような役割を果たしているのか？

当然ながら正確な数字は公表されていないが、強制労働収容所は中国経済に大きく貢献していると考えられる。膨大な市場規模だ。その多くは、ヨーロッパ人が訪ねて来て直接発注をかけることができる近代的な工場だ。しかし、工場の建物の裏にある、クリスマスリース、医薬品用容器、衣類、ぬいぐるみ、機械部品といった製品が生産される収容所を彼らが目にすることはない……ヨーロッパで売られている安価な中国製品のほとんどは強制労働収容所で作られたものだ。「労働改造」がなければ中国は今ほど安い値段で生産できないだろう。[225]

中国の強制労働収容所の世界に関する批判的な書物はいまだに書かれていない。[*5]

## 新たな人権の概念、国連への効果的潜入工作

中国で民主主義が日の目を見る日がいつのことになるやら分からぬ現状を背景として、中国政府のプロパガンダは新たな人権の概念を取り入れた。

二〇二〇年一〇月、国連総会で「戦狼」と呼ばれる中国外交官の一人が駆け引きを展開した。ウイグル族弾圧や香港の民主化弾圧といった問題をかかえ、NGOからの抗議を受けているにもかかわらず、中国はあいかわらず国連の人権理事会理事国なのだ。二〇二〇年一〇月一三日に再選は決まった。『コンプレマン・ダンケット』［フランスのテレビ番組］のインタビューを受けた元大使ジャン＝モーリス・リペールは言語道断だと述べている。この日、この中国人外交官が通そうとした案とは何だったのか。まさに人権の概念を変えるような決議案だ。「この決議案はなにを意味していたのか」、二〇一九年夏まで駐中フランス大使を務めたリペールは読み解く。「人権

について論じる場合、まず何より発展のレベルを考慮し、政治・社会制度の選択の自由を維持すべきだ、ということを言っている。まるで中国人たちに中国における選択の自由があるかのように……。いわゆる相対主義だ。人権という普遍的な価値観の否定だ。人権は一部の人々には良いが、それ以外の人々には良くないものだ、と彼らは言いたいのだ」。「まさに少しずつ、中国はある概念を導入させようとしている。それは、とにもかくにも広く認められている人権の概念を若干変えるものだ」と、国連ジュネーヴ事務局のEU代表団団長ウォルター・スティーヴンスは述べている。

今回は失敗に終わった……他国の外交官たちの抵抗に遭い、決議は結局提出されないことになった。中国政府にとっては小さな敗北だが、焦ってはいない。この国は長期戦の構えだ。「中国は何を言わんとしているのか？『私とつき合えば、違った世界を築けますよ』ということなのだ。自転車の車輪の原理で、中心は一つ、スポーク〔ハブから放射線状に伸びる線状部品〕は一九三（国連加盟国の数）。『私と組めば何でもできますよ』。欧米人の多くは〝中華〟というのは〝中央の帝国〟を意味すると思っているが、これは誤解だ……〝世界の中心〟を意味することを頭にたたきこんでおかねばならない」と、ジャン＝モーリス・リペールは述べた[226]。

二〇二一年三月初め、在フランス中国大使館は、蘆沙野大使の発言をネット上で紹介した。

「民主主義の証左は『一人一票』の原則による普通選挙と多党制であり、自由とは何より表現の自由であるとおっしゃる向きもあろう。実際、普通選挙と多党制は民主主義ではあるが、民主主義の形態に過ぎず、民主主義の根本でもなく、何が民主的で何が民主的でないかの判断基準でもない。実は、民主主義とは人々が幸福な生活を送り国政に関わる権利と能力を指すのだ。（中略）西側諸国でも、普通選挙と多党制はさまざまな形態を持っている[227]」

なるほど、これが中国における民主主義の概念なのだ。中国では多党制も、普通選挙も、多元的な議論も、司法の独立も、報道の自由もないことを、注釈としてつけ加えておこう。

中国は長い年月をかけ、国連内において負の影響力を伸ばしてきた。この国はアメリカ、ロシア、フランス、英国と並んで国連安保理常任理事国五か国のうちの一つであり、この立場から、西側陣営がミャンマーの軍事クーデタを批判するために提示した声明案をことごとく退けた。ロシアが中国に加勢したことは確かだが。中国は二つの顔を持ち、使いわけている。「一九四五年の世界秩序」を象徴する、非民主的でいわゆる時代遅れのグループである安保理事会のメンバーとして拒否権を行使する一方で、〔アジア、アフリカ、ラテンアメリカの発展途上国からなる〕何とも微妙な存在の七七か国グループの重鎮、中心的な牽引役なのだ。七七と名づけられているものの、現在では国連加盟国一九三か国のうち一三四か国がこのグループを形成している。理論上は「一国一票」の原則に従って機能しているので、何も知らない単純な人だけが国連は民主的な存在であると未だに信じている。だが、「七七か国グループ」を通じて、中国寄りの途上国にはひじょうに有効な潜入工作ができるおかげで、中国は国連に関連する機関を芋づる式に支配することに成功した。平和維持任務《ミッション》において、今や中国は最前線に位置している。今日、二五〇〇人以上の中国人兵士がリビア、マリ、コンゴ民主共和国、南スーダンでＰＫＯ（国連平和維持活動）に加わっている。加えて、中国は、国連人権理事会――中国はこの組織の堂々たる理事国である――を始めとする国連関連の機関で、中国における人権問題を告発する西側諸国の決議案を頓挫させることに成功し、近年とみにこの手の勝率を上げている。新疆ウイグル自治区でのウイグル民族弾圧が明るみに出て、中国政府による香港での人権侵害の報告がつぎつぎと上がっているにもかかわらず、二〇二〇年一〇月一三日、中国は二〇二一年から二〇二三年まで国連人権理事会理事国の任期を延長することができた。政府は中国における人権問題を槍玉に上げる西側諸国の非難に対し、勝利を叫ぶことができた。翌日、趙立堅外交部報道官は胸を張って以下のように言うことができた。

「人権理事会が創設されて以来、中国が理事国に選ばれるのは五度目である（二〇〇六年に設置された人権理事会は、国連総会の過半数の得票によって選ばれる四七か国で構成されている。理事国の任期は三年で、三期連続して選出されることはない）。このことは、中国における人権問題が発展と進歩を遂げていることを国際社会が十分に認めたこと、また中国が人権のグローバルガバナンスに参画していることを証明している[228]」

数年経つか経たないかのうちに、中国はＦＡＯ（国連食糧農業機関）、ＩＴＵ（国際電気通信連合）、ＩＣＡＯ（国際民間航空機関）、ＵＮＩＤＯ（国連工業開発機関）、そして間接的にＷＨＯ（世界保健機関）を統括する地位を手にした。

こうした国際舞台での地位向上によって国内でナショナリズムが高まるなか、いくつかのニュースが憤激を買った。その一つが、二〇二一年三月、『ノマドランド』を撮影した女性映画監督クロエ・ジャオ（趙婷）のゴールデングローブ賞監督賞受賞である。三月六日付フィガロ紙は次のように伝えている。

> 『ノマドランド』でアジア人女性として初めてゴールデングローブ賞を受賞したクロエ・ジャオ監督は、［二〇二一年三月初めの］土曜、中国で論争を巻き起こした。ジャオ監督は母国での映画公開をふいにする可能性がある。
>
> アメリカ各地を小型トラックで放浪し続ける現代のヒッピーへの賛辞をこめた『ノマドランド』は、［二〇二一年二月二八日］日曜の授与式で、アメリカ映画界でもっとも注目されるゴールデングローブ賞に輝いた。長編映画として作品賞［ドラマ部門］をさらい、三八歳のクロエ・ジャオは監督賞を受賞した。
>
> 北京生まれだがアメリカ在住のクロエ・ジャオはアジア人女性としてゴールデングローブ賞史上初の監督賞受賞者となった。また監督賞は一九八四年のバーブラ・ストライザンド以来、二人目の女性の受賞となった。
>
> 中国では週明けから称賛の嵐が巻き起こり、国内メディアは「誇り」として「中国人女性監督」を称える記事を次々に掲載した。しかし、二〇一三年にアメリカの雑誌でクロエ・ジャオが

中国を批判していたことが分かり、熱は一気に冷めた。スクリーンショットと思われる記事の中で、ジャオは中国が「嘘だらけのところ」だとはっきり言っていた。ＳＮＳでは、クロエ・ジャオが「今はアメリカが私の国」と言っている別のインタビュー記事が出回った。ジャオのものとされるこうした発言は問題のメディアのサイトには見られなかったが、中国で物議をかもした。その週の土曜には、クロエ・ジャオはナショナリズムをむき出しにした一部のネットで「裏切り者」と指差された。

「ノマドランド」のハッシュタグは中国のＳＮＳ、ウェイボー（微博）では検索できなくなった。とはいえ『ノマドランド』とその監督をめぐる議論は制限されているように思われなかった。『ノマドランド』の中国での正式な公開は二〇二一年四月二三日に予定されていた。しかしながら、アメリカの雑誌『ヴァラエティ』が金曜に伝えたところでは、この日付は中国の主な映画サイトでは見られなくなり、公開されるかどうかも分からなくなった。ＡＦＰの取材の申し込みに対し、国立映画芸術同盟（ＮＡＡＣ）からの直接の反応はなかった。[229]

また、新疆ウイグル自治区の綿花畑で強制労働が行われているとの情報を受け、スウェーデンのアパレルメーカーＨ＆Ｍが「深い懸念」を表明したことをめぐって、二〇二一年三月二四日に中国のＳＮＳが大荒れになったことは何を意味するのか。その後Ｈ＆Ｍは、この地域でウイグル族が強制労働を科せられているとの報道を理由に、新疆産綿花の調達を停止すると発表した。この懸念はその一年前からすでに表明されていたのだが、今回はＳＮＳに報復的コメントが殺到するという結果となった。

中国共産主義青年団はウェイボー（微博）で「新疆の綿花をボイコットするためのデマを広めながら、中国で金儲けがしたいとは。それこそたわ言だ」と投稿した。共青団はそのしばらく後、新疆産綿花によって「われわれが足をすくわれることはないだろう」とさらにコメントした。中国のネットユーザーが標的とする他のアパレルメーカーと同じく、H&Mはベター・コットン・イニシアティブ（BCI）に加盟している。この団体は、綿花の持続可能な生産を推進し、二〇二〇年一〇月新疆産綿花の仕入れを停止したと発表した。中国の俳優、黄軒は、自身のウェイボーのページでH&Mとの契約は打ち切ったと発表し、「誹謗中傷や風評」には異を唱えると述べた。アイドルグループのメンバーの王一博、女優のヴィクトリア・ソンも後に続いた。H&Mは中国から撤退すべし、中国人はH&Mの製品をボイコットすべしとの書き込みがウェイボーに見られた[230]。今や中国はH&Mにとって第四の市場である。中国国内のホテルの中には、H&Mの服を着た客は入館お断りとのポスターを掲示するところも出てきた。過熱した反応は瞬く間にアメリカの巨大企業ナイキ（傘下のニューバランス、アンダーアーマー、トミーヒルフィガー、コンバースとともに）に飛び火した。やはりナイキも前年に新疆地区ウイグル民族の労働環境への懸念を表明していた。さらにドイツのアディダスも新疆産綿花の使用を停止すると発表し、英国のラグジュアリーブランド、バーバリーや、スポーツ製品を得意とするドイツのプーマがそれに続いた。中国におけるバーバリーのアンバサダーだった有名女優、周冬雨は、バーバリー社が「新疆産綿花に関する見解を公に明らかにする」まで契約を打ち切ると突然発表した。ディズニー映画『ムーラン』で主演した、女優の劉亦菲はアディダスとの提携をいっさい中止すると発表して、ファンから喝采を浴びた。合計で少なくとも二七名に及ぶ中国の俳優、女優、歌手が、わずか二日のあいだに欧米ブランドとの関係を断つと申し出たのである。香港の立法会議員、葉劉淑儀（レジーナ・イップ）はバーバリー製品の購入を差し控えると公言した。「バーバリーは好きなブランドのひとつでしたが、買うのは止めます。私は祖国の側に立ち、新疆に関する嘘を広めた企業をボイコットします」と述べた。中国国営放送ＣＣＴＶも同じ立場で、Ｈ＆Ｍは「率先して人権を錦の御旗に掲げようとして道を誤り」、「血迷った行いをしたために重罰を受けねばならないだろう」と報道した。中国共産党の機関紙、『人民日報』も間をおかず同調し、「新疆産綿花を支持する」と題した囲み記事を掲載した。二〇二一年三月二四日、アリババ、拼多多（ピンドウドウ）、ＪＤドットコム（京東商城）、タオバオモール（天猫）といった少なくとも四つの中国のｗｅｂショッピングサイトで、Ｈ＆Ｍの製品が検索できなくなった。一方、新疆産の綿花を使用しないとはっきり宣言しない日本のアパレル企業ユニクロも、批判にさらされるなど騒動に巻き込まれた。いっぽう香港のポップスター、イーソン・チャン（陳奕迅）はアディダスと縁を切る決断をした。チャンのウェイボーのサイトには、瞬く間におよそ八〇万のネットユーザーの支持が集まった。支持者からは「私たちのことを見捨てないでいてくれるのですね。私は新疆の者です」というメッセージも届いた。二〇二一年三月二九日、国連高等弁務官事務所は突然新たな動きを見せ、調査に基づき、「有名ブランド」に関連する一五〇以上の中国および国外の企業が、新疆における人身売買、強制労働その他の人権侵害に絡んでいる可能性があるとの結論に至ったと明らかにした。「人権理事会から選ばれた何人かの専門家が、ウイグル人労働者の人権侵害に関する重大な責を負うべき一五〇以上の中国および国外の企業をつきとめる情報を入手したと述べた」と、高等弁務官事務所は発表した。メーカーの名前は挙げられていないが、作業部会はアグリビジネス、テクノロジー、輸送、繊維、衣料といった部門にこの問題が及んでいることを突き止めたという。「ウイグル人労働者は不当な労働・生活条件下に置かれている可能性がある。不法監禁、人身売買、強制労働、奴隷的扱いが実際に行なわれているかもしれない」と報告された[231]。

中国で巻き起こったナショナリズムの異様な高まりに加え、収まる気配のないこの論争は、企業は人権や個人の自由といった普遍的価値観と向き合う義務があるのかという、また別の問いかけをあぶり出した。言い換えれば、ビジネスにモラルはあるのか？ということだ。三月二四日、フランク・リステール欧州・外務大臣付対外貿易・誘致担当大臣は、上院で「我々との貿易関係からいえば、中国は世界的な規模で避けることのできない経済パートナーだが、我々の関係は、我々が大切にする原則、価値観、社会モデルをないがしろにして築かれてはならないし、互恵性を欠いてはならない」と今や耳目を集める問題について答えた。この問いかけに対する他の回答も、おそらく近々に明らかになるだろう。

### 註

＊1　ある中国人の友人が習近平に与えた形容であるが、責任はすべて筆者が負う。

＊2　二〇二一年二月五日、マクシム・ワンのフェイスブックの投稿。エコノミスト・インテリジェンス・ユニットによるアジアにおける「二〇二〇年民主主義ランキング」〈https://www.facebook.com/photo.php?fbid=10225007076505130&set=p.10225007076505130&type=3〉。アメリカのＮＧＯ団体、フリーダムハウスが「フリーダム・イン・ザ・ワールド」という年次報告を出すようになって二三年目、二〇二一年三月三日に

発表した集計結果で、台湾が「自由な国」に含まれていたことは注目すべきだ。総合評点は九四で、二〇二〇年より一ポイント上がっている。台湾は日本に次いで、アジアで二位となった。

＊3　二〇二一年三月二二日付け公式声明〈https://www.swp-berlin.org/presse/statement-by-european-research-institute-directors/〉。

＊4　CGTNはひじょうに有力な中国共産党の御用プロパガンダ機関である。一六五か国において五か国語で放送している。

＊5　中国学者のジャン＝リュック・ドメナックは *L'Archipel oublié*（『忘れられた列島』ファイヤール社、一九九二年）という題で、中国の収容所事情について書いた本を上梓した。ドメナックはまた、中国の反体制派、ハリー・ウー（呉）が同じテーマで書いた、*Laogai. Le goulag chinois*（『労働改造、中国の強制収容所』仏訳はダゴルノ社、一九九九年）という優れた本の序文を書いている。

# 第5章　中国と世界——地球征服を目指して

壮大な新シルクロード計画、アフリカにおけるプレゼンス、西側諸国に牙をむく戦狼外交、新興国に対する絶大な影響力。以上により、中国は世界の地政学的ゲームのグローバルプレイヤーとなった。この国の地球規模の野心は、何処まで行ったら休止するのだろうか？　中国は、大国が担うべき重大な国際的責務を引き受けることができるのだろうか？　今のところ、中国は陶器店に乱入した象さながらである。

「第一の狩場は、獲物に接近し、略奪の成果を持って帰ることを可能とする地点である」

——フランソワ・エスブール〔戦略研究財団特別顧問〕[232]

## 新シルクロードは支配の手段？

近年の世界史における最大規模の国際プロジェクトの一つであるが、習近平の中国が打ち出したものとしておそらくは最も批判を集めているのが、いわゆる新シルクロード計画（英語名 Belt and Road Initiative を略してBRIと呼ばれる。中国語では一帯一路）である。陸路、空路、海路で、中国を地球上の経済圏の大半と結ぶことを目指すという、空前絶後のスケールのプロジェクトだ。二〇一三年九月、習近平はカザフスタン訪問の機会をとらえ、この壮大なプロジェクトの着手を世界に宣言すると同時に、これに込められた意図を明らかにした。「我々は人類のために運命共同体を構築し、世界統治システムの改革に取り組む」と言い切って。習は「ただし、新シルクロードは開かれた協力のプラットフォームであり、何らかの政治的アジェンダに奉仕するために構想されたものではない。この点ははっきりさせておきたい」と強調することを忘れなかった。習の言葉にもかかわらず、一帯一路は世界レベルの新たな支配秩序を築こうとする中国の意図の反映ではないだろうか？　答が何であれ、このプロジェクトとその進捗状況にはネオコロニアリズムの臭いがつきまとう。

ネオコロニアリズムは本質的に、独立した旧植民地の、旧宗主国による新たな形での支配を意味する。しかし、より狭い意味では、中国の壮大な一帯一路計画にも当てはまる。少なくとも、南アジアに位置する「新シルクロード」の一部の国においては。市場のルールから逸脱した融資をインフラ整備に与えることで中国政府が外国の経済資産を収奪する手法は示唆に富む[233]。こう語るのは、オリヴィエ・ギラール（アジアの専門家、ケベック大付属「インド・南アジア・民族離散研究センター」所属研究員）である。

ＢＲＩ（一帯一路）の実態とは？　再び強国となった習近平の中国は、かつて周辺の国々に適用していたような穏健な政策を展開することにしたのだろうか？　それとも、米国をはじめとする西側諸国との露骨になる一方の戦略的競合に勝たねばという思いの強さから、中国の資金提供に依存する、すなわち無力化された国々を防衛圏とする新たな帝国——戦略面およびイデオロギー面で中国と対立する有力諸国の支配力を弱めることを目的とする帝国——を構築する道を選んだのだろうか？　この「帝国」という呼称に誇張があることは確かだ。中国には、米国にとって代わろうという意図はない。ましてや、米国相手に軍事的手段を使うつもりはない。ただし、アメリカ帝国の破壊を望んでいる。そのためには、米国のヘゲモニーと、そこから発生している同盟システムに拮抗し、弱体化させるための唯一の手段として、自分たちで新たなヘゲモニーを確立する必要に迫られているのだ[234]。以上が、中国研究者、ジャン＝ピエール・カベスタンの見解である。

いやいや、そんなことはない、と全面的に否定するのは、シンクタンク「香港ＡＰＥＣトレード・

ポリシー・スタディ・グループ」の業務執行取締役、デイヴィッド・ドッドウェルだ。ドッドウェルは次のように解釈している。

> BRIの種が蒔《ま》かれたのは、全世界におよぶヘゲモニー確立のため、もしくは政治的影響力獲得に役立てるためではない。中国が自分たちの戦略的な脆弱さと、アジア、アフリカ、南米の貧しく、多くは政情不安定な国々から運ばれてくる食糧、石油、鉱物への依存度の高まりを認識し、自己防衛を模索しているからだ。[235]

BRIは主として、新シルクロードが通る国々のインフラへの中国による巨額投資――その額は数兆ドルと推定されている――として具体化されている。しかし、中国が熱意を燃やすこの（ほぼ）際限知らずの投資は、熱狂的に歓迎されている一方で、同じくらい大きな不安を掻き立てている。中国にとってこの壮大な規模の投資には経済的および政治的な利点がある反面、中国とパートナーシップを結んだ国々が恩恵を受ける保証はないからだ。「新シルクロード」という呼称は、西安〔長安〕と現在のトルコ国内にあるアンティオキアを結んでいた昔の交易路「シルクロード」に基づいている。紀元前二世紀に拓かれたこれらのルートは、アジアとヨーロッパを行き来する商人たちが運んでいた最も高価な物資、すなわち絹にちなんでシルクロードと呼ばれるようになった。こうしたシルクロードはやがてインド洋を通る海のルートに主役の座を奪われ、一五世紀から次第に廃《すた》れた。漢代（前二〇六～後二二〇）に拓かれたシルクロードが主として中国からヨーロッパへと延びていたのに対して、習近平が掲げているビジョンははるかに高遠《こうえん》壮大である。ヨーロッパは無論のこと、アフリカ、中東、アジアの他地域との通商ルートを築くことを目指しているからだ。現在のところ、二つの主要ルートが構想されている。マラッカ海峡、ポーク海峡、バル・エル・マンデブ海峡、スエズ運河を通る海路と、新疆、カザフスタン、ロシアを経由してヨーロッパに至る陸路である。だが、実のところ、新シルクロードの数はずっと多く、正確かつ最新の情報を反映させて地図上にルートを描きこむことは難しいほどだ。この野心的な開発計画――多くの専門家はマーシャルプランになぞらえているが、スケールの大きさで同プランをはるかに上回っている――の第一の目的は、中国製品の主要消費国への容易で安全な輸送を確保すること、石油を筆頭とする資源の中国への供給を担保することである。[236]

ここで少し時間をさかのぼってみよう。「シルクロード」は、かつて中国とローマ帝国を結んでいた複数のルートの総称である。紀元前三〇〇〇年より、中国のみが、絹製造の秘密を握っていた。やわらかさ、耐久性、艶やかな光沢を備えた絹は貴重な物資として、欧州で珍重されていた。伝説によると、蚕の繭から糸を引き出す技を編み出したのは、中国文明の父と見なされている黄帝（前二六九七〜二五九八に中国を統治したと伝えられる神話上の皇帝）の妃である。ゆえに、中国北西部を横断する長くて曲がりくねった「道」は、二〇〇〇年以上の歴史に彩られているのだ。この古代の道は、洛陽と西安〔長安〕という古《いにしえ》の首都を通り、蘭州（中国北西部）で黄河を横断し、西域への通路である河西回廊に入り、沙漠と峩々《がが》たる山脈の縁《へり》に沿って延びている。このルートを伝っての通商に携わっていたのは、中央アジアの商人たちである。彼らは絹のほか、馬、家畜、皮革、毛皮に加え、象牙や翡《ひ》翠《すい》といった贅沢品を運んだ。したがって、古代のシルクロードは第一に、中央アジアと中国をつなぐ古い通商路であった。その絶頂期は唐代（六一八〜九〇七）であった。八世紀以降、アラブ民族とイスラム教の勢力拡張と中国の内戦のためにシルクロードを行き交う商人の姿はまばらとなったが、一一世紀に入ると、アジアの覇者となったモンゴル民族のおかげで賑《にぎ》わいを取り戻す。シルクロードの存在は、『東方見聞録』（一二九八）のなかでヴェネチアの商人マルコ・ポーロが遺した証言で確認することができる。中国人はもともとのルートの北で、絹と毛皮を交換する取引をロシア人と継続することになるが、シルクロードを伝っての交易と人の往き来は一四世紀末から大幅に減少した。

いずれにせよ、新シルクロードは旧シルクロードと比べてはるかに野心的だ。アジア、アフリカ、ヨーロッパの一三八か国——世界の国々のほぼ三分の二にあたる——が、ＢＲＩ構想への参加協定に署名した。全世界のＧＮＰの五五％、人口の七〇％に相当する国々が同構想に関わっていることになる。そして何よりも、地球のエネルギー資源貯蔵量の七五％が新シルクロード沿いに存在することになる。初期構想の推定コストは九〇〇〇億ドルだが、中国が協定締結国に与える融資は八兆ドルという天文学的数字にまで積みあがるとみられる。ＢＲＩはおそらく、世界貿易の革命を意味する。中国はこれによって、政治的および経済的支配の恐るべきツール、およびソフトパワーの並外れた媒体を手に入れることができた。だが、その代償は、重大かつ取り返しのつかない環境破壊であることは確かだ。ＢＲＩの問題点は、まさに以上の二点につきる！　ＢＲＩ構想がカザフスタンの首都アスタナ[*1]で発表されたことには大きな意味があり、そこにこめられた強烈なメッセージは新シルクロードが通る予定の国々の耳目を集めた。これほど大規模な構想を公表する場として中央アジアの小国（中国の広大な国土と比べて、という意味である）を選んだのは偶然でも何でもない。それから一〇年弱が経った今、多くの中国ウォッチャーの目には、新シルクロード沿線の国々において中国は捕食者としてふるまい続けている、と映っている。ＢＲＩ構想の枠内で始められた無数のインフラ整備プロジェクトが環境に与えているダメージは甚大である。

ワールド・リソーシズ・インスティチュート（ＷＲＩ）[*2]のある調査の中で研究者たちは、エネルギー部門において二〇一四年から二〇一七年にかけて、ＢＲＩの枠組において中国の六大銀行がエネルギー部門で与えた融資の九一％、国家開発銀行（China Development Bank、略称ＣＤＢ）による貸し付けの六一％は、化石エネルギー関連を対象としている、と見なしている。

エネルギー経済・財務分析研究所（ＩＥＥＦＡ）[*3]の研究によると、二〇一八年に中国以外で建設された石炭火力発電所の四分の一以上が中国の諸機関から資金注入を受けていたと思われ、その大半はＢＲＩの枠組みによる融資とされる[237]。

現在、中国政府は国外で二四〇基の石炭火力発電所の建設に関わっている。また、中国の開発銀行が今世紀の初めから世界各地で融資を与えているエネルギー関連プロジェクトの八〇％は化石エネルギー関連であり、風力発電や太陽光発電のプロジェクトの割合は三％に過ぎない[238]。

現在、中国から融資を受けて整備されるインフラは、これから数十年間における当該国の発展軌道を決定する。融資を受けた国は、不可逆的となるかもしれない環境へのダメージに帰結する経済的選択を行ったために、自縄自縛に陥る危険がある。ＢＲＩ構想に参加している国々が現在の発展軌道を二〇五〇年まで維持するとしたら、世界の平均気温上昇を二度未満に抑えるというパリ協定の目的を達成するためには、二酸化炭素の年間排出量を現在の予測と比べて六八％も削減する必要に迫られるからだ。[239]

事実上、そのような削減目標は絵空事だ。

各方面から浴びせられる批判に、中国は反応を示した。

二〇一七年五月、中国政府は環境に配慮した発展を促進するための指針を発表した。資金を環境配慮型の投資に振り向けるため、関係組織・機関（関係国の政府、国連機関、研究機関、企業）を結集しての「一帯一路グリーン発展国際連盟」が二〇一九年四月に発足した。中国はまた、内外の二七の金融機関と「グリーン投資原則」に調印した。二七行のうちには、「グリーン」イニシアティブの枠組みにおいて融資を与える中国の二つの主要な公的金融機関、国家開発銀行と中国輸出入銀行も含まれる。

この一帯一路「グリーン化」イニシアティブが単なるグリーンウォッシング〔環境への配慮を装った、上辺だけの欺瞞〕となるのを避けるためには、上記の指針や原則が遵守・実行され、グリーン発展国際連盟が機能することが必要となろう。

幾つかの措置が機能すれば、融資が環境に与えるインパクトの改善に役立つはずだ。なかでも、

> プロジェクトのアセスメントやモニタリングに当てはめる環境・社会基準を強化する、プロジェクトの経済・社会・環境に与えるインパクトの評価を徹底する、気候と生物多様性の双方に恩恵があるプロジェクトのボリュームを一定のレベルに保つ等々が有効であろう。（中略）（中国）国家開発銀行と国連開発計画（ＵＮＤＰ）が先だってまとめた研究によると、融資と投資を決定する際に環境・社会リスク管理を調整することが中国側にとってますます重要となっている。
>
> 　ＢＲＩ沿線国の二酸化炭素排出予測量は、これまでの経済発展モデルと、豊かさの測定手法の正当性に疑問を投げかける。持続可能なプロジェクトを優先する融資の方向性変更は喫緊の課題となり、国際的レベルおよび国内レベルにおいて、さらには民間部門においても、多くの議論の的となっている。（フランス開発庁の研究者による投稿）[240]

　中国政府は二〇二〇年一一月末、アジア太平洋協力会議（ＡＰＥＣ）の首脳会議〔遠隔会議〕における習近平の発言を通して新シルクロード計画の推進を再確認したが、このとき初めて、ＢＲＩパートナー国への融資には以降、より厳格な基準を適用する、と表明し、ＢＲＩがスピードダウンすることを暗に伝えた。習近平は、ＡＰＥＣ首脳会議に列席した他の二一か国の代表を前にした演説において、「中国は今後、自らの政策、ルール、基準の（ＢＲＩ）パートナー国とのすり合わせを強化し、インフラ、産業、商業、技術革新、公衆衛生、人的交流を対象とするパートナー国との協力関係を深める」と述べた。一見したところ大した意味がないように思われるこの発言は実のところ、ＢＲＩの枠組みで決まった数限りないプロジェクトに天井知らずの融資を与えてきた中国が方向転換し始めたことを示唆している可能性がある。多くの国が借款を返済できない状況に陥り、中国の財政赤字が既に危険水準に達している、という事実に中国が向き合うときがやってきた、と言えよう。中国がＢＲＩ協定調印国に与えた融資の総額に関する公式な数字は発表されていないが、金融情報・リスク管理のサービスを提供している米企業〔現在はロンドン証券取引所グループの傘下にある〕レフィニティブによると、一五九〇件のプロジェクトへの融資額は二〇二〇年第一四半期現在、こうしたプロジェクトへの中国側による投資との合算で一兆九〇〇〇億ドルを超す。ちなみに、世界各地のプロジェクトに中国が与えた融資の総額は四兆ドルである。他方、世界銀行は、中国がＢＲＩの枠組みにおいて二〇一三年から二〇一八年にかけて五〇の発展途上国に投資した額は約五〇〇〇億ドルであり、そのうちの約三〇〇〇億ドルは保証貸付の形での投資である、と推算している。習近平からはさらに踏み込んだ発言はなかったが、上記の慎重な言葉遣いは中国のＢＲＩ政策見直しを意味している、と専門家たちは分析している。国際金融協会（ＩＩＦ）によると、ここ数年、中国の財政赤字は急速に膨れ上がり、二〇二〇年第一四半期にはＧＮＰの一六五％となった〔ちなみに二〇一九年第一四半期の数字は一五〇％〕。同じ国際金融協会はまた、家計・政府・非金融部門企業の債務を含む中国の債務残高は二〇二〇年第一四半期には対ＧＮＰ比で二九〇％に達した〔二〇一九年第一四半期の数字は二二五％〕、と見なしている。外国の専門家たちは、この数字は警戒水準を超えている、と懸念を表明している。

中国は、融資を供与するプロジェクトを厳選すべきであろう。特に、新興国におけるプロジェクトには慎重であるべきだ。大規模なインフラ整備プロジェクトの舞台となり、そのために巨額の債務を抱えている（ＢＲＩパートナーの）国々は、こうしたプロジェクトを継続するために必要なリソースを見出すことが不可能となる恐れがある。[241]（ナティクシス証券でアジア太平洋地域を担当しているエコノミスト、アリシア・ガルシア・ヘレーロ）

中国よりも先に、債務の罠に陥っているのが南アジアの国々である。

例えばバングラデシュ。バングラデシュ政府は近年、エネルギー関連から鉄道敷設に至るまでの様々なインフラ整備プロジェクトの資金を中国からの巨額貸し付けに頼ってきた。その大きな要因の一つは、（一九七一年に独立するまで）東パキスタンであったこの国が中国主導のＢＲＩ構想に加わったことである。ドイツのメディアグループ、ドイチェ・ヴェレ（ＤＷ）によると、中国政府とバングラデシュ政府は、中国が構想した複雑なジグソーパズルとも呼ぶべきＢＲＩのバングラデシュにかかる部分を整備するために、二〇〇億ドル超の貸し付けと投資の取り決めを結んだ。世界銀行はつい先日、たった一〇年のあいだにバングラデシュの対外債務が一二五％も増えた（二〇〇九年は二五〇億ドルであったのが、二〇一九年には五七〇億ドルとなった）と懸念を表明した。

（中国との絆が強い同盟国であるパキスタンについて言うと、）二〇二〇年一二月末、同国のメディアは「パキスタンは〝借金漬け〟となって、政治および戦略面で自主性を失って中国の意向に従うことになるのだろうか？」という問いを投げかけたが、むべなるかな、と言うほかない。二〇二〇年秋、イムラン・カーン首相率いる政権党（パキスタン正義運動）と関係が深いシンクタンク、政策改革研究所（IPR）さえもが、人口二億三五〇〇万人のパキスタンが陥っている危機的な財務状況に対する懸念を表明するに至った。「二〇二〇年度だけをとっても、パキスタンの借金と債務の増加額は、対GNP比で一〇・四%に相当する。公的な対外債務は二〇一九年には一三%、二〇二〇年には五・四%増えた。過去五年間、外国からの貸し付けはその様相を変えた。すなわち、多国間支援に基づいて長期返済のスケジュールを設定する融資に置き換わり、金利が高い営利的性格の二国間貸付が主流となってしまった。後者の主要な貸し手は中国である」。なお、中国の対パキスタン貸し付けの額は二二〇億ドルを超えている。これはパキスタンにとって危うい状況であり――新型コロナによって世界経済が打撃を受けている昨今だけになおさらである――、ある論説委員は次のように記している。「収入以上に支出するのが伝統であり、インフラも経済規模も限られていて、インフレ率が高く、腐敗が蔓延し、増える一方の循環的債務の犠牲者であるパキスタンのような国は、債務の罠に陥る危険が特に高い」。もっともな意見である。

スリランカ。かつてセイロンと呼ばれていたこの国と、統治能力に疑問符がつくその政府は、二〇〇九年春に内戦が終了して以来、いずれも大規模な――そして何よりも、適切であるか否かの疑問をつきつける――インフラ整備プロジェクト（ハンバントタ港、コロンボとカトゥナーヤカを結ぶ高速道路、マッタラ・ラージャパクサ空港等々）を次々に実現するために、絶えず国外に資金源を求めてきた。中国政府は、こうした資金提供の要請の多くに応えてきた。

> この六月の終わり、スリランカの公的な対外債務は五〇〇億ドルを超えている。二〇一九年のＧＮＰがたった八四〇億ドルというスリランカに重くのしかかるこの巨額の十分の一は、中国による貸し付けである。この半世紀の間に、スリランカ政府は一六回もＩＭＦから支援プログラムを適用してもらっている。ＩＭＦにすがった回数でスリランカを上回るのは、二〇回も支援プログラムを適用してもらったパキスタンのみであり、世界のどの国もこの記録を破っていない。[242]
> （オリヴィエ・ギラール、アジアの地政学専門家、ジャーナリスト）

中国に債務を返済することが不可能となったスリランカは二〇一七年、ハンバントタ港の運営権を九九年の期間、中国企業にリースする契約を結ばざるを得なくなった。[*4]

ＢＲＩによって沿線の環境や伝統や生活様式が破壊されたことで、新興国に悲しみや怒りが巻き起こることは稀ではない。例えば、かつてソ連の構成国の一つであった中央アジアのキルギスでは、歴史的に隣国中国への警戒心が強いこともあり、国民は中国人や中国企業のプレゼンスに不快感を抱いている。以下は、現地を訪れたルモンドのジャーナリスト、ブリス・ペドロレッティによるルポルタージュの一部である。

> キルギスのステップのただなか、アトバシに、一日に一〇〇台のトラックを受け入れることができる物流拠点が三〇〇〇万ドルの資金を投下して建設されることになったが、ＢＲＩの枠組みに

おいて計画が見直され、規模を大幅に拡大した青写真が描かれた。すなわち投資額は二億八〇〇〇万ドルへと増額され、用地面積は当初の計画と比べて六六倍の二〇〇ヘクタールとなり、パーキング、学校、病院も建築され、一万人以上の雇用も創出されることになった。小規模な商《あきな》いと、何よりも牧畜で生計をたてている現地の住民は見るからにフラストレーションを募らせた。テレビが、「中国基地」が四九年間のリース権を獲得した、と報じると、住民らの恐れは怒りに変わった。六一歳の女性商店主は「これから四九年間、この土地は私たちのものではなくなる。マナス（キルギスに伝わる壮大な民族叙事詩の英雄）は自分の土地を（中国から）守り、子孫である私たちに残してくれたのに」と述べた。ヤヌサリエフ・メデルベクは「ここでは、専門的技能を持つ労働者の数は少ない。では、約束された何千もの雇用を埋める労働者はどこから来るのか？　半分は中国から来ることになる！　そしてキルギス人に与えられるのは下働きの仕事、警備員の仕事くらいだろう。用地は村々の上手である西側にある。風上、川上だ。ということは、私たちの空気も水も汚染されることになる。私たちのリソースはごくごく限られている。誰も私たちの意見など尋ねなかった。これは仮面をかぶった領土拡張である。中国は私たちから土地を奪うつもりだ、これが真実だ！」と憤りの声を挙げた。最終的に、この計画は放棄された。[243]

ＢＲＩの真の目的が問われている。

「中国がＢＲＩを通じて自国の影響力を拡大しようと意図したことは間違いない。すべての国は国外における自国の影響力を拡大することを目指している。やがて世界一の経済大国になる中国も例外ではなく、しかも、この目的を達成する手段を他国よりも多く持っている。鍵となるのは、ＢＲＩには債務の罠といった策略が隠され、沿線諸国で狡猾かつ戦略的な手法で中国政府の戦略を推進する手段となっているのではないか、という問いだ[244]」との見解を示すのは、中国とロシアを専門とするクイーンズランド大学（オーストラリア）の中国人教授、ユアン・ジアンである。

中国のプレゼンスがもっとも目立ち、もっとも浸透しているのはアフリカである。中国はいつの間にか、植民地独立後も残っていたフランス人やイギリス人をほぼ駆逐し、アフリカ諸国にとって第一の貿易相手となり、アフリカ大陸を新たな征服の地、新たな勢力圏とした。中国は巨額の貸し付けを配り与え、アフリカ諸国の発展に資金面で絶え間なく協力している。中国の商務部〔商務省〕によると、中国とアフリカとの貿易額は二〇〇一年には一〇八億ドルであったのが、二〇一七年には一七〇〇億ドルとなった。この数字を二〇二〇年には四〇〇〇億ドルにまで押し上げるのが目標だ。中国はアフリカで港、空港、鉄道、石油パイプ、何千キロもの道路を建設し、数多くのインフラを整備した。中国抜きでは、アフリカのインフラ整備はずっと遅れたことだろう。これには異論の余地がない。しかし、中国のこうした「大盤振る舞い」の結果、サハラ以南のアフリカ諸国の公的債務は二〇一七年末にはＧＮＰの四五％のレベルに達し、三年前と比べて四〇％も増加した。そして債権国のトップは二位以下を引き離して中国である。世界銀行によると、二〇一八年には、小売業、農業、建設といった様々な分野で約一〇〇万人の中国人がアフリカで働いている。

中国とアフリカの接近の端緒は、インドネシアのバンドンで一九五五年四月一八日〜二四日に開催されたアジア・アフリカ会議であった。[*5] この会議にはアフリカとアジアの二九か国が参加し、互いに助け合い団結する、という意思を表明した。植民地支配から脱した第三世界の国々にとっては、東西どちらのブロックにも属さないままに国際舞台に躍り出る機会であり、「非同盟諸国運動」の誕生を告げる場であった。六〇年後、この会議の精神はほぼ変わっていない。習近平は二〇一七年一二月、「中国とアフリカは以前より一貫して、運命共同体を形成している。私たちの過去、私たちの共通の戦いが、篤い友情を育んでくれた」と述べた。アフリカ大陸における中国のプレゼンスの結果、中国とアフリカとの間の貿易額は、一九九五年に三〇億ドルであったのが二〇一七年には一七〇〇億ドルとなった。二〇〇九年より、中国は米国に代わり、アフリカの第一の貿易相手国となった。二〇〇五年から二〇一七年にかけて、中国はアフリカ諸国に一三七〇億ドルを貸し付けている。それが証拠に、ほんの数年でジンバブエの債務は膨れ上がり、対GNP比でみると、二〇一三年には四八%であったのが、二〇一七年には八二%となった。同じ期間、モザンビークの債務は倍加してGNPの一〇二%に達している。世界銀行によると、アフリカの二七か国の債務は「懸念すべき増加」を示している。フランス国立科学研究センター（CNRS）の名誉研究員で、アフリカにおける中国の動向に詳しいティエリー・ペローは、「アフリカには、そういった視点から見て借金漬けとなって、一定の懸念を抱かざるを得ない国が幾つかある。こうした国に融資を与え続けることは許されるのであろうか？」と述べている。[245]

習近平に言わせると、中国とアフリカの関係は「ウィンウィンの協力」関係である。実際はどうなのだろうか？　融資を供与するとき、中国は当該国の政治状況に問題があっても、うるさいことは言わない。加えて、便利な「オール・イン・ワン」を提供してくれる。すなわち、資金と建設会社、技術面でのノウハウがセットとなって中国からやってくるのだ。時としては、このセットには労働力までもが含まれる。中国の対外・安全保障政策を専門としている研究者で、戦略研究財団（ＦＲＳ）で「安全保障と外交に関する台湾」研究プログラムの責任者を務め、パリ政治学院で教鞭を執っているアントワーヌ・ボンダーズは、中国から融資を受けた債務国が「オール・イン・ワン」を承諾したのは多くの場合、欧州諸国、米国、日本、ＩＭＦ、世界銀行が融資の条件として基準を設けている返済能力や透明性に問題があっても「目をつぶる」、という中国の方針に惹かれたからだ、と指摘する。

結局のところ、北京の目的は、中国と多数の国――ヨーロッパ・アジア大陸だけでなく、アフリカやラテンアメリカの国々も含まれる――との相互依存関係を発展させることだ。私は、これは支配のベクトルである、とまでは言わない。だが、これが影響力のベクトルであることは確かだ。今日の中国は、自分たちの力は何といっても経済力であり、経済力は政治的影響力を倍加してくれる強力な梃《てこ》である、と意識している。これこそが、中国が現在着手しているシルクロードが鉄道だけではない理由だ。これはデジタルシルクロードであり、中国発の国際規格と国際基準を拡散するシルクロードなのだ。多くの分野、特に経済分野に影響力をもたらすシルクロードである。経済はまさにこうした分野の一つだ。すなわち中国が自分たちの影響下に置こうとしている分野の一つだが、これについて誰も中国を非難することはできない。中国からの申し出を受けるかどうかは、それぞれの国が選択することだ。いったん中国と協定を結び、中国に依存するようになると、面倒なことになるが。だが、この地域の多くの国は、中国を特権的なパートナーにするか否かを選ぶことができる。中国が申し出るパートナーシップには潜在的に捕食者的な性格があることは本当だ。それは確かだが、捕食の餌食になることが強制されるわけではない。当事国は自分たちの判断で、政治的、戦略的な選択を行うことができるのだから。中国がパートナーシップを政治的な梃として利用しようと試みるのは明白だ。だが、当事国は、こうした政治的影響力を受け入れるように強制されているわけではない。負債の罠について言えば、当事国は中国との融資契約を結ぶよう強制されているわけではない。一部の国が融資契約をむすぶのは、透明性や返済能力に関して中国が求める基準が、欧州諸国、米国、日本、ＩＭＦや世界銀行といった国際機構が求める基準とはかなり異なっているからだ。当事国は、中国の融資を受け入れよ、といった圧力をどこからも受けていない（アントワーヌ・ボンダーズ談[246]）。

アメリカの国連大使を務めるアフリカ系アメリカ人、リンダ・トマス＝グリーンフィールドの現状認識は次の通りだ。

バイデン大統領から国連大使に指名されたトマス＝グリーンフィールドは二〇二一年一月二八日、上院外交委員会の承認公聴会で「私は長い経験から、アフリカやその他の地域における中国の有害な影響力、債務を負わせ罠にはめる彼らの戦略について知っている。中国は大胆にも我々の安全保障、繁栄、価値観に挑みかかる戦略上の敵対者である。中国は人権を踏みにじり、我々の民主主義の価値観に反する権威主義的野望を抱いている」と述べた[247]。

在リベリア大使の経験があり、二〇一三年から二〇一七年にかけてアフリカ担当国務次官を務めたトマス＝グリーンフィールドの言葉には重みがある。三五年前より外交畑を歩んできた彼女は、アフリカにおける中国の投資戦略をつぶさに観察してきたからだ。

トマス＝グリーンフィールドは、「〔中国の投資戦略は〕アフリカに恩恵をもたらさなかったし、中国の思惑も外れた。中国にとって失敗だったのは、アフリカ諸国が――それが可能な場合は――パートナーとして米国を選びたいと願っているからだ。残念なことに今のところ、アフリカ諸国は必ずしも〔米国を〕選択することができないのだが。我が国は、それ〔この中国の見込み違い〕を利用して、アフリカ大陸により積極的にコミットすべきである」と力説した[248]。

いずれにせよ、中国による「友愛的支援」には負の側面があって、中国が何年も前からアフリカの天然資源の大量採掘を行っている、という事実は動かない。一部の専門家は、これを徹底した収奪、と呼ぶことを躊躇しない。そのうちの一人が、『中国―アフリカ、大規模収奪[249]』を著したジュリアン・ヴァグネールである。中国とアフリカの関係に詳しいヴァグネールは二〇一七年九月に発表されたインタビューにおいて、「遺憾ながら、中国のアフリカ進出は、言ってみれば、現地の人々から富を収奪する「植民地時代の」図式を延長している」[250]と述べている。

「中国およびアフリカ双方の汚職レベルは非常に高い。ただし、アフリカとヨーロッパとの関係においても腐敗がはびこっていた事実は肝に銘じるべきだ。しかし、一九九〇年代の終わりより、ヨーロッパ諸国については、外国との取引における贈収賄を封じ込めるための法整備を進めた結果、汚職のレベルは大幅に下がった。（中略）」

「中国から安易に受け取った融資は、返済不能となった一部の国を債務の罠に陥れた。その一例がアンゴラであり、この国が算出する石油はもはや、中国への負債二〇〇億ドルを返済することのみに充てられている」

「多くの場合、貸し付けは金銭によって返済されるのではない。金、石油、ガス、銅で支払われているのだ。例えばだが、中国企業は債権回収の名目で二〇年間の亜鉛採掘権を取得している」（中略）

「中国のアフリカ進出の狙いは、当初から金を稼ぐことではなかった。天然資源に手をかけることを目的とした進出であった。戦略的な思惑の方が大きかったのだ。多少の問題が起きても、貸し付けが返済されなくても、中国は融資を止めなかったが、リスクヘッジのために水増し請求するようになった」（中略）

「中国はいったん食らいついたら獲物を離さない。これからも西側諸国からマーケットシェアを奪い、アフリカ大陸を自分たちのプレイグラウンドとするだろう。アフリカは中国を梃として発展することもできるはずだが、現状は中国が約束したウィン・ウィンのパートナーシップでないことは明らかだ」[251]（ジュリアン・ヴァグネール）

中国は融資を与えるとき、債務を負うこととなるアフリカやその他の地域の国々に「担保権協定書」への署名を求めることがある。これは、貸し付けが返済されない場合、一種の物々交換を返済の代用とする、と定める保証契約である。負債者は、金銭の代わりに資源で――ときとしてインフラ提供で――負債を返済しなくてはならない。中国はまた、アフリカにおいて耕作可能な土地を取得している主要国の一つである。ＮＧＯアクションエイド・インターナショナルが引用しているランド・マトリックス（世界各地で登記されている土地譲渡に関する豊富な情報をデータベース化している民間機関）提供の数値によると、中国はアフリカですでに農地一三四万ヘクタールを取得しており、アメリカ（七〇九万ヘクタール）、マレーシア（三三五万ヘクタール）、アラブ首長国連邦（二八二万ヘクタール）、イギリス（二九六万ヘクタール）、インド（一九九万ヘクタール）、シンガポール（一八八万ヘクタール）、オランダ（一六八万ヘクタール）、サウジアラビア（一五七万ヘクタール）、ブラジル（一三七万ヘクタール）に次ぐ。[252]ただし、中国は沙漠、山地、高原が多く、耕作可能な土地がわずかしかない国であることは覚えておくべきだ。国土が広大な割には、リソースは限られているのだ。

## 債務の罠

中国の貸し付けによってアフリカの複数の国が支払う元利が余りにも膨らんだので、二〇一八年には国際通貨基金（ＩＭＦ）がアフリカの首脳たちに注意を呼び掛ける事態となった。ブレトンウッズ研究所によると、五年間で当該アフリカ諸国に対する中国の直接投資額累計は六〇〇億ドルを超え、中国企業が契約したプロジェクトの総額は五〇〇〇億ドルに達したのに並行して、相手国側にとっては、債務のボリュームが膨らみ金利支払の負担が大きくなった。その結果、優先順位が高い他の施策に回す手段も資金も欠く恐れがある。ＩＭＦの元専務理事、クリスティーヌ・ラガルドが言うように、中国とのパートナーシップは「フリーランチではない」[253]のだ。アメリカＮＧＯナチュラル・リソーシズ・ガバナンス・インスティチュート（ＮＲＧＩ）は次のように説明している。

アフリカの多くの国は過去一五年にわたって、圧倒的に不足していたインフラを整備するために中国から何百億ドルもの融資を受けた。資金不足に悩むこれらの国は、債務返済のために自国の天然資源を代わりに差し出すことになった。例えば、ガーナのボーキサイト、アンゴラの石油、ザンビアの銅が債務返済に使われた[254]。

しかし二〇二〇年一月以降、新型コロナ禍が資源価格の急落を引き起こしたため、これらの国は今や債務の罠に陥っている、とＮＲＧＩは指摘する。

中国当局は、やはりと言うべきか、以上の批判を一蹴し、中国が債務の罠を仕掛けたというのは「神話」である、と反論している。

> （前略）猜疑的な西側諸国の一部は、石油を含む天然資源の採掘において中国とアフリカはウィンウィンの協力関係にあることを無視することを決めたようだ。（中略）
> こうした非難は、中国政府がアフリカのパートナー諸国を常に尊重し、同等の立場で対応してきたこと、もしくは、中国のアフリカへの投資は一貫して、両当事国にとって有益であることを条件として実施されてきた、といった基本的な客観的事実を敢えて無視している。（中略）
> 　中国の対アフリカ政策は、大発見の時代より、手始めにアフリカ大陸を分断し、資源争奪と植民地獲得のために競った西側諸国の政策とは異なる。[255]（新華社、二〇一九年四月二四日）

問答無用の反論だ。

研究者であるティエリー・ヴィルクロン[*6]は、「捕食経済の発展」について次のように語る。

債務支払猶予イニシアティブ（ＤＳＳＩ）の決定をきっかけとして国際的アジェンダの俎上に載っている債務問題が、中国への経済的依存に伴うリスクを炙り出した。

パンデミックが引き起こした世界的な景気後退は、債務額の大きさによって既に脆弱化していたアフリカ数か国の債務支払いをさらに困難にした。二〇二一年、グレナダをのぞき、過剰債務に陥っている国はすべてアフリカに集中している。今や、この問題の解決の鍵を握るのは中国政府である。二〇〇〇年から二〇〇八年にかけての間に、アフリカの五四か国中、五〇か国が、様々な形で中国から融資を受けた。二〇一八年において、アフリカ大陸の公的な対外債務残高のなかで中国の貸し付けが占める割合は約二一％であり、こうした貸し付けの大半は、時として事業計画としての妥当性とコストに疑問符が付くインフラ整備に関係している（鉄道、港湾、道路、発電所等）[256]。

中国の捕食者的な傾向は、アフリカ大陸や、その他のＢＲＩ協定締結国だけに向けられているのではない。ヨーロッパもターゲットとなっているのは明白だ。

> 新ミレニアムに突入する以前の中国は、強国として地球規模で捕食者として振る舞う手段は持っておらず、ましてやヨーロッパを狙い定めることなど論外であった（中略）中国による欧州の捕食は、憎しみと復讐の念がこもっているだけに情け容赦ないものとなるだろう。私たちは覚悟する必要がある（中略）中国が欧州を捕食する能力がどれほどのものになるかは、中国政府が独自のルールを強要する——特に欧州諸国による貿易の海上輸送量の半分が通過する南シナ海地域において——ことに成功するか否かで決まる[257]。（フランソワ・エスブール著『捕食者の時代』より）

## 東南アジアにおける圧倒的なプレゼンス

その経済力がとてつもなく大きいという理由だけをもってしても、中国は東南アジアで強い存在感を発揮しており、その政治的影響力は増すばかりである。二〇一七年、中国のアジアへの直接投資の額は八二億五〇〇〇万ドルを記録し、欧州連合、日本、米国に次いで第四位の座に就いた。しかし、香港を加えると、中国のアジアでの直接投資額は一二八億ドルとなり、米国に僅差で迫る。その結果、例えば、中国の軌道に完全に取り込まれた貧困国カンボジアでは、中国が圧倒的なプレゼンスを誇っている。

中国政府がカンボジアと関係を修復したのは、一九九三年にカンボジアに君主制が復活した後である。一九九七年のフン・センによるクーデタ以降、二国の結びつきは強まった。カンボジアにとって中国は、第一のサプライヤー（二〇一八年には三七％）、主要な債権国（カンボジアの対外債務の四〇％）、そしてカンボジアへの投資額が一番大きな国である。二〇一八年には二〇〇万人の中国人がカンボジアを訪れたことで分かるように、観光客の数でも中国は一番である。

カンボジアは一帯一路協定に加盟した。「一帯一路」の名を冠するプロジェクトの代表例は、シアヌークヴィルとプノンペンを結ぶ自動車専用道路（および二二三〇キロの高速道路）、シェムリアップ新空港、シアヌークヴィルのコンテナ港修復である。カンボジアはまた、上海と比べて収益率が三倍の賃貸用不動産への投資をもくろむ中国人を惹きつけている。インフラ整備工事と不動産投資は、建設部門を活気づけ、製造業プロジェクトを正当化する口実となっている。野心的なプロジェクトの一例を挙げよう。宝鋼集団有限公司［中国の国有鉄鋼企業グループ］は、カンボジアの鉄鋼需要に応えるために、新疆ウイグル自治区にある二つの高炉（三〇〇万トン）をカンボジア北部に移転する計画である。[258]（ジャン＝ラファエル・シャポニエール）

何十万人もの中国人商人がカンボジアに乗り込み、シアヌークヴィルといった都市において地元経済の仕組みを掌握するに至った。カンボジアの移民規制が緩和されたことをきっかけに、二〇一七年までは南部の小さな漁村に過ぎなかったシアヌークヴィルに中国人が雪崩を打って押し寄せた。今やこの町の人口は九万人となり、そのうちの八万人が中国人であるから、中国語がいたるところで聞こえる。商業活動の九割近くは中国人が牛耳っている。すなわち、ホテル、カジノ（同市に存在するカジノの数は、二〇一六年には五だったが、今や八八となっている。なお、カンボジアは自国民に賭け事を禁じている）、レストラン、マッサージサロン、売春宿の経営者は中国人である、とプレアシアヌーク州警察長官のチュオン・ナリンは語る。こうした中国のプレゼンスは、違法な賭け事、売春、薬物密売、マネーロンダリングといった新たな災厄を引き起こしている、と地元民は指摘する。中国人はシアヌークヴィルで、自国では厳しい刑罰の対象となる違法行為を楽しんでいる。

プノンペン大学の国際学部長、ネアック・チャンダリットは、「中国国内では、当局が治安を維持することは容易だ。シアヌークヴィルにやってくる中国人グループは全員が投資家ではない。彼らがここに来るのは、地元当局には公序と法律に従わせる力がないので好き勝手ができるからだ。これは問題だ」、と指摘する。[259]

ラジオ・カナダのジャーナリスト、アニク・ベローは、「中国語はいたるところに溢れている。建物の正面やポスターに、中国語はクメール語よりも大きく書かれていることが多い。クメール語を見聞きすることが一切ない建設現場もある。設備、暫定的な事務所として使われるコンテナ、建築資材が中国から直接やってくることもしばしばだ[260]」と述べる。

シアヌークヴィルの商工会議所所長、オクナ・ヴァン・ソク・ヘンは現実主義に徹しようと努め、「我々が現地で供給できないのであるなら、そうした物資を中国人が運び込むことを止めろとは言えない」と述べる。確かに、まだまだ貧しいカンボジアが供給できない物資は数多い。しかし、ある中国企業が二〇二〇年に、ディズニーランドに比肩するテーマパークをアンコール遺跡群から数キロの地点に建設する、と発表したときは大騒動となった。問題の中国企業とはプノンペンでカジノを複数運営しているナガコープであり、一九九二年にユネスコから世界文化遺産に指定された遺跡群の景観保護地区からわずか五〇〇メートル外《はず》れた場所に、広さ七五ヘクタールのテーマパーク——その名は、クメール王朝（九～一五世紀）の首都であったアンコールにちなんで「アンコール・レイク・オブ・

ワンダーズ」――が出現することとなった。ナガコープは二〇二〇年五月一二日にカンボジア首相フン・センから許可を得て、五〇年間借り受けることが決まった土地に、一二のウォーターアトラクション（ゴンドラが浮かぶ長さ二・五キロの川、五〇〇メートルの大運河、五〇〇〇平米のビーチなど）、三つの滑り台、滝、アンコール遺跡の彫刻のコピー、レストラン、ショップ、九〇〇室を要するウォーターフロントホテルを整備する、と告げた。[261] カンボジアの情報ウェブサイト、カンボジアネスは、「このレイク・オブ・ワンダーズの巻き添えをくらって、アンコール遺跡群の本質が失われる危険がないだろうか？ テーマパークの入場者が巨大な津波となってアンコールの寺院に雪崩れ込むのではないだろうか。アンコールの魅力が消えることなく、これら二つの相反する世界が共存することなど可能だろうか？[262]」と疑問を投げかけた「カンボジア政府は結局、このテーマパーク併設のリゾート計画に与えた許可を撤回した。規模が大きすぎることが撤回の理由として挙げられているので、規模を縮小したうえで計画が再浮上する恐れはある」。なお、フン・セン首相は、中国のネット検閲「グレート・ファイアウォール（防火長城）」に似たシステムを導入し、二〇二一年二月より自国のインターネット使用者全員を監視し、取り締まっている。このネット検閲措置は、ただちに人権保護団体から批判を浴びた。例えば、ヒューマン・ライツ・ウォッチのアジア副ディレクターのフィル・ロバートソンは「フン・セン首相は、政府の検閲をインターネットにまで広げることで、インターネット上の自由とeコマースに危険な打撃を与えた。インターネット検閲はカンボジア政府にとって、オンライン上の弾圧のためのツールボックスにこれまで欠けていたツールだった[263]」と批判した。

ミャンマーは、東南アジアの中で、中国が後見役として強い影響力を及ぼしているもう一つの国である。その歴史は長く、何世紀も前から続いているが、ここ数十年前は明白な形を取っている。このことは、ミャンマー国民の間で、一定の反中国感情、もしくは明白な敵対感情を醸成しており、二〇二一年二月一日のミャンマー軍によるクーデタ以降、こうした感情はさらに高まっている。クーデタ直後、特にミャンマー民主化運動の指導者であったアウンサンスーチーが逮捕されてからの数日間、自然発生的に何千人もの市民が中国大使館の前に集まって抗議した。同時に、中国の製品やサービスへのボイコットを呼びかける声も高まった。中国人兵士がミャンマー軍のなかに紛れ込み抗議運動制圧に協力している、ミャンマーのソーシャルネットワークを検閲・取り締まって抗議運動をつぶすために中国人技術者たちがグレート・ファイアウォールのミャンマー版を実装するために忙しく立ち働いている、という噂が流れた。ミャンマーの軍事クーデタに関して、中国の官製メディアは「大幅な内閣改造が行われた」とだけ伝えた。隔月発行の米国ニュース誌「フォーリン・ポリシー」[*7]のコメンテーターであるジェイムズ・パルマーは、「中国系コミュニティと他のコミュニティとの対立を背景に、ミャンマーにおける反中国感情は全国レベルでも地方レベルでも見られ、長い歴史がある」と説明する。[264] ミッソンダム建設を筆頭に、中国が資金を提供する幾つかのプロジェクトは、中国に対する住民の不満を一気に高めた。ミャンマー北部のミッソーナダム計画は、世界で最も規模の大きなダムのトップ二〇に食い込むダムを二〇一七年までにイラワジ川上流に建設しようというものだったが、二〇一一年より棚上げとなっている。環境破壊を懸念する地元住民が抗議運動を繰り広げたからだ。

二〇二一年二月一日に、ミャンマーの民主化運動の象徴として国民の人気が高いアウンサンスーチーをいただく文民政府を転覆した軍部に対する中国当局の支援と、果たした役割に関しては、多くの疑惑が持ち上がっている。国民の怒りの矛先は短期間のうちに、ミャンマー国内の中国の権益に向けられた。三月一五日、ミャンマー経済の中心地、ヤンゴンの郊外にある工業地帯で、中国人投資家が経営する三二の工場が放火され、これに続く小競り合いで中国人労働者二人が負傷した。金属棒で武装したミャンマー人デモ隊が、これらの工場に発火物を投げ込み、中国政府の推計によると三七八〇万ドル（二億四〇〇〇万元）の被害が出た。同時に、ミャンマー在留中国人が所有する車や商店が荒らされた[265]。歴史がいずれ、ミャンマー軍によるクーデタにおいて中国が演じた役割を明かしてくれることだろう。東南アジアを専門とする研究者、ソフィー・ボワソー・デュ・ロシェは次のように語る。

> デモに参加したミャンマー人たちは、自分たちは経済的パートナーとしての中国には好意を抱いているが、中国がミャンマーはこうすべきだ、ああすべきだと指図するのは我慢ならない、とはっきりと述べている。（中略）東南アジアの各地で、中国の食い込みに対するうんざり感が高まっている。ミャンマーで起きていることはミャンマー一国にとどまらず、中国の東南アジア進出システムにかかわる問題だ。私たちは今日、ある意味で全員がミャンマー人である、と言えよう。中国の統治モデルがミャンマーに浸透するとしたら、世界の他の地域にもやがて浸透することになるからだ[266]。

ヨーロッパでも、中国の拡張主義は懸念を呼び覚ましている。例えば、ソ連を構成する共和国の一つであったという過去を持ち、人口一三〇万という、欧州連合の最も小さな加盟国の一つであるエストニア。二〇二一年二月一八日に発表された年次報告書のなかでエストニア対外情報機関は、中国政府はエストニアを含む民主主義国家において、中国に対するあらゆる批判を封じ込め、ハイテクセクターを支配しようと試みている、と強調している。この報告書は、「中国の対外政策ドクトリンが実行される、もしくは〔中国との〕〝運命共同体〟が構築されることは、中国の影響力が世界を圧倒し、中国批判が封じられることにつながる。西側諸国との対立が高まっている今、中国の主要な目的は米国とヨーロッパを離反させることである」と指摘している。中国のリーダーシップの明らかな目標は「全世界が中国のテクノロジーに依存するようにもってゆく」ことであり、そのためのツールは5Gであり、その手先は中国の巨大企業ファーウェイである、とも断言している。[267] 二〇二一年二月、オランダの情報機関も、オランダの権益を損なう中国の脅威に強い懸念を表明した。いわく、中国のサイバースパイ活動は、オランダ経済の銀行、エネルギー、インフラといった分野にとって「喫緊の脅威」である、と警鐘を鳴らしている。フィンランドでは、保安・情報機関のアンッティ・ペルッタリ長官が二〇二一年二月中旬に「権威主義的な国家が、フィンランドの極めて重要なインフラを乗っ取ろうと試みている」と強調したが、権威主義的な国家とは中国とロシアを指している。ペルッタリ氏は、フィンランドでファーウェイが5Gネットワークを構築するのを認めるべきではない、と述べた。[268]

　これは驚きでも何でもないが、米国は二〇二一年に、対中国防諜に充てる予算の割合を約二五％も増やした。

（アメリカ政府が二〇二〇年二月一八日に公表した）この決定は、中国政府に対する懸念の高まりを反映している。トランプ政権は中国を「経済、安全保障、反諜報に関する重大な脅威」と見なしていた。

実際の数字は明かされないが、複数の高官によると、約八五〇億ドルとなる諜報・情報の年間予算の様々な項目において、中国にあてる支出が増強された。目的は、秘密情報の収集、中国の諜報活動の分析、今後の動向の把握である。アメリカ国家情報長官室の声明には、「（一〇月一日を期首とする）二〇二一年度の予算において、我々は中国関連の支出を約二〇％増やすためにリソースの分配を見直した」、と記されている。

国家情報長官ジョン・ラトクリフ〔在任二〇二〇年五月二六日〜二〇二一年一月二〇日〕は、情勢の変化により「予算および人員」を増やすことが必要となった、と述べている。ラトクリフ長官は、テロ対策を専門としていた防諜のエキスパートの一部は今後、中国担当となるだろう、と示唆した。

「すべての脅威を評価した結果、中国が、中国のみがすべての分野で我が国の競合相手となりうることが明白となった。しかも、この確信は日に日に強まっている」とラトクリフ氏は付け加えている。同氏はさらに、二〇二一年二月一八日にウォール・ストリート・ジャーナルに掲載された寄稿記事のなかで、「中華人民共和国は今日、アメリカにとってますます大きな脅威となっているだけでなく、民主主義と自由にとって第二次世界大戦後で最大の脅威でもある」と述べている。[269]

## 立場が弱い相手に対する脅迫と威嚇

オーストラリアが、国際チームによるコロナウィルスの発生源に関する調査の実施を求めて以来、中国政府とオーストラリア政府の関係はぎくしゃくし、あからさまな非難の応酬に発展した。このエスカレーションの直近エピソードは、中国外務省の報道官、趙立堅《ちょうりつけん》によるツイッターへのフォトモンタージュ投稿である（ちなみに、中国国内ではツイッターは禁止されている）。趙が二〇二〇年一一月二九日に自身のアカウントに載せたのは、オーストラリア兵士と思《おぼ》しき男が血まみれのナイフをアフガニスタンの子供の喉元に突き付けている画像である。この写真はオーストラリア国内で憤激をまきおこした。これが投稿される数日前、二〇〇五年から二〇一六年にかけてアフガニスタン駐留オーストラリア兵士が起こしたとされる戦争犯罪に関する調査報告書がオーストラリア国内で公表された。この報告により、あわせて三九人のアフガニスタン人（武装解除された戦争捕虜、および民間人）が一九人のオーストラリア兵によって殺されたことが明らかにされていた。一一月三〇日、オーストラリアのスコット・モリソン首相は、この「フェイク」画像は「おぞましく」、「恥知らず」だと断じて怒りを表明した。そして、これを「ただちに」削除し、謝罪するよう、中国政府に求めた。だが中国政府は聞く耳をもたず、それどころか政府管理下にあるメディアはオーストラリアに対する辛辣な論評を満載した。例えば人民日報には、「オーストラリア政府が今なすべきは、こうした事実に関して真摯に反省し、下手人を裁判にかけ、アフガニスタン国民に正式に謝罪し、このようにおぞましい犯罪を二度と起こさない、と公《おおやけ》の場で約束することだ」といった文言が躍った。オーストラリアの隣国ニュージーランドは一一月三〇日、ジャシンダ・アーダーン首相の声明を通してオーストラリア政府への支持を表明した。アーダーン首相は「ニュージーランドは中国当局に対して、問題の画像の使用に関する懸念を表明しました。事実の裏付けがない投稿であり、当然ながらニュージーランドは無関心ではいられません」と述べ、ニュージーランド政府がこの問題に関して中国に外交書簡を送ったことを明らかにした。中国とオーストラリアのこうした非難合戦の背景にあるのは、政治・通商面での紛糾である。オーストラリアが国内の5Gネットワーク展開から中国の電気通信機器大手ファーウェイを締め出したうえ、他国に先んじて、国際チームによる新型コロナウィルス発生源に関する調査を中国に求めて以来、二国間の緊張は高まる一方であった。中国当局は報復として、オーストラリアに対する一連の通商上の報復措置を採った。これには、オーストラリア産品を狙った関税引き上げ――牛肉、大麦、木材、木綿、海産物、石炭に続き、ワインも対象となった――も含まれている。

　オーストラリア政府は二〇二〇年一一月二六日、中国政府の「威嚇行為」を拒絶し、中国の圧力には屈しない、オーストラリアは自国の民主主義を通商のために犠牲にするつもりはない、と述べた。モリソン首相はテレビ放送されたインタビューのなかで「オーストラリアはこれからも変節することはない。私たちはこれからも、自国の利益にもとづいて法規を定める。米国であろうと中国であろうと、その他の国であろうと、他国に屈することはない」と言い切った。中国政府は一一月半ば、オーストラリアに対する不満を一四項目列挙した文書を、駐豪中国大使館を通じてシドニー・モーニング・ヘラルド紙等の豪メディアに配布した。この中で中国政府は、自分たちが呼ぶところの「中国に敵対的な調査研究」を豪政府が公金を提供して支援したこと、ウイグル人や香港に対する中国の政策を豪政府が糾弾したこと、オーストラリア国内での中国企業による一〇ほどの投資プロジェクトに豪政府が待ったをかけたこと等々を難じている。中国大使館はまた、中国の高官（誰であるかは不明）の「貴国が中国を敵として扱うのであれば、中国は貴国の敵となろう」という発言を伝えることで豪政府に強い警告を発した（一一月一九日、シドニー・モーニングヘラルド紙がこの発言をすっぱ抜いた）。人口わずか二三五〇万人のオーストラリアと一四億の人口を抱える中国との対立は、前者にとってかなり不利だと思われる。オーストラリアにとって中国は二位以下を引き離しての第一の貿易相手国である（オーストラリアの輸出の四〇％以上は中国向けである）以上、政治と通商がからむこの対立が経済面での影響をもたらさないはずがないことを考えると、政治的なリスクを冒してでも中国に歯向かった豪政府は骨がある、と言えよう。二国間の対立はこれからも長引くに違いない。実のところ、事の発端は二〇一九年に遡る。オーストラリア当局はこの年、政党への献金等を通じて中国はオーストラリア内政への干渉を強めている、豪政治への影響力を強めようとしている、と名指しで批判した。オーストラリアの情報機関は二〇一五年にすでに、すべての豪政党が気前の良いサポーターから多額の献金を得ているが、こうしたサポーターは中国共産党の工作員に他ならないことを発見して衝撃を受けていた。中国はまた、先端技術を盗み出すため、オーストラリアの大学や研究所を少しずつ蚕食《さんしょく》していた。誘惑、追従、金、脅し、そして強要までもが手段として使われていた。豪メディアは、何千人もの中国人工作員がオーストラリアの社会全般に食い込んでいる、中国政府の第一の目的は米豪の同盟関係に楔《くさび》を打ち込むことである、と報じた。豪議会情報・保安委員会の委員長を務めるアンドリュー・ヘイスティー議員は二〇一九年八月、公《おおやけ》の場で、中国の現在の台頭を第二次世界大戦前夜のナチスドイツの台頭になぞらえた。豪議会は二〇一九年、スパイ行為と外国による内政干渉を防止するための一連の法律を採択した。オーストラリアの次に、中国の標的となるのはどの国だろうか？　中国とオーストラリアの間に起こった危機は果たして二国間に限定されるのだろうか、それとも、世界のすべての国にとって教訓となる前例なのだろうか？　スコット・モリソン首相は、「全世界」は中国のオーストラリアに対する態度に目をつぶるべきではない、と訴える。イギリスの経済紙、フィナンシャル・タイムズも二〇二〇年一一月二六日の社説において、「これは二国間の問題ではない」との見解を示し、「すべての民主主義国家は状況を注視し、中国が自分たちに圧力をかけてくる場合には一丸となって阻止できるように準備すべきだ」と断じた。二〇二一年三月九日、駐豪日本大使の山上信吾は、攻撃性を増すばかりの中国に直面しているのはオーストラリアだけではない、と述べた。豪財界が主催した会議の席で山上大使は、「オーストラリアだけの問題ではない、と皆さん全員に強調したい。日本も一〇年前に同じことを経験している」と述べた。「一日の例外もなく、日本は連日、南シナ海においても東シナ海においても、攻撃的な中国と対峙している。私たちにとってこれは、大きな不安の種だ」との、外交官らしからぬ直截的な発言もあった。東アジアにおいて高まるばかりの中国の脅威は、日米同盟関係の強化をもたらした。バイデンの大統領就任以来、日米政府の接触が増えていることが物語るように。

## 米中対立、今世紀最大の争い

米中の鍔迫《つばぜ》り合《あ》いは、ドナルド・トランプ時代の二〇一八年以降に頂点に達した。ジョー・バイデンが二〇二一年一月二〇日にホワイトハウスの主となっても、この鍔迫り合いは鎮《しず》まるどころか劇化した。米政府がついに、公言していないものの中国の究極の狙いはアメリカに替わって世界一の大国となり、アメリカの国際的リーダーリップを打破することである、と理解したからだ。両国の対立は、経済、通商、政治、地政学のすべての分野を戦場としている。しかしバイデン新大統領は、中国の猛攻に対抗し、アメリカが優勢を失った分野や地域で再び優位に立とう、と決意を固めている。バイデンは大統領就任後、中国エキスパートの強力なチームを結成し、補佐を受けている。これには、米中関係を最優先課題として中国の野心に有効に対抗する、という意思が反映されている。政権のほぼすべての行政組織（府省庁）の重要ポストに任命されたのは、アジアに詳しいエキスパート、および旧オバマ政権に顧問として仕えた人々である。彼らの顔ぶれは、中国政府への対応に関する超党派的コンセンサスが強まったことも示している。その最たる例を挙げるならば、中国は「米国にとって最大の戦略的脅威」である、と断じた新国務長官アントニー・ブリンケンである。二〇二一年一月二七日、ブリンケン国務長官は就任後初の記者会見において、「現在の世界において我々にとって最も重要な課題が米中関係であることは、ほぼ間違いない」と述べた。米中関係は「私たち全員の将来の大きな部分を左右する」からだ。バイデン大統領が下した決定のうちには、国防総省内に対中国タスクフォースを設置する決定が含まれる。大統領によると、この特任チームの使命は「連邦政府と議会の超党派的取り組み、強固な同盟関係とパートナーシップ」を模索することである。国防長官となったロイド・ジェームズ・オースチンは既に、「レーザー並みに」正確に照準を合わせ、米国が競争力で中国に対して優位を保ち、世界を圧する強国になろうとする中国政府の動きを抑えることができるように努める、と述べている。バラク・オバマの副大統領だったころのジョー・バイデンに副補佐官（国家安全保障担当）として仕えた経験がある中国専門家、イーライ・ラトナーが、オースチン国防長官の補佐として対中タスクフォースのトップに任命されるはずである。このラトナーは二〇二〇年夏に、中国のハイテク分野における専断と南シナ海進出にストップをかけるための戦略を含めた一連の対中戦略を米国は採用すべきだ、との考えを示し、「米中間に、新たな、これまでとは異なる時代が始まっている」、「米国政府は、ものの見方をアップデイトすべきだ」と訴えていた。ペンダゴンの対中シフトを象徴する人物としてはこのほかに、キャスリーン・ヒックス国防副長官、マイケル・チェース国防次官補の名を挙げることができる。前者は、中国を「私たちの時代の根本的課題」と呼んだ。後者は、民間機関ランドの研究員だったころ、中国軍の装備近代化に関する研究で名を挙げている。さらに、オースチン国防長官に参謀長として仕えるケリー・マグサメンは、オバマ政権下でアジア大西洋地域安全保障担当の国防次官補代行を務めていた。国務省ではアントニー・ブリンケン長官のほかにも、軍事面および経済面でアメリカが優勢を取り戻して中国の台頭を阻むための最良の方策に関する論考で知られるミラ・ラップ＝フーパーが政策企画本部にシニアアドバイザーとして加わっているし、アジア問題に詳しく、米中関係を「私たちの時代の中心となる関係」ととらえるウェンディ・シャーマンが国務副長官を務めている。また、バイデン大統領が中国政策のコーディネーターとして選んだメラニー・ハートは、二〇二〇年一〇月、シンクタンク「アメリカ進歩センター」のシニア・フェローとして報告書を共同執筆し、その中で、公金による政策的な補助のおかげで競争力が高まったファーウェイ機器によって世界の5Gネットワークが動くようになると中国政府は思うがままに情報を操作することができるようになる、と警鐘を鳴らし、これを阻止するために米国が総合戦略を採用する必要性を説いている。安全保障の分野では、国家安全保障会議（ＮＳＣ）の主要メンバーは中国専門家であり、全員が中国問題について発言している。例えば、バラク・オバマの「アジアへの軸足移動」戦略を立案したカート・キャンベルは、ＮＳＣインド太平洋安全保障問題調査官に就任した。カート・キャンベルと、大統領によってＮＳＣの中国担当ディレクターに選ばれたラッシュ・ドッシは、一月にフォーリン・ポリシー誌に掲載された論考を共同執筆し、この中で、アジアへの「アメリカの真剣な再コミットメント」と「中国の冒険主義を抑止するための細心の努力」を提唱している。コーネル大学法学部非常勤教授のセイラ・クレプスによると、これから訪れる中国との「極めて厳しい競争」についてバイデンが既に警告を発していることからもわかるように、バイデン政権の新チームはオバマ時代と比べて中国政策で大転換を図っている。「高官の多くは一〇年前と同じ顔触れではあるが、政策は異なることを示すあらゆるサインが政権から発せられている」、「詳細はまだはっきりしないが、オバマ政権と比べて雰囲気が変わったことは明らかである」というクレプスの分析が、サウス・チャイナ・モーニング・ポストに引用されている。経済政策について言えば、財務長官に就任したジャネット・イエレンは既に、中国の「度を越した」手法に対抗するために、米国は考えうる「あらゆるツールを駆使する」準備を整えている、と釘を刺している。さらには、アメリカの新国連大使に指名されたリンダ・トマス＝グリーンフィールドは、アフリカにおける中国のプレゼンスに詳しいキャリア外交官であり、中国が国連を舞台として推し進めている「権威主義的なアジェンダ」に反対する意思を既に表明している。彼女を補佐する国連次席常任代表に就任したのは、オバマ政権時代にバイデン副大統領のアジア問題上級顧問を務めていたジェフリー・プレスコットである。著名な中国専門家であるプレスコットは、イェール大学が北京にイェール・センター・ベイジンを設立したときの立役者である。中国シフトのジグソーパズルを完成させる最後のピースは、財務省のナンバーツーであるウォーリー・アデエモ副長官だ。アデエモは二〇二一年二月二三日、世界の何処であろうとアメリカ企業に公正な競争を保証するため、米国は国際ルール遵守の責任を中国に問うつもりである、と宣言した。彼は「中国は我々の戦略的競争相手である」と述べたのに続き、「ルールを破ると孤立することになる、と中国に悟らせる」[270]ためにアメリカは今後、国際的な共同歩調を探らねばならない、と付言した。以上のようなバイデン政権の布陣と比べると、エマニュエル・マクロン大統領に助言を与える側近のうちに――私が知る限り――中国専門家は一人もいない。これに対してフランソワ・オランド前大統領は、中国を知悉《ちしつ》したベテラン外交官であった故ポール・ジャン＝オルティズをアドバイザーとしていた。フランスは小国となってしまったのだろうか？

二〇二一年二月二六日、バイデン大統領は外交政策演説を行い、この中で今後の米中関係の方向性を明確にし、欧州連合と米国は「(中国との) 長期にわたる競合」を覚悟せねばならない、と述べた。

バイデンは「中国との競合は厳しいものとなろう」と戒《いまし》め、世界各地で台頭しつつある権威主義から民主主義を守るために米国とその同盟国は持久力を発揮せねばならない、と強調した。「世界の経済システムの基盤を切り崩す中国政府による濫用や強要に対して立ち上がらねばならない」とも述べ、アメリカ政府は「弾圧をほしいままにし、濫用している勢力と対決する」、と付け加えた。世界第一位と第二位の強国の対立がどのような性格を帯びるのかが明確になった。ジョー・バイデンの大統領就任によって米国との緊張が和らぐとの期待を表明していた習近平の思惑は見事に外れた。この演説の直前、下院外交委員会筆頭理事であるマイケル・マッコール議員（共和党）は大統領に、中国に対して「果敢で重要な行動」をとるよう、呼び掛けていた。「糾弾や手厳しい対話だけでは、もはや十分ではない」とマッコール議員は主張した。[27]

## 南シナ海における中国政府の領有権主張

危険を孕《はら》んだもう一つの問題は、中国による南シナ海の八〇%以上の領有権主張であり、中国は捕食者さながらに有無を言わさず実効支配を進めている。すなわち、東南アジアのスプラトリー諸島〔南沙諸島〕とパラセル諸島〔西沙諸島〕の全域——地図上で中国大陸南岸からマレーシア南部へと引かれている有名な九段線で区切られた約三五〇万平方キロの海域——を中国は自国領だと主張しているのだ。二〇一六年、ハーグの国際司法裁判所は提訴したフィリピン側の主張を認め、南沙諸島等に対する中国の権利主張を否定した。しかし中国はこの判決を受け入れず、歴史的な根拠——その多くは虚構である——を振りかざし、以上の広大な海域の領有権は我が国にある、との主張を曲げていない。中国政府は、南沙諸島と西沙諸島はほぼ二〇〇〇年以前より中国領であるとの主張の根拠として、中国領としてこれらの諸島に言及している古文書、これらの島で発見された陶器や硬貨を挙げている。中国政府に言わせると、紀元前一一〇年頃ごろに漢王朝（前二〇六～後二二〇）が中国大陸の南にある海南島に設置した行政機関の管轄領域には南沙諸島と西沙諸島が含まれていたことは、史料（本物であるかについては疑問の余地がある）によって明らかである。しかし専門家によると、漢代の硬貨がこうした島々で発見されることは、漢王朝の支配がそこまで及んでいたという証拠ではなく、中国と東南アジアの交易が盛んであったことを物語っているにすぎない。こうした島々の一部とその周辺海域については、ベトナム、台湾、フィリピン、マレーシア、ブルネイも領有権を主張している。いずれの国にとっても豊かな漁業資源（世界の漁獲の一〇％が南シナ海由来である）と海底に眠っていると思われる石油および天然ガスは重大関心事であるうえ、中国が実効支配している島嶼を軍事化していることが火に油を注ぎ、南シナ海は世界で最も不穏なスポットの一つとなった。加えて、この海域は北太平洋とインド洋を結ぶ最短ルートであり、極めて重要な通商海路が交錯する戦略的要衝でもある。世界のコンテナ輸送の七〇％、石油と液化天然ガスの運搬の五〇％は南シナ海を通っている。

　中国は近年、この海域でのプレゼンスを顕著に強化しており、人工島を造成し、複数の島を軍事拠点化（戦闘機の離着陸が可能な滑走路、ミサイル施設、長距離レーダー施設等が含まれる）している。一九八七年から始まったこうした占拠戦略の結果、中国は今や西沙諸島全域と南沙諸島の大半を実効支配している。二〇一八年には、南沙諸島の要塞化された前哨基地二か所（ファイアリー・クロス環礁とミスチーフ環礁に造成された人工島）に電子戦装置を設置した。これらの強力な装置は、通信やレーダーのシステムを電波妨害することができる。二〇一八年四月には、同じ南沙諸島のファイアリー・クロス環礁、スービ環礁、ミスチーフ環礁に地対空および空対空ミサイルが配備された。こうした環礁はベトナムの東、フィリピンの西に位置し、中国大陸南岸からはかなり離れている。ベトナムは自国の排他的経済水域（ＥＥＺ）[*8]への中国船舶の侵入にしばしば抗議しているが、中国は聞く耳を持たない。フィリピンとインドネシアも同じく抗議の声を上げている。しかし、いずれの国も中国の圧倒的な力に対抗できる軍事的手段を欠いている。中国が今後も実効支配水域の軍事化をいっそう進めることは確実視されている。ハーバード大学ベルファー科学・国際問題研究センター所長であるグレアム・アリソンは、中国は南シナ海の大規模な軍事化計画に取り組み、南沙諸島の七つに既に前哨基地を建設している、と指摘する。中国は二〇一五年六月、南シナ海において合計面積一二〇〇ヘクタール以上の島嶼の領有権を主張した。ちなみにベトナム、マレーシア、フィリピン、台湾が領有権を主張している島嶼の面積はそれぞれ三二ヘクタール、二八ヘクタール、五ヘクタール、三ヘクタールである。中国は実効支配している島嶼に港、滑走路、レーダー施設、灯台、倉庫を建設した。「少しずつ米国をこの地域から遠ざける一方で、中国は自国の経済圏に東南アジアの国々のみならず日本とオーストラリアを引き込んだ」とアリソンは述べている。[272] 今の中国は、「国威は制海権を基礎とする」と考えている、とアリソンは指摘する。ゆえに、中国が南沙諸島や西沙諸島の「海域での戦闘と勝利を準備することに全エネルギーを注ぎ込む」ことは間違いない、と覚悟する必要がある。「この海域へのアクセスを阻止・禁止する軍事力を展開し、アメリカの空母とその他の高価値の船艇に脅威を与えることで、中国はアメリカ艦隊を南シナ海から次第に駆逐している」。中国はこの海域に対艦ミサイルを一〇〇〇基以上と、大規模な沿岸艦隊を配備したようだ。敵のあらゆる船舶を沈めることができる魚雷やミサイルを搭載した何十もの潜水艦が一帯をパトロールしている。グレアム・アリソンによると、「アメリカは一九四二年のミッドウェイ海戦より太平洋をコントロールしてきたが、中国は（南シナ海）全域でアメリカの情報収集、監視、通信の衛星を阻害、さらには破壊する力を備えている」。「中国の沿岸に並行する幅一六〇〇キロメートルの長い海の回廊に沿って海と空を、アメリカが無敵で管轄していた時代は終わった」[273]。

　しかしながら米国は二〇二〇年七月一三日、当時の国務長官マイク・ポンペオの声明を通じて、この海域にかんするアメリカの政策の変更を告げ、南シナ海における中国の領有権の主張は「違法」だと断じた。ポンペオ長官は「我々は声を大にして言う。南シナ海の大半における海洋資源の所有権を持っているという中国政府の主張も、こうした海洋資源を支配するための一連の威嚇行為も、まったくもって違法である」と言い添え、ハーグの常設仲裁裁判所が二〇一六年に、この海域に関する「歴史的権利」があるとの中国の主張は法的根拠を欠いている、と言い渡したことに言及した。それまでは南シナ海での領有権争いに関して旗幟《きし》を鮮明にすることを避け、「航行の自由」を主張するだけだったアメリカ外交の大きな方向転換であった。ポンペオの後継者であるアントニー・ブリンケンは二〇二一年一月二七日、さらに踏み込んだ姿勢を見せ、南シナ海における中国の権利主張に脅かされる東南アジアの国々を軍事支援する用意がある、と述べた。国務省報道官によると、フィリピンの外務大臣テオドロ・ロクシンとの電話会談において「ブリンケン国務長官は、中華人民共和国の圧力に直面している東南アジア諸国を支持すると約束した」。

「ブリンケン国務長官は、二国（フィリピンと米国）にとっての相互防衛条約の重要性を強調し、南シナ海を含む太平洋での船舶、航空機、フィリピン軍への武力攻撃に同条約は適用される、と述べた」（中略）（長官はさらに、）「米国は中国が主張する南シナ海の領有権を認めない。なぜなら、そうした主張は、（一九八二年の）海洋法に関する国際連合条約に基づく国際法が中国に認める領有権の範囲を超えているからだ[274]」

これで曖昧なところはなくなった。

二〇二〇年七月五日、西沙諸島の周囲で始まった中国海軍の演習がこの海域の緊張を一気に高めた。米国は挑発に応え、艦隊を引き連れた空母二隻（ロナルド・レーガンとミニッツ）を送り込んだ。二〇一四年以来の、軍事的示威活動である。また、この海域の問題に関して通常は慎重な姿勢を保っていたフランス、ドイツ、イギリスが驚きの行動に出た。すなわち、二〇二〇年九月一六日、一斉に外交文書を国連に提出し、この海域における中国の領有権主張は「正当性を欠き」、国際法に違反している、との見解を表明したのだ。三国はこの共同文書を通じて、それ以前に中国が提出した七通の外交文書には同意できない、との見解を明らかにした。G7のメンバーでもある欧州の三大主要国が共同歩調をとり、共通の見解を表明し、南シナ海問題に対して一致した姿勢を見せたのは初めてであった。

加えて、この姿勢は三国が慎重に検討、議論、準備したものであり、欧州も南シナ海における紛争を強く懸念し、見解を明白にする必要性に迫られたことを物語っている。この共同文書の中には、「大陸国家が、あたかも列島国家であるかのように直線の領海基線を引くことは正当化できない[275]」との文言がある。日本の国連代表部も国連事務局に宛てた二〇二一年一月一九日付けの外交文書によって、中国の南シナ海における領有権の主張は海洋法に関する国際連合条約と矛盾しているので「正当性がない」、との日本政府の見解を伝えた[276]。

中国専門家のアントワーヌ・ボンダーズは、「これらの国の大半は、ハーグの国際司法常設仲裁裁判所が二〇一六年に下した判決を拠り所としている。この判決の論旨は、中国の主張が無効であるというのではなく、中国の主張、特に中国が呼ぶところの〝歴史的〟権利の主張は国際法の観点から有効ではない、というものだ。すなわち、国際法は、〝歴史的〟権利は純粋に法的な観点から見て十分な論拠と認めていないのだ。中国には南シナ海に関して何らかの領有権を主張する権利はない、というのではない。第一に〝歴史的〟権利があるという中国の論法そのもの、第二に、中国がこうした〝歴史的〟権利の主張によって一つの海域全体への主権行使（これは、中国が現在行っていることである。すなわち、いわゆる〝九段線〟を定めて、幾つかの島嶼だけでなく、一つの海域全体に対する領有権を主張している）を正当化することは、純粋に法的な観点から見て、受け入れがたいことなのだ[277]」、と指摘する。

中国はこの水域におけるプレゼンスを絶えず強化している。二〇二一年三月七日、フィリピンの海岸警備隊は、約二二〇隻の中国漁船および中国海岸警備隊（中国海警局）の船舶がウィットサン環礁（牛軛礁）の水域に結集しているのを発見した。この環礁はフィリピンの排他的経済水域内に位置するが、中国は自国領だと主張していて、一帯は紛争海域である。今回は、中国政府の大失策であった。中国の漁船団が発見されるや否や、フィリピン政府は中国に抗議した。中国大使は数日後、船団は軍事演習には参加しておらず、悪天候のために牛軛礁で風よけをしているだけだ、と説明して事態を収拾しようと試みた。しかし、この説明が事実に反していることはすぐに明らかになった。好天となっても、中国漁船は立ち去らず、留まっていたからだ。それ以降、紛糾は深まるばかりで、それまでは熱烈な親中派として鳴らしていた比大統領ロドリゴ・ドゥテルテも事態に対処することを余儀なくされた。大統領の側近たちは中国をおおっぴらに非難し、四月五日には、フィリピン領海内へのこうした侵略は両国の関係を損なうものだと指摘した。中国政府は、問題の船団には漁船しか含まれていないと主張したが、これが事実に反しているのは明らかだった。船団は中国海警局の船舶に守られていたからだ。比大統領の法律顧問であるサルバドル・パネロは、こうした船が長期にわたって居座ることは、比中関係の「汚点」であり、「戦闘に発展する恐れがある。そうした事態は両国の望まぬことであろう」と述べた。「我々が互いの懸念と利益に関わる問題について交渉することは可能であるが、間違いを犯してはならない。我が国の主権については交渉の余地などない」とパネロは公式コミュニケのなかで釘を刺した。ドゥテルテ大統領の報道官、ハリー・ロケもこれに同調し、「我々が自国の領土や排他的経済水域を一寸たりとも譲ることはない」と記者会見で述べた。デルフィン・ロレンザーナ国防相はさらに踏み込み、「我々は自国の主権を防衛し、フィリピンの海洋資源を保護する用意がある」と警告を発した。公人によるこうした発言は、ここ何年か中国に協調的となり米国とは次第に距離を置くようになっていたフィリピンの対中姿勢が一八〇度反転したことを物語る。ドゥテルテ大統領はそれまで、中国政府の機嫌を損ねないために、フィリピンの訴えを認めて南シナ海における中国の領有権の主張を無効としたハーグ常設仲裁裁判所の判決を無視し、中国との対立は戦争につながる危険があるから、と何度も釈明していたのだが。この事件で、中国側に重大な戦略ミスがあったことは明らかだと思われる。フィリピン政府の神経を逆なですることは、フィリピンが中国の勢力圏から遠ざかってアメリカの腕の中に飛び込む結果を招いたからだ。狙いを外して自分の足を撃つに等しい失敗だ。アメリカは、こうして開かれた突破口に直ちに滑り込んだ。アントニー・ブリンケン国務長官は三月二九日、アメリカは「中国の海上民兵」による侵入を受けたフィリピンに加勢する、と宣言した。「米国は、ウットサン環礁（牛軛礁）近辺で中華人民共和国の武装船団と対峙しているフィリピンに味方する。我々は常に同盟国を支援し、ルールに基づく国際秩序を防衛する」とツイートしたのだ。毛沢東は有名な講話〔ソ連最高会議の偉大な一〇月社会主義革命四〇周年記念祝賀会における講話〕の中で、中国の諺を引用して「(反動主義者らは)石を持ち上げて、自分の足の上に落とす」と述べた。この諺は今日、中国当局にぴったりと当てはまる。フィリピンが四月二日（木曜）にもう一つ奇怪な事態を発見したとなっては、なおさらだ。中国海軍がユニオン堆《たい》と呼ばれる群礁（牛軛礁はその一部）に複数の構造物を建設した。しかも、それらはどう見ても軍事施設としか思えないのだ。南シナ海軍事化を推進し続けるという中国政府の意図を裏付ける証拠だ。

南シナ海における「航行の自由」を主張するため、米国、オーストラリア、フランス、イギリスといった西側の国々はこの海域に定期的に軍艦を送り込んでいる。フランスに関して最新の例を挙げるなら、ヘリコプター搭載型水陸両用艦トネールとフリゲート二番艦シュルクーフは二〇二一年二月一八日に母港であるトゥーロンを出発し、インド太平洋水域と南シナ海を航行したのち、日仏米豪共同演習に参加した。トネール艦長のアルノー・トランシャン海軍大佐は、今回のミッションの目的について問われると、フランス艦隊はクワッド〔Quad 四か国戦略対話〕の四か国（日米豪印）とフランスのパートナーシップの「強化に資する」ことを望んでいる、と述べた。仏海軍のこの南シナ海航行の前には、支援・救助艦セーヌを伴った攻撃型原子力潜水艦エムロードが二月八日から同じ海域を潜航し、中国政府の怒りを買っている。中国南部の厦門《アモイ》大学の南海研究院院長、傅崐成は、紛争海域におけるこうしたミッションは「憂慮すべき」であり、中国はこうした動きへの適切な対応を熟考すべきだ、との見解を示している。「アメリカがNATOの同盟国と共同歩調をとり、いわゆる〝航行の自由〟を行使すると称して南シナ海で示威的行動に出ようとしていることは明らかだ。これらの国が航行の自由の擁護を唱えるのなら、中国は戦艦を派遣して同行させるべきだろう。だが、中国が領有権を主張している水域に侵入するとしたら、我々は海洋法に関する国際連合条約に基づいて抗議せねばならない」。「フランスの意図が、インド太平洋地域における自国の軍事プレゼンスの誇示であるのは明白だ。アメリカの圧力に押されて、という理由が特に大きく、アメリカの軍事展開との協力が目的だ」とコメントするのは、元人民解放軍教官の肩書を持つ軍事専門家、宋忠平だ（香港のサウス・チャイナ・モーニング・ポスト紙が引用した発言[278]）。今回の仏戦艦のミッションの前には、アメリカの空母二隻（セオドア・ルーズベルトとミニッツ）がそれぞれの小型艦隊を引き連れて二〇二一年二月九日から南シナ海を航行したが、これは、この海域ではこの七か月間で最大級の米海軍展開であった。二〇二二年初めには、イギリスの新造空母ＨＭＳクイーン・エリザベスも南シナ海でのミッションに派遣される予定である。二〇一九年二月にこのミッションを告知した当時の国防相、ギャヴィン・ウィリアムソンは、（この派遣により）イギリスはグローバル国家としての責任を果たす、と述べた。二〇二〇年一二月三一日、中国の国防部〔国防省〕報道官の譚科飛は「南シナ海軍事化の真の原因は、この海域の外にある国々が威嚇のために、何千キロも離れた自国の沿岸から戦艦を派遣することである。中国軍は、国の主権、防衛、さらには南シナ海の平和と安定のために必要なあらゆる措置を採らざるを得ないであろう」と述べた。しかし、実際に中国が打てる手とは？　何もない。世界でもっとも「ホットな」地域の一つとなった戦略的に重要なこの海域で、大きな戦争に発展するかもしれない偶発事件を引き起こす危険を冒すつもりなら別であるが。二〇二一年二月二〇日、アメリカは南シナ海における武力行使を控えるよう中国を牽制し、同時に、同水域における中国の領有権主張は「違法」である、と改めて主張した。米国務省は、全国人民代表大会（全人代）が二〇二一年一月二二日に採択した、南シナ海に「不法」侵入した外国の船舶に対して中国海警局の警備船が武力行使することを認める新法〔海警法〕に関して、懸念を表明した。国務省報道官ネッド・プライスは、「中華人民共和国の隣国を威嚇するためにこの法律が使われる可能性がある。我々はまた、中国がこの法律を引き合いに出して、南シナ海にかんする違法な主権を強めることを危惧する」と強調した。

## マスク外交、ワクチン提供

中国商務部が発表した数字によると、中国は二〇二〇年に約二二〇〇億枚のマスクを輸出した。これは、中国以外の国に住む人間一人当たり四〇枚に相当する途方もない数量である。新型コロナの被害を最初に受けた国である中国は短期間のうちに世界一のマスク生産国として存在感を強め、中国政府は躊躇《ためら》うことなくこれを外交の道具とし、外国に提供することで宣伝効果を狙った。また、商務部次官の銭克明が記者会見で語ったところによると、中国は二三億着の防護服と一〇億人分のウィルス検査キットを輸出した。銭次官は、「（これは）全世界を挙げての新型コロナとの戦いに（中国が果たす）重要な貢献である」と満足気に語った[279]。しかし、本当に貢献だろうか？　中国政府がこうしたマスクや医療用品の一部（全部で数百万）を無償提供したのは本当であるが、残りは売り渡したのであり、莫大な利益を得ている。中国はこうしたマスク外交の次に、世界各地で人々の心をつかみ親中的な世論を醸成するために、ジンバブエ、ハンガリー、モロッコ、アルジェリアをはじめとする多くの国を対象に、非常に積極的なワクチン無償提供の外交攻勢に出た。その結果、二〇二一年二月一五日の段階で、中国政府はすでに、中国で製造されたワクチン（シノバックおよびシノファーム）を合わせて四六〇〇万回分、外国に送っている。この数量は、中国国民に接種された分（四〇五二万回分）よりも多い[280]！　すなわち、この段階では、人口一〇〇人当たりで言えば、アメリカでは一五回、イギリスではほぼ二二回、イスラエルではなんと七〇回の接種が行われていたのに対して、中国ではたった三回であった。中国当局にとっては、ワクチン外交の方が自国民の健康よりも優先順位が高いのだ！[*9]確かに、習近平はごく早い時期から、自国のワクチンで人類に奉仕する、と約束していた。こうした中国の攻勢に対抗すべく、アメリカ、インド、オーストラリア、日本は、二〇二一年三月一二日の日米豪印四か国の首脳テレビ会議において、二〇二二年の終わりまでにインド太平洋地域の貧しい人々を対象に一〇億回分のワクチンを提供する、と約束した。[281] これらのワクチンはインドで生産されることになっている。インドにとっては、中国政府に対抗する手段と言えよう。

## コロナウィルスの発生源、真実にたどり着くための長い道のり

コロナウィルスの発生源についての有力な説が浮上しつつある。二〇一二年に雲南省のとある鉱山に巣くう蝙蝠との接触で発生したらしい、というものだ。二〇二一年三月一四日の段階で、全世界で合計二六五万三六四一人の犠牲者（筆者の近親者の一人もその中に含まれる）を出し、数十億の地球人の暮らしに打撃を与えている新型コロナは、一〇〇年以上人類が経験したことのない深刻な健康危機だ。ゆえに、このパンデミックの起原に関する調査に協力するよう、中国は世界の各方面から迫られている。思い出してもらいたい。二〇一九年一二月、見るからに病んでいるサンゼンコウ、武漢華南海鮮卸売市場の物売り台に並ぶ野生動物、どこから持ち込まれたのか不明の蝙蝠の写真が流布したこ

とを。こうしたイメージの陰で、ウィルスの発生源に関する真実は長い間、ベールに包まれてしまった。中国起原だとの疑惑への反撃に躍起となった中国当局のプロパガンダは、二〇一九年一〇月に武漢で軍人オリンピックが開催された際に米軍がウィルスを持ち込んだのかもしれない、とさえ言い出した。二〇二〇年九月の初め、中国の官製メディアは、「世界各地に米軍が設置している、バイオセイフティーレベルの高い二〇〇もの謎めいた研究所」に言及する動画をソーシャルネットワークにアップし、新型コロナウィルスはこうした研究所から漏洩した可能性がある、と示唆した。次に、外国から中国に輸入された冷凍品が発生源であった、という、先の説に負けないくらいあり得ない説が打ち出された。無論のこと、探すべき真実は別のところにある。中国当局はあらゆる手を使って隠蔽を図っているが、一つの可能性が浮上し、その信憑性は高まる一方である。二〇一二年に、雲南のある鉱山で労働者たちが感染したウィルスが大きな被害を出すことなく次第に広がり、中国の有名な女性研究者がこのウィルスに注目して武漢ウィルス研究所のＰ４ラボに持ち込んだ、というシナリオだ。その後、事故が起きてウィルスが研究所から流出したのではないだろうか？　これこそ、国際的な顔ぶれの二六名の研究者が二〇二一年三月四日付けの公開書簡で示した可能性の一つである。この書簡は、ＷＨＯの調査官が年初に武漢にアクセスできなかったことを問題視し、事故による流出の可能性を排除しないよう奨めている。これに署名した科学者たちは、さまざまなシナリオを検討すべきだと主張しており、そのうちには、武漢研究所の職員がコロナウィルスの試料採取の際に、もしくは発病した動物を輸送する際に、またはこうした試料由来の廃棄物を取り扱っている際に偶発的に感染した、というシナリオも含まれている。

一二月二二日付のルモンド紙に掲載された、綿密な精査に基づく記事[282]が、雲南省起原説を時系列に沿って紹介している。二〇一二年四月二五日、四二歳の男性が雲南の省都、昆明市（武漢から南西約一五〇〇キロ）の病院に入院した。この患者は二週間前からしつこい咳、高熱に悩まされていたが、呼吸が苦しくなる一方、というのが何よりも深刻だった。その翌日、年齢の幅が三二歳から六三歳の、同じ症状を呈する患者三名が同じ病院に入院した。翌々日は、四五歳の男性が入院した。一週間後、六人目の患者――三〇歳の男性――が加わった。全員が程度の差こそあれ、重篤な肺炎の同じ症状を呈していた。胸部のスキャナ撮影により、両肺にすりガラス陰影が認められた（今やすりガラス陰影は、新型コロナウィルス感染症に特有というわけではないが、同感染症の典型的症状の一つ、と認知されている）。患者のうちの三人は血栓症の症状を示した（血栓症は、新型コロナウィルス感染症の典型的な合併症の一つである）。墨江ハニ族自治県の通関にある廃鉱で働いたことがある、というのが患者たちの共通点であった。キクガシラコウモリのコロニーが幾つもあるこの廃鉱で、六人は最長で二週間ものあいだ、肥料となる蝙蝠の糞を掻き採る作業に従事した。三人は病院で亡くなった。それぞれ入院後一二日目、四八日目、一〇九日目の死であった。最も若い二人は一週間以内の闘病で回復した。残ったひとり（四六歳）は、入院してから四か月目にようやく退院した。中国政府は、この雲南起源説に関して絶対的な沈黙を保っていて、問題の廃鉱は密閉され、不謹慎な視線から守るべく厳重に管理されている。新型コロナは全人類にかかわる重大な問題であるのに、中国政府は沈黙と隠蔽の伝統を守り通している。この廃鉱がある村を訪れた外国人ジャーナリストは怒り狂う村人から手荒に追い払われ、廃坑の入り口には監視カメラが取り付けられ、廃坑に続く道には検問所が設けられ、通行は遮断されている。二〇二一年二月、ウィルスの発生源を探るために武漢に派遣されたＷＨＯの専門家チームは何も仕事をすることができなかった。中国当局は科学調査に必要な独立性など無視し、ＷＨＯと調査の実施条件について徹底的に交渉して少しも譲らず、チームのメンバーの決定に中国も関与することになった。結局のところ、選ばれたのは定評のある専門家ばかりだったが、ニューヨークタイムズによると、中国政府の監督下で既に実施された調査の結果を追認することしかできなかった。コロナ禍が発生してから一年、思い返せば長い道のりであった。当初、研究所からの流出という可能性を口にすると、陰謀説に過ぎないと決めつけられたり、トランプとトランプ政権の反中国攻撃に加担していると見なされたりした。だが、ル・ポワン誌の香港特派員、ジェレミー・アンドレが明らかにしているように、研究所からの流出説の出所《でどころ》はトランプ陣営ではない[283]。ワシントンにおいて誰よりも先に、研究過程での事故が二〇二〇年の破壊的なパンデミックを引き起こした可能性がある、と主張したのは、クリントン政権のシニアアドバイザーを務め、ジョー・バイデンを委員長とする上院外交委員会のスタッフディレクター補佐も務めた経験があり、現在は民間機関アトランティック・カウンシルのシニア研究員であるジェイミー・メッツルであった。民主党のエスタブリッシュメントとの結びつきが強いこのメッツルは二〇二〇年四月の段階で既に、数多くの論拠や証拠を挙げ、「今回のパンデミックが偶発的流出で始まった蓋然性は八五％である」と結論付けていた。公衆衛生、遺伝子工学の研究に精通し、中国通でもあり、ドナルド・トランプやマイク・ポンペオと比べて新型コロナを政治的に利用する可能性が低いメッツルの見解は無視することができない。二〇二一年三月一一日、中国の国務院総理、李克強は、中国はＷＨＯとの協力を継続し、ウィルスの発生源を突き止める研究を共同で進める、と約束した。「我々は、この調査を先に進めるため、ＷＨＯとの協力を継続する」と述べて。世界の何百人もの科学者が声をそろえ、中国の有言実行を求めた。中国の信用はまたしても地に墜ちた。

## 註

＊1　その後、初代大統領ナザルバエフのファーストネーム、ヌルスルタンに改称された。

＊2　ワールド・リソーシズ・インスティチュートは、一九八二年に設立されたアメリカのシンクタンク。

＊3　Institute for Energy Economics and Financial Analysis（ＩＥＥＦＡ）は、アメリカのシンクタンク。

＊4　このリース契約を提案したのは中国側ではなく、スリランカである、との見方もある。

＊5　今日に至るまで続いている中国とインドネシアの友愛の象徴するように、中国企業は二〇二一年にバンドンとジャカルタを結ぶ高速鉄道の建設の最終段階に入った。インドネシア最長のトンネル工事を伴うこの大事業の資金が、ＢＲＩの枠組みにおいて中国が供与する融資によってまかなわれたのは言うまでもない。

＊6　フリーランスのコンサルタントであるティエリー・ヴィルクロンは、フランス国際関係研究所で中央・南アフリカ観測機関のコーディネーターを務めるとともに、越境組織犯罪対策グローバル研究所（南アフリカ）と共同研究を行っている。

＊7　フォーリン・ポリシーは、一九七〇年にサミュエル・Ｐ・ハンチントンとウォーレン・デミアン・マンシエルが創刊した、アメリカの隔月発行ニュース誌。二〇〇九年の末まで、ワシントンＤＣで国際平和カーネギー財団によって発行されていた。二〇〇九年九月末に、ワシントンポストに買収された。

＊8　一国の排他的管轄権が及ぶ水域。

＊9　公正を期するため、中国国内ではコロナウィルスは実質的に広がっていないので、他の国とは異なり、ワクチン接種は喫緊の課題ではない、という事実は指摘しておきたい。

# 結論

二〇二一年六月二日、習近平主席は中国共産党政治局のメンバーを前にして、中国はより穏便な対外政策を模索すべきである、と述べた。この発言が意表を突いたのは、「戦狼」たち——攻撃的で、誹謗中傷だと批判されることが多い物言いゆえに物議をかもしている中国の外交官たち——による外交を問題視しているかのように聞こえたからだ〔中国のアクション映画「戦狼ウルフ・オブ・ウォー」に基づいて命名された戦狼外交とは、外交官らしからぬ攻撃的な発言を特徴とする、中国の好戦的な外交スタイルを指す〕。戦狼外交は多くの国との間に軋轢《あつれき》を生み、国際舞台での中国のイメージはおいそれとは回復しないほど傷ついた。ＢＢＣが新華社の報道として伝えたところによると、習主席は、共産党幹部と国営メディアに対して、「信頼され、愛され、尊敬される」中国のイメージを築くように努めるよう要請した。だが、どのようにして？　国際広報に磨きをかけ、この二年間でぐっと縮んでしまった友好国の輪を広げることによってだ。新華社によると、習近平は「友好国を増やして団結を図り、多くの国の信頼を勝ち取り、親中的な国際世論の拡大に努めることが必要だ」と諭《さと》した。中国は「度量と自信を示すだけでなく、国外への広報活動において謙虚で慎ましく」なるべきだ、とも述べた。中国共産党のプロパガンダ組織は、「中国国民の幸福、人類の幸福、そして誰もの繁栄」以外の何物も中国政府は望んでいない、という事実に光を当てるべきだ、との発言もあった。

習近平の以上の指示は、中国と主要国の多くとの関係が緊張を増すばかり、という現状抜きには考えられない。米国との緊張は当然のこととして、中国との仲がぎくしゃくしている国は、日本、オーストラリア、欧州連合、イギリス、フィリピン、マレーシア、インドネシア等々、枚挙に暇《いとま》がない。新型コロナのパンデミックは、中国が外交関係を改善するのに役立たなかった。その逆である。最近では、ウィルス拡散の原因を「研究所での取り扱い事故」とする説が米国で再燃している。当然ながら中国はこの説を受け入れず、「政治的工作」、「責任転嫁」だとしてアメリカ政府を非難している。中国のイメージをひどく傷つけた要因は他にも幾つもあり、新疆ウイグル自治区でウイグル人を一網打尽で強制収容所に閉じ込め迫害していることは、バイデン政権から「ジェノサイド」だとして非難されているし、香港の民主派の弾圧も国際社会から批判されている。以上の二つの問題にかんして中国政府の方針を擁護する「戦狼」たちの発言は傲慢だとみなされ、中国のソフトパワーにさらなるダメージを与えた。「効率が悪く」、「衰退の一途をたどっている」リベラルな民主主義体制を凌駕する、との売り込みで「中国モデル」をプロモートしてきた習近平と中国共産党にとってはとんだ災難である。習近平が外交官たちに、ポジティブでオープンな中国のイメージを伝えるべく力を尽くすように、と促した理由もそこにある。この新たな指示は、西側の政治モデルを貶《おとし》める中国のプロパガンダを擁護するためなら、――主としてソーシャルメディアを舞台として――フェイクニュースを流すことも敵を中傷することも厭《いと》わず、攻撃性をむき出しにせよ、と自国の外交官たちを煽ってきたこれまでの「戦狼」戦略とは正反対である。

最高権力者のこうした発言は、一九四九年に共産党が政権の座に上り詰めてからこのかた前代未聞、とまでは言わずとも、驚きを与える。公式の自己批判に近いからだ。中国当局が期待していたのとは正反対の反応を引き起こすことが殆どであった「戦狼外交」の失敗を認めた、と言ってもよかろう。戦狼外交のターゲットにされた者たちは、萎縮して譲歩するのではなく、むしろ自信を深め、何千人もの同国人から明快な応援のメッセージを受け取ったからだ。習近平が「失敗を認めた」のは明らかだとしても、この一八〇度旋回をどのように解釈すべきだろうか？　習は、党内政治のロジックに沿ってこのような発言を行ったのだろうか？　二〇二一年は、二〇二二年秋に開催される中国共産党第二〇回全国大会を準備している習にとって極めて重要な年である。習は来《きた》る全国大会で、一九八〇年代に鄧小平が改革に着手してから前例のない、三期目の続投を勝ち取ることを狙っている〔二〇一八年の憲法改正で既に、二期一〇年までという主席の任期制限が撤廃された〕。これに成功するのはそれほど簡単なことではない。党内には、米国をはじめとする西側陣営に真っ向から対決する彼の政策を評価せず、新たな「冷戦」には大きな危険が伴うと懸念する派閥が存在し、習は彼らを懐柔するために絶えず工作せねばならない。これから数週間もしくは数か月間に中国の指導体制の中でどのような動きがあるかを注視する必要があろう。北京の中心、紫禁城に隣接する中南海——中国政府や中国共産党の中枢——から、ある種の苛立ちが漏れ聞こえているからだ。これから事態が動いて明らかになるかもしれない。いずれにしても、これまでの数か月、米国との軋轢《あつれき》を筆頭に、緊張がかなり高まっていたことは確かだ。戦狼外交とは正反対の「礼節」を推奨する習の発言は、ジョー・バイデン政権の耳にも届いたことだろう。だが、実効性はどれほどあるのだろうか？　荒々しい言動を恣《ほしいまま》にしてきた中国の戦狼外交官たちは職を解かれていない。多くの国の専門家たちは習の言葉に対して懐疑的で、具体的な行動を待っている。

太陽は東から昇り西に沈むものだ、西側諸国はもごもご言うばかり。これは、弊履《へいり》のように擦り切れた常套句だ。[*1] だが本当だろうか。この本の執筆のために調査を行った私は、習近平をいただく中国は世界中と衝突する路線をとってしまった、との結論に達した。中国政府は、西側のパートナー国複数から反感を買いつつある、もしくは猜疑の眼差しを向けられつつある。これらの国では、世論も反発していることは論を俟《ま》たない。二〇一二年に習近平が最高権力の座に就いて以来、中国とその「戦狼」[*2] たちは、地球上の多くの国と仲違いをする、という見事なパフォーマンスを見せた。中国政府は、かなり以前より米国と激しく対立している(284)だけでなく、イギリス、カナダ、[*3] オーストラリア、インド、スウェーデンとも悶着を起こし、深刻度はやや低いとは言え、日本、韓国、ニュージーランドともぎくしゃくしている。今後、フランスやドイツとの関係も悪化することと思われる。ドイツは長年にわたって中国との対話路線を標榜していたのだが。折も折、東南アジアの隣国の多くは、同地域における強大な中国の影響力がますます増すのでは、と危惧している。欧州連合は、その機構の有力メンバーの声明を通じて、中国に対する「甘い認識」は捨て去った、今後は中国を「体系的ライバル」のカテゴリーに分類する、と明らかにした。[*4] かなり前から中国の影響圏に入っていたトルコでさえ最近は、新疆ウイグル自治区のウイグル人に対する当局の扱いに関して中国に説明を求め、イスラム教圏のなかでは初めて、ウイグルの悲劇に関して沈黙を破った。トルコ語系の言葉を話すウイグル人に加えられる迫害に、トルコも黙ってはいられなくなったのだろう。反中思想の持主とは間違っても呼べない人物、シンガポール首相のリー・シェンロンでさえも、中国政府が採っている政治路線は、国の規模の大小を問わず、多くの国との間に緊張を生んだ、と指摘した。BBCニュースの番組、「トーキング・ビジネス・アジア」に出演し、「中国が採った路線、およびその路線の中国にとっての良し悪しに関しては不確実な要素が多く、懸念される」と述べたのだ。また、「私は、これは中国のためにならない、と思う」とも付け加えた。[285] 二〇二一年三月一二日、米大統領ジョー・バイデン、日本の菅義偉首相、豪首相スコット・モリソン、インド首相ナレンドラ・モディは、クワッド首脳テレビ会議において、四か国のいずれかに対する中国の「攻撃」や「脅し」に対しては連携して対処することで合意した。会議終了後、バイデン政権で国家安全保障問題担当大統領補佐官を務めるジェイク・サリヴァンは、四人の首脳は「オーストラリアに対する脅し、尖閣諸島（日本が主権を行使しているが、中国が釣魚群島と呼んで領有権を主張している東シナ海の無人の島嶼群）水域への度重なる侵入、インド国境での攻撃[*5]」を非難した、と説明した。[286]

　中国が自ら陥《おちい》りつつある孤立を象徴する出来事をもう一つ挙げてみよう。一種の議会であるが決定権限を持たない機関、中国人民政治協商会議において、委員である許進が、義務教育や大学入試から英語を外すことを公式に提案した（二〇二一年三月初頭）。英語や他の外国語の学習は、国の若者にとって時間とエネルギーの無駄である、と同委員は述べた。[287] 中国はここ数年で、ソフトパワーの年次ランキングで順位を落とした。二〇二一年二月二五日に発表されたグローバル・ソフトパワー・インデックスの年次ランキングによると、二〇二〇年には五位であった中国は八位となり、ドイツ、日本、イギリス、カナダ、スイス、アメリカ、フランスの後塵を拝した。国際舞台において中国のイメージが長きにわたって悪化したことを示す後退であり、新疆ウイグル自治区と香港における弾圧、台湾に対する間断なき威嚇がもたらした付随的ダメージにほかならない。[288]

二〇二一年二月二五日、習主席は一時間に及ぶ演説――テレビ中継された――において、農村地帯における貧困撲滅の戦いに「完全勝利」した、と宣言した。そして「中国共産党の方針と中国の社会主義体制」は、中国が発展途上で出会う「リスク、課題、困難に対する本質的保証である」と豪語した。[289]中国は農村地帯に住む八億五〇〇〇万人の国民を驚くべきスピードで貧困から脱却させた、これは近代において他のどの国も達成できなかった「前例なき成功」だ、とも述べた。習主席は「貧困根絶は、人類のもう一つの奇跡であり、歴史的意義がある。これは、中国共産党に帰せられる大いなる名誉である」と結論付けた。[290]貧困根絶は習にとって以前より、主要テーマの一つであった。この目的が達成されたことは、中国共産党の正当性を担保する数少ない成功であることは否定できない。なお、貧困撲滅に次ぐ二番手のテーマは（未完の）台湾統合と国家としての自立である。

二〇二一年三月五日、首相〔国務院総理〕の李克強は、二〇二一年の軍事予算は二六〇〇億ドル（一兆三五五〇億元）となる、と発表した。これは二〇二〇年と比べて六・八％の増加に当たる。中国の軍事予算はここ何年か、コンスタントに増加している。アメリカの軍事予算（二〇二一年は九三四〇億ドルで、この数字はアメリカを除くすべての国の軍事予算の合計を上回る）と比べると見劣りするが、世界第二位である。[*6] 全人代の冒頭を飾る政府活動報告で李首相は、この予算により人民解放軍は「戦闘準備能力を高める」ことができる、と述べた。二〇二一年三月九日、習近平は、中国は「安全保障面で不安定で不確実な状況」に直面している、と発言し、「多様な困難で複雑な状況にいつでも対応するため、国の主権と安全保障と発展の利益を保全するため、近代的な社会主義国家の建設を力強く支えるため、全軍は戦闘準備を整えるべく努力を一元化せねばならない」と述べた。[291] ちなみに、上記の二〇二一年度軍事費は、一三二億ドル（前年比四％増）という台湾の軍事費の一六倍である。加えて、軍事専門家によると、中国が公式発表する数字は、実質的な軍事費と比べるとはるかに小さく、例えば新兵器開発費用は計算から除外されている。それにしても、なぜこのような膨大な軍事費を計上しているのだろうか？　外国からただちに、もしくは遠い将来に侵略されるおそれがあるのだろうか？　どう考えても、そのような恐れはない。それでは、いつの日か台湾を攻撃するためだろうか？　同じ血が流れている華人同士が殺し合うことになるのだろうか？　私が危惧するのは、国内で反対勢力が組織されて立ち上がった場合に、攻撃の矛先を逸《そ》らすために習近平が一《いち》か八《ばち》かで台湾攻撃を指令し、国民の愛国心を利用することで自分を中心とした一致団結を図る、という事態だ。二〇二一年三月二三日、アメリカの太平洋艦隊司令官であるジョン・アキリーノ海軍大将は上院軍事委員会の公聴会で、台湾に対する中国の軍事行動への警戒を促した。司令官は、中国は台湾進攻を「私たちの多くが考えているよりもずっと早く」実行に移す可能性がある」と懸念を示し、「私たちはこのことを考慮に入れ、緊急性を意識して、抑止手段を短期間のうちに整備する必要がある」[292]と述べた。

　中国出身で現在はポルトガルを拠点としている著名な彫刻家・キュレーターの艾未未《がいみみ》は、中国の挑戦を受けている西側の民主主義の未来について、次のように厳しい見方を示している。

> これが新たな現実だ。グローバリゼーションに伴って、大企業はいずれも中国と深くかかわって

> いるし、国境もイデオロギーも論法もいっさい存在しない。あるのは利益のみだ。戦略の観点から言って中国は勝者だ。
>
> 過去三〇~四〇年の民主化の波は終わろうとしている。アメリカ、ブラジルをはじめとする多くの国を見ればわかる通り、民主主義や自由主義国家はしっぺ返しを食らっている。これらの国の多くは国内に亀裂をかかえていて、これが、権威主義国家を優勢に立たせる要因となっている。ボルソナーロ〔ブラジル大統領〕、ウラジーミル・プーチン、習近平といった国家リーダーは、自分たちが望むものを手に入れることに巧妙に成功している。私は、彼らの天下はこれからも続き、彼らを止める手立ては存在しない、と思う。
>
> 私たちは今、きわめて危うい時代を生きている。パンデミックによって人々の意識が真の意味で目覚め、人間社会が将来直面するであろう問題に対して明白な戦略を練る、といったことは起こるまい。私たちは今、多くの点で、人類史上、前例がない事態に直面している。テクノロジー、中国をはじめとする強国、権威主義国家に対抗することができない西側諸国、さらには深刻な気候問題。こうした全てが、人類の未来を危うくしている。[293]

もっともな懸念だ。しかし私は艾《がい》のペシミズムを共有しない。私たちが厳しいイデオロギー戦争のフェーズに入ったことは本当だ。一方の陣営は中国を筆頭とする権威主義体制であり、他方は私たちの西側社会だ。前者が自信たっぷりに、確信と高揚したナショナリズムを後ろ盾として歩を進めているのに対して、後者は前代未聞のモラルの危機に見舞われ、精神的拠《よ》り所を失い、エリートに対する不信感を高め、世界の運命について延々と自問を繰り返している。情報操作、陰謀論、フェイクニュースが猛威を振るい、何百万人もの騙されやすい人々や無防備な人々を蒙昧《もうまい》主義の闇に陥《おとしい》れている一方で、世界のあちらこちらで社会は同一の人種や宗教に基づく閉鎖的な共同体によってモザイク化され、ポピュリズムによって蝕《むしば》まれている。

中国は、民主主義国家のこうした根深いモラルの危機や社会の分断を利用して駒を進めている。中国人は規律に従うし、市民としての一定のモラルを遵守している。彼らはもはや地面や床に痰《たん》を吐いたりしないし、煙草の投げ捨てもしないし、公共交通で無賃乗車を試みたりしない。アメリカのように血生臭い銃撃事件が起こることもない。中国では銃所持は厳禁である。[*7] これに対してフランスでは、都市郊外の低所得者用集合団地に住む一四歳の少年たちが殺し合うし、市民としてのモラルが守られることも稀《まれ》となった（とは言え、中国においても、二〇二一年二月に六歳の子供が一四歳の少年に殺されるというやりきれない事件が勉県（中国西北部の陝西省に位置する県）で起き、ソーシャルメディア上で熱い議論が巻き起こった）。

二〇二一年三月一八日、ジョー・バイデンの大統領就任後初めての米中外交トップ会談がアンカレッジ（アラスカ）で開催され、中国共産党の主要な外交責任者である楊潔篪《ようけっち》（中央政治局委員）はこの席で、リベラルな民主主義にとって代わることが可能なシステムの代表を中国が自任していることを明確にした。中国政府は、米政府が世界で唯一のお手本として民主主義を提唱するのをもはや容認せず、米国がリーダーとして采配を振ることの正当性に異議を唱えているのだ。「（米国の言い分は）国際世論ではないし、西側諸国の見解でもない」、と楊潔篪《ようけっち》は述べた。米中間の確執から透けて見えるのは、二つの社会モデルの対立である。このように警戒ランプは赤に変わろうとしているものの、私は、民主主義、自由な論議、知的な思考醸成は、単一思考、自由意志の消滅、検閲に打ち勝つ力をこれからも保つ、と心から確信している。

当然ながら、西側諸国が、こうすべきだ、ああすべきだと中国に説教を垂れる筋合いなどない。ましてや、米国が中国に指図するなどもってのほか、と言えよう。中国が驚くべきスピードで貧困を脱したのを目の当たりにして感心し、「世界の工場」となり、次に「世界の研究所」となったこの国の経済発展の勢いに目を見張った西側諸国は、交易と一九七八年に鄧小平が始めた外国への門戸開放はいつの日か中国に民主化をもたらし、その暁《あかつき》には中国も人類の普遍的価値を受け入れるであろう、と夢見るようになった。そこには、過去には何世紀にもわたって世界をリードする文明を誇っていたこの国に向けられた、ほぼ恋情に近い期待があった。この期待は、二〇〇一年一二月一一日に中国が世界貿易機関（ＷＴＯ）に加盟したときに明確な形をとった。これは中国にとって政治的大成功であり（なお、米国は中国のＷＴＯ加盟を強力に後押しした）、これで中国は世界の大貿易国の輪《わ》に同等の仲間として入ることができた。だが、その後、中国はルールを遵守せず、不正行為を働いた。すると、期待は警戒心に置き換えられた。そもそも、中国は西側が期待していたのと正反対の道をとったのだ。苦々しい幻滅。私たちは今日、裏切られたという痛みを伴う感情、とんでもない失敗をしたという思い、かつての権威主義へと恐ろしい勢いで後退しつつあるこの国がこれから何を生み出すのか分からない、という悲愴感を抱いている。

私たちが真実と向き合うときが来た。私が知っている中国研究者と現代中国の現実を認識している人々のほぼ全員、そして中国での取材経験が豊富なジャーナリストの多くが、中国政府と距離を置くようになった。中国から目を背《そむ》けて鼻をつまんでいる人さえ大勢いる。私には、彼らの気持ちや考えを勝手に代弁するつもりなどさらさらない。だが目を開こうではないか。知っているのに沈黙を保つことは、ある意味で共犯者になることではないだろうか？　最近、ここで名前を出すことは差し控える一人の友人が、以下のメッセージを私に寄越した。

> 中国人の血を引く私が知っている中国の姿は、ここ〔フランス〕で言われていることとはかけ離れています。私はイデオロギーの色眼鏡をかけずに、あらゆる視点を検討してみたいのです。他国の人々と同じ人間の集まりであり、欧米とは異なる先祖伝来の文化を持つ国に対して途方もない憎悪を焚きつけるようなことを私は望みません。そうした憎しみは、制御不能な逸脱を生み出すかもしれませんから。私が理想とするのは中国の現体制ではなく、米国でもなく、ましてやプロパガンダ戦争でもありません。私の中に流れるもう一つの民族の血は、あらゆる一体主義を警戒し、極右や原理主義の情報源から距離を置くよう、私を戒めます。

この率直で無垢な心情の吐露に心を動かされた私は、次のように返答した。四〇年前から中国を愛し、一九七八年からこの国が成し遂げた非凡なあらゆる進歩を心から称賛している私ですが、今は心が引き裂かれ、打ちのめされています。私は中国に、特に中国の国民に、憎しみを向けてはいません。ただし、中国のおぞましくショッキングな手法について大きな疑問、私たち全員の共有財産である地球に重大な影響を及ぼす政治や環境施策の方向性に深刻な疑問を抱いています。西側諸国は報道の自由を享受していますが、中国では正反対であり、報道は検閲され、黙らされ、権力の指令に服従しています。中国政府がその秘密を世界の人々に長いあいだ隠しておくことはもはや不可能となったのも、西側の自由で、複数が競い合う報道——私たちの民主主義の機能を守る砦の一つです——のおかげです。国際社会では今、中国が行っている弾圧や、中国がかき立てる懸念に関して、集団的な意識の目覚めが起こっています。この意識の目覚めは今後の数年でますます広まるでしょう。中国政府は、もし体面を保ちたいのなら、これまで私たちが聞かされている弁明よりも説得力のある答をもたらすほかなくなる、と私は心底確信しています。しかし、率直なところ、中国政府はそうした答をもたらすことができる、そして何よりも、そうする意思を持っている、とは思えないのです。今日の世界は、かつてなかったほどオープンです。障壁は取り払われ、それとともに仮面も脱げ落ちる。二一世紀は、アメリカの世紀とは呼べなくなることでしょう。しかし、中国の世紀ともならないでしょう。中国はおそらく二〇二八年前後に、世界一の経済大国となると思われますが、世界のリーダーにはなれないでしょう。それは不可能です。中国がリーダーになるには、羨ましいと思わせる政治システム、アメリカが提案しているシステムの代替案として信憑性の高い政治システム、逆効果しか生まない傲慢な戦狼外交を排除した強力なソフトパワー、そして世界の様々な地域に同時に介入することが可能な地球規模の威力と威光を持つ軍隊が必要となる。どう考えても、中国がこうした基準を満たすことは不可能です。この二一世紀は、情報と知識の世紀となります。人は知識と真実に飢えています。結局のところ、真実は虚偽に、光は闇に勝つでしょう。もはや誰も、文字とイメージの力を止めることができないのです。この情報戦争で習近平は一敗地に塗《まみ》れる、と私は確信しています。これは時間の問題です。習近平は西側の衰退は不可逆的で不可避だという方に賭けて、自分の掟を世界に強要することを狙っています。しかし彼はこの賭けに負けるでしょう。西側は、習近平の中国の行く手に立ちはだかるでしょう。米国は、国内に問題を抱えてはいても、経済、政治、テクノロジーの再生フェーズに入ったところであり、このフェーズはこの先何年も続くと思われます。そして欧州もアメリカの後に続こうとしています。加えて、各国の国民も政府も新型コロナ危機から教訓を引き出し、間違いを正し、思っても見なかった互いの親和力を再発見し、希薄となる傾向にあった絆を結び直しているところです。

　習近平と彼の体制は、自らが仕掛けた罠に墜《お》ちつつあります。不名誉に塗れ、信用を失って。二〇二一年三月七日、中国の外交担当国務委員で外相〔外交部長〕の王毅は、中国共産党はあと一〇〇年続く、と豪語しました。しかし、結局のところ中国は世界最大の共産主義国家にすぎず、中国共産党が構築したシステムは限界に達し、綻《ほころ》びの兆候が出始めています。

　二〇二一年三月一八日のアンカレッジにおける米中会談――ジョー・バイデンの大統領就任後初めての外交トップ会談――が大失敗に終わったことは、世界の二大強国のあいだに広がっている亀裂がどれほど大きいかを物語っており、これは地球の未来にとって不安材料です。二つのまったく異なる世界観の対立が白日のもとに晒されたのですから。開かれた社会のコンセプトと、水も漏らさぬよう閉じられた社会のコンセプトの対立です。私たちが今日《こんにち》直面している問題は、米中の覇権争いのレベルをはるかに超えています。二つの社会モデル――一方は人類の大多数に受け入れられている普遍的価値を標榜するモデル、他方はこれを一蹴するモデル――が正面からぶつかり合う、イデオロギーレベルの問題なのです。端的に言えば、民主主義と全体主義の対立です[*8]。今日、私たちが中国の人々と接して地球の運命について話し合うことが不可能なのは、非常に悲しいことです。これを不可能とする根本的な理由は、拙著で説明した通りです。中国国民がすぐさまこの話し合いに参加することは極めて重要なのですが。私たちと中国国民の間に再び橋が架けられるまで、どれくらいの時間がかかるのでしょうか？

二〇二一年に結党一〇〇周年を迎える中国共産党は、怪物を産み落としました。それは、一四億の人々に熱狂的なナショナリズムを吹き込み、視野狭窄に陥《おとしい》れて動員しようとする恐ろしいメカニズムです。これが人類に何をもたらすのかは、私にも分かりません。この歯車を止めることはもう不可能なのでしょうか？　私は時として、私たちを待っているのは第三次世界大戦ではないか、と自問します。現状を見ると、一方では、何百万もの人々を人質にとったファシズムがじわじわと進行し、他方では、抵抗運動がのろのろと拙《つたな》く、不統一かつ手探りで誕生しつつある。衝突が起きるのではないか、という懸念を私が抱くようになったのは昨日今日のことではありません。衝突は世界大戦に発展するのでしょうか？　恐らくはそうはならないでしょう、結局のところ。しかし、人間の情念がからむとき――今、まさに起こっていることです――、何ごとも絶対とは言えません。

## 註

*1　アジア主義を掲げ、西洋主義を批判する者のうち、最も辛辣な言説を弄しているのはシンガポールのキシ

ヨール・マブバニだと言えよう。リー・クアンユーとの親交が深かったシンガポール外務省高官であり、シンガポール国連大使（一九七一～二〇〇四年）、在カンボジア、在マレーシア、在米のシンガポール大使を務めた。マブバニは何年も前から、凋落しつつある米国と西欧の衰退は必至であり、中国とアジアが勝利するのは宿命だ、と予言している。

＊2　この表現は一般的に、党の指示に従い、中国が成し遂げた（とされる）成功——そのうちには、新型コロナのパンデミックをコントロールした中国政府の手腕も含まれる——を世界中に知らしめるために敢えて攻撃的な言動に走る中国人外交官を指す。「戦狼」と言う言葉は、呉京が監督・主演し、アフリカの観客を念頭に置いて制作された中国映画「戦狼　ウルフ・オブ・ウォー」に由来する。二〇一七年に公開されたこの映画は、ヨーロッパの民間軍事会社を黒幕とする反乱軍を制圧する中国軍特殊部隊隊員の活躍を描いている。戦狼外交官たちの言動は西側政官界をしばしば激怒させた。例えば、駐仏中国大使館のウェブサイトに一連の不適切な無記名の書き込みが投稿されたことを受け、ジャン＝イヴ・ル・ドリアン仏外相は二〇二〇年四月一五日、駐仏中国大使の盧沙野を外務省に呼び出して厳重に注意した。問題の書き込みは、新型コロナの感染が見つかったフランスの老人介護施設では職員が入居者を放置している、と揶揄《やゆ》していた。

＊3　アメリカの対イラン制裁に反してイランと違法な取引を行ったとの容疑がかけられているファーウェイの副会長、孟晩秋がカナダで逮捕されてから九日後の二〇一八年一二月一〇日、カナダ人二名（マイケル・スパバとマイケル・コヴリグ）が中国で拘束され、スパイ容疑で今も投獄されている。公式には二つの逮捕劇には何の関連もないが、中国当局がこれらカナダ人を逮捕したのは、カナダ政府から孟晩秋の放免を引き出すために、二人を取引材料にする意図があるからだ、と推測される。保釈された孟晩秋がヴァンクーヴァーの豪邸で生活し、GPS付きの電子タグを足首に装着していることを条件に、市内を自由に移動できるのに対して、マイケル・スパバとマイケル・コヴリグは、誰とも接触できない独房暮らしを続けている。「カナダと中国の間で司法取引が成立し、二〇二一年九月、孟晩秋がカナダを出国するとカナダ人二人も釈放された」

＊4　欧州議会議員のナタリー・ロワゾーは「私たちが中国に対して甘い考えを抱く時代は終わった。今の私たちの在り方、私たちの価値観、重み、力に恐れを抱くことを止めよう」と述べた。マリー＝ブレモーおよびピエール・ボント＝ジョゼフ執筆の記事「中国−EU協定　ナタリー・ロワゾーは〝私たちが中国に対して甘い考えを抱く時代は終わった〟と述べた」。*Publicsénat. fr*　二〇二一年一月三〇日〈https://www.publicsenat.fr/article/parlementaire/accord-chine-ue-le-temps-de-la-naivete-est-derriere-nous-estime-natalie〉

＊5　中印が領有権を巡って睨み合っているインド北部ラダックの国境地帯で、二〇二〇年六月一五日（火）から一六日（水）にかけての夜、両国の軍隊が交戦し、少なくともインド兵二〇名と中国兵四名が死亡した。中印の軍事衝突で死者が出たのは四五年ぶりである。

＊6　中国は現在、現役の空母三隻（ちなみに米国は一一隻）を所有しているが、二〇二一年初めに建造が始まった原子力空母一隻がやがて加わって四隻となる予定だ。ただし、米国は七〇を超える国に約八〇〇の基地を構えているのに対して、中国が国外に築いた軍事拠点はジブチの基地のみである。

＊7　二〇二一年三月一六日にアトランタで銃撃事件が起き、八名が死亡した。犠牲者のうちの六人はアジア系の女性であった。米国のアジア系コミュニティーの不安を掻き立てたこの惨劇の前にも、アジア人に対する敵対的な襲撃が多発していた（ドナルド・トランプ前大統領が新型コロナウィルスを呼ぶのに「中国ウィルス」という表現を頻繁に使ったことが引き金となったと思われる）。憎悪・過激主義研究センターによると、アジア系アメリカ人を標的とするヘイトクライムはアメリカの一六の大都市において、二〇二〇年には対前年比で一四九％も増加した。米議会は二〇二一年五月一八日、提案者たちが「人種差別と暴力からアジア系市民を守るための法律」と呼ぶ法律を採択した。民主党が多数を占める下院は、三六四対六二で同法案を可決した。四月、上院もほぼ満場一致で同法案に賛同した。ジョー・バイデン大統領（民主党）は一週間以内に「この重要な法律を発布したい」と意気込んでいる、とホワイトハウス報道官ジェン・サキは述べた。この法律（Covid-19ヘイトクライム法）は特に、アジア系アメリカ人を標的にした人種差別敵的暴力行為の通報があれば迅速に調査すること、こうしたヘイトクライムに有効に対処できるように州や自治体を支援す

ることを目的としている。

*8　米大統領ジョー・バイデンは、ワシントンにおける二〇二一年三月二五日の就任後初の記者会見で、この対立の輪郭を次のように要約した。「皆さんのお子さんとお孫さんたちは、専制主義と民主主義のどちらが勝ったかをテーマとして博士論文を書くことになるでしょう。問題はこれに尽きます。私たちは民主主義が機能している証拠を示さねばなりません」と述べた。Cf.「バイデンは初の記者会見で、民主主義への熱い思いを示した――まずは自国で」、ワシントンポスト、二〇二一年三月二五日。〈https://www.washingtonpost.com/opinions/at-his-first-news-conference-biden-showed-his-passion-for-democracy--starting-at-home/2021/03/25/f4d5117a-8dac-11eb-9423-04079921c915_story.html〉.

# 日本語版のための追記——台湾有事は起こるのか

この本が二〇二一年八月一九日にフランスで出版されてから、アジア太平洋地域ではさまざまな事態が起きた。なかでも、台湾をめぐる米中の対立という極め付きの緊張を孕む舞台における動きからは目が離せない。この対立は深まる一方であり、中米の軍事衝突の可能性さえも浮かび上がっている。

中国共産党体制は、ジョー・バイデン政権と台湾当局の漸進的な接近に反応するかのように台湾への威圧を強めている。中国の戦闘機が台湾の海岸のすぐそばまで迫る領空侵犯は何百回も起きている。こうした威嚇により中国政府は台湾国民に圧力をかけている。恐慌に金縛りとなった台湾国民が抵抗を諦め、習近平が夢見ている台湾統一を受け入れることを期待しているからだ。

しかし、共産主義中国に対抗する民主主義の砦である台湾を防衛する、というジョー・バイデン米大統領の決意が中国の思惑に待ったをかけている。このアメリカの決意に、日本、韓国、オーストラリア、インド、そしてニュージーランドまでもが足並みをそろえている。

ゆえに、一九四九年に毛沢東が権力を掌握して以来、中国はこれまでになく孤立している。米軍とともに積極的に有事に対処する姿勢を日本が明らかにしたことは、これを物語る最新のエピソードである。

日本の岸田文雄首相は二〇二一年一一月二七日、自衛隊による敵基地攻撃に必要な能力の獲得も含め「あらゆる選択肢」を検討する、と述べ、高まる一方の中国、北朝鮮、ロシアの脅威から自国を守るために自衛力を強化する、と約束した。

岸田首相は、日本を取り巻く安全保障環境が急速に変化しており、今の日本は「これまで以上に厳しい現実に直面している」と強調した。この〝厳しい現実〟を作り出しているのは、弾道ミサイル発射実験を繰り返しそのたびに精度を上げている北朝鮮、そして、恐ろしいほどの勢いで軍事力を強化し東アジアでますます攻撃的な動きを見せている中国にほかならない。

岸田首相は「我が国を取り巻く安全保障環境はこれまでにないスピードで大きな動きを見せている。ひと昔前にはSF小説の世界だったものが今まさに現実になっている」との認識を示し、そのなかにあって国民の命を守るために何が求められるのかを「冷静に現実的に議論をつきつめ」、国民にしっかりと理解してもらうよう努める、との方針を明らかにした。そして「敵基地攻撃能力の保有も含めあらゆる選択肢を排除せず検討し必要な防衛力を強化していく」との決意を示した。

外国の軍事施設を対象とする「攻撃能力」の獲得、という考えは日本の世論を二分している。反対する者の一部にとってこれは、一九四五年の大日本帝国敗戦後に米国に強要された平和憲法に違反するものである。

他方、防衛大臣の岸信夫は、日に日に悪化している安全保障環境に日本が対応できるように防衛費を増額する方針である、とまで明言した。

今日の日本政府は、中国による台湾の武力侵攻は、自国の安全保障と東アジア地域全体の安定性への直接的かつ深刻な脅威だと受け止めている。

こうした新たな緊張の高まりに並行して、日本国民のあいだでの中国のイメージは悪化している。二〇一四年にＢＢＣが実施した世論調査によると、中国に好感を抱いている日本人はわずか三％であり、七三％は否定的な感情を抱いていた。この七三％という数字は、対中国のマイナス感情として世界でも突出していた。しかも、この反中感情はその後にさらに高まっている。二〇一九年、アメリカのシンクタンク、ピュー研究所が実施した世論調査によると、今や日本人の八五％が隣国である中国に反感を覚えている。

以上の現首相や現防衛大臣の見解表明に先立つ二〇二一年七月一三日、日本の防衛省は防衛白書を発表し、その中で台湾を巡る緊張の高まりに懸念を示し、「台湾をめぐる情勢の安定は、我が国の安全保障にとってはもとより、国際社会の安定にとっても重要であり、我が国としても一層緊張感を持って注視していく必要がある」と強調している。同白書は、さまざまな先端テクノロジーで長足の進歩を遂げた中国がその成果を民用にとどまらず軍事に応用する可能性を指摘し、日本も対応を迫られている、と過去にないほどの危機感を表明している。

台湾周辺における中国の軍事活動に対する日本政府の懸念の高まりは、中国にも、中国にとっては「謀反省」である台湾にも近い、という日本の地理的条件から十分に理解できる。日本列島には数多くのアメリカ軍基地があり、そのうちには、東アジア最大のアメリカ空軍基地である沖縄の嘉手納基地も含まれる。台湾有事が起これば、こうした在日米軍基地は中国のミサイルの標的となる可能性がある。

二〇二一年四月、当時首相であった菅義偉は、二〇二一年一月に米大統領に就任したジョー・バイデンが初めて会う外国首脳としてホワイトハウスに迎えられた。会談を終えた二人は共同声明を発表し、台湾海峡の平和と安定が維持されることを重視する、と宣言した。一九七二年に日本政府が中華人民共和国を承認し、台湾との外交関係を断って以来、日本の総理大臣がこのような発言をしたのは初めてであった。

　私がこの文章を書いている二〇二一年一二月一日（水曜）、安倍元首相はさらに踏み込み、中国が台湾を軍事攻撃する場合、米国と日本が傍観することはあり得ない、中国政府はこのことを理解すべきだ、と述べた。台湾のシンクタンク、国策研究院が主催したフォーラムでの発言であり、元首相は「台湾有事は日本有事であり、日米同盟の有事でもある。この点を習近平国家主席は断じて見誤るべきではない」と強調した。さらには、日本、台湾、およびすべての民主主義国家は、習近平国家主席と中国共産党のその他の指導者に、選択を誤るべきではないと知らせるべきだ、とまで述べた。なお二〇二一年一一月、アメリカのアントニー・ブリンケン国務長官はすでに中国政府に警告を発していた。「中国が台湾に対して武力行使に出る場合、米国は同盟国とともに行動をとる」と。

　台湾有事は起こるのだろうか？　誰ひとり、答を知らない。しかし、私は起こらないと信じている。人民解放軍が敗れた場合、中国共産党は瓦解するだろうし、それとともに習近平の命運も尽きる。そこまでのリスクを習近平が取るとは思えない。

# 謝辞

私は、幾多の友の見識ある助言のおかげで多くのことを学びながら本著を書き進めた。この執筆は言ってみれば、真実を照らす一筋の光を求めての「長征」であった。

私が第一に感謝を捧げたいと思うのは、ローブ出版の編集者であるマノン・ヴィアールと、ご尊父である著名な社会学者、ジャン・ヴィアールである。二人は、私への信頼をことあるごとに表明し、完成にこぎつけられるか不確かであった今回の執筆を支援してくれた。このような企てを信じることは自明の理ではないだけに、私は大いに感激した。ローブは、旗幟を鮮明にすることを恐れない、と公言している出版社である。だからこそ、私は企画段階から安心感を覚えることができた。

時代が時代なだけに、このような本にかかわることには勇気がいるにもかかわらず、序文を寄せてくれたジャン＝ピエール・カベスタンにも心からお礼を述べたい。

執筆の最中に何度も逡巡した私を変わることなく支え、原稿に注意深く目を通してくれたユベール・テスタールにも感謝したい。彼の励ましは大変にありがたかった。

回を重ねても色褪せることのない調査ジャーナリズムの喜びをともに味わった百戦錬磨のレポーター、ティエリー・デュサールから秀逸なアイデアをもらえたことにも、感謝あるのみだ。

情報収集で貴重な協力者となってくれたカトリーヌ・マルテル＝ルソンにも改めてお礼を述べたい。

原稿に目を通し、きわめて建設的な提案によって考察を深めるのを助けてくれた妹のアンヌ＝ミシエールと旧友のユベール・ヴィレットにも感謝したい。

中国通の同業者、ジョエル・ガリュスにも、まったき謝意を表したい。多忙を極めているのに、私の原稿に目を通すという面倒な作業に正面から取り組んでくれたゆえに。

私の原稿を読んで貴重な意見を寄せてくれたマリー・オルズマンにも御礼《おんれい》申し上げる。

何一つ見逃すことのない炯眼で私を助けてくれたカティア・ビュフトリーユに、友情を込めてウィンクを送る。

ナンシー・リーのユーモアにあふれる驚きのコメントは、私にとって非常に有益だった。ナンシー、どうもありがとう。

おそらくは意図せずにだろうが、貴重な情報源へと導いてくれたパトリック・ボナシューにもお礼を述べたい。

その他にも、何ごとにも揺るがぬ友情で今回の執筆を支えてくれた人々がいた。彼らの名前はここでは敢えて伏せるが、本人たちは自分のことだと分かってくれるだろう。あなたたちの支えがなければ、この本はおそらく完成しなかっただろう。私の謝意を受け取って欲しい。

最後になるが、心からの感謝の気持ちを妻のモニカに捧げる。私にとって妻は疲れを知らぬミューズであり、精魂尽き果てた私に、溢れんばかりのエネルギーの一部を分け与えることに何度も成功した。また、夫婦で分かち合うべき時間の多くが本書執筆のために割《さ》かれても、嫌な顔一つせずに受け入れてくれた。これについて許してもらうには何をすべきか分からず、私は思案投げ首である。

# 監訳者あとがき

この本の著者、ピエール＝アントワーヌ・ドネはフランスの通信社ＡＦＰで長年、主としてアジアをカバーした経歴を誇るジャーナリストである。ストラスブールで政治学を学んだのち、国立東洋言語文化学院で中国語の学位を取得、香港と台湾で中国語に磨きをかけたのちにＡＦＰに入社した。一九八四年から八九年にかけてＡＦＰ北京支社に勤務し、一九九三年から一九九八年の五年間を特派員として日本で過ごした。そのため、日本語もなかなか達者である（現在は週に一度、遠隔個人授業で日本語を改めて勉強しているとのことだ）。

ドネはこれまでに一七冊の本を上梓しているが、そのなかから二冊が以前に訳書となって日本でも紹介されている。そのうちの一冊がフランスで一九九〇年に出版された『TIBET MORT OU VIF』であり、翌年にサイマル出版会から『チベット　受難と希望』との邦題で刊行され、二〇〇九年に岩波現代文庫に再録された。訳者は、時事通信社でニューヨーク、パリ特派員、ワシントン総局長を歴任した故山本一郎氏である。個人的な話であるが、私は山本氏に一度お目にかかったことがある。二〇〇九年、『チベット　真実の時　Ｑ＆Ａ』（フレデリック・ルノワール著、二玄社）を翻訳していた私は、翻訳コーディネーターの赤羽高樹氏の仲介で同氏の謦咳に接したのである。今回の翻訳の過程でドネとメールをやり取りするなかで、山本氏と私の一度きりの出会いについて言及したところ、山本氏は深い教養と感受性を持ち合わせた畏友であり、数年前にお嬢さんから山本氏の逝去を知らされたときは落涙した、と打ち明けてくれた。

　私が中国に関連する本を訳すのは今回で二度目となるが、『チベット　真実の時　Ｑ＆Ａ』のころから何も変わっていないどころか、中国国内の少数民族にとって事態がさらに悪化していることに絶望的にならざるを得ない。国民の圧倒的多数を占める漢人たちは、ウイグル人やチベット人などに対する迫害、国内の民主主義不在や国民監視システムをどのように思っているのだろうか。少数民族については、本書が引用するマリー・オルズマンの指摘のとおり、「優れた中国文化と同化したほうが彼らの為《ため》になる」と考えているのだろう。民主主義の不在については、文脈は異なるが「鼓腹撃壌《こふくげきじょう》」が中国人の本音であり、日本も含めた列国による干渉や侵略、内戦、毛沢東の「大躍進」政策による疲弊と前代未聞の飢餓、文化大革命の大混乱を経た国民にとって、締め付けが厳しかろうがお腹一杯食べられて治安が安定している現状は歓迎なのだろう。ドネはこれを、中国国民に許された唯一の自由は消費の自由であり、彼らはこれを貪っている、と説明している。

　環境問題は難しい。ドネが指摘するように、人口が多いという理由だけをもってしても、中国による大気汚染や温室効果ガス排出は地球全体に大きな影響を及ぼす。しかし、快適な生活をすでに手にしている先進国が中国人に「これ以上、地球を汚すな」と一方的に言う権利はない。ただし、人権問題においても同じであるが、先進国の過去を理由として現在の中国が地球環境に脅威を与えていることに目を瞑《つぶ》るのも間違っている。

中国の科学技術の発展には目を見張るものがあり、翻って日本では優秀な理系の学徒がポスドクとして滞留し、就職の目途もたたない現状は目も当てられない。なお、この点ではフランスも同じような問題を抱えていて、優秀な若い科学者が国内で就職できずにアメリカに渡ってしまう、と言われる。一方、中国は優秀な日本の——おそらく日本だけではないだろう——科学研究者を三顧の礼で迎えている。高給も魅力だが、それよりも研究者にとって嬉しいのは自由に使える豊富な研究費だそうだ。これに中国の国を挙げての産業スパイが加われば、日本など他国の科学技術〝主権〟は揺らいでしまうことは必定だ。

本書の最終章の主題であり、「結論」でも「日本語版への追記」でも触れている、中国の拡張主義および台湾有事の可能性は日本にとってもっとも身近な問題であろう。他のフランス人研究者が書いた本を読んでいたら、二〇三〇年までに中国が台湾に武力侵攻して強引に併合することを当然視していたので驚愕した。大変に気がかりなことなのでドネにも不安を打ち明けたところ、「それはないだろう」との返事があった。「追記」の結びも同じである。だが、「結論」の最後を読むと、ドネは自身の揺れる気持ちを正直に書いている。「人間の情念がからむとき、何ごとも絶対とは言えない」のだ。

私自身は地政学者でも政治学者でもないので、この本から得た知識に基づいて日本として、日本人としてどのように行動すべきか、という具体案はすぐには浮かんでこない。しかし、目を逸らすことなく、中国と中国に揺すぶられる世界の現状を直視することは必須であろう。その意味で、本書は大変に意義深いと確信している。

本書の刊行に当たっては、春秋社の小林公二氏、およびエスエフ・プレスの赤羽高樹氏、そしてメールによる問い合わせに常に即答してくれた著者に大変お世話になった。この場を借りて心から御礼申し上げたい。

二〇二二年一月八日

訳者を代表して　神田順子

# 世界を喰らう龍・中国の野望

2022年２月20日　第１刷発行

著　者――――ピエール＝アントワーヌ・ドネ
監訳者――――神田順子
訳　者――――清水珠代・村上尚子
発行者――――神田　明
発行所――――株式会社　春秋社
〒101-0021東京都千代田区外神田2-18-6
電話03-3255-9611
振替00180-6-24861
https://www.shunjusha.co.jp/
印　刷――――株式会社　太平印刷社
製　本――――ナショナル製本　協同組合
装　丁――――河村　誠


ISBN978-4-393-33389-1
定価はカバー等に表示してあります

**著者**

**ピエール＝アントワーヌ・ドネ** *Pierre-Antoine Donnet*

1953年、フランス北東部アルザスのコルマール生まれ。国立パリ東洋言語・文化学院中国語学科卒業。1982年にAFP通信社に入社し、1984年から1989年北京特派員。1993-98年は東京特派員。同通信社の主筆も務めた。邦訳著書『チベット受難と希望――「雪の国」の民族主義』（岩波現代文庫）、『欧州を脅かす日本――繁殖する睡蓮』（サイマル出版会）。アレクサンドラ＝ダヴィド＝ネール／ラマ・ヨンデン賞、チュルゴー金融ディレクター賞、チュルゴー特別賞などを受賞。

**監訳者**

**神田順子** *Junko Kanda*

フランス語通訳、翻訳家。訳書に、ピエール・ラズロ『塩の博物誌』（東京書籍）、ベルナール・ヴァンサン『ルイ16世』（祥伝社）、ジャン＝クリストフ・ビュイッソン他『王妃たちの最期の日々』（原書房）、アレックス・ブレゼ他『敗者が変えた世界史』（原書房）など多数。

**訳者**

**清水珠代** *Tamayo Shimizu*

フランス語翻訳者。訳書に、マリオン・ヴァン・ランテルゲム『アンゲラ・メルケル』（東京書籍）、ジャン＝クリストフ・ブリザール他『独裁者の子どもたち』（原書房）、ディアンヌ・デュクレ他『独裁者たちの最期の日々』（原書房）などがある。

**村上尚子** *Naoko Murakami*

フランス語翻訳家。訳書に、ミシェル・オーグ『セザンヌ』、パスカル・ボナフー『レンブラント』（以上、創元社）、アラン・ドゥコー『傑物が変えた世界史』、ブノワ・フランクバルム『酔っ払いが変えた世界史』（以上、共訳、原書房）などがある。

# 文献註


(1) François Heisbourg, *Le Temps des prédateurs*, Paris, Odile Jacob, 2020.

(2) Jean-Pierre Cabestan, *Demain la Chine : démocratie ou dictature ?*, Paris, Gallimard, 2018.

(3) Paul Bischoff, « Surveillance camera statistics : which cities have the most CCTV cameras ? », *Comparitech.com*, 22 juillet 2020. <https://www.comparitech.com/vpn-privacy/the-worlds-most-surveilled-cities/>.

(4) Daniel Kliman, Rush Doshi, Kristine Lee et Zack Cooper, *Grading China's Belt and Road*, CNAS, 2019. <https://s3.amazonaws.com/files.cnas.org/CNAS+Report_China+Belt+and+Road_final.pdf>.

(5) *Ibid.*, p. 23. Voir aussi Leigh Hartman, « La Chine exporte ses outils de répression dans le monde », *Share America*, 6 mai 2019. <https://share.america.gov/fr/la-chine-exporte-ses-outils-de-repression-dans-le-monde/>.

(6) Martin Untersinger, « Amnesty International dénonce l'exportation vers la Chine de technologies européennes de srveillance », *Le Monde*, 21 septembre 2020. <https://www.lemonde.fr/pixels/article/2020/09/21/amnesty-international-denonce-l-exportation-vers-la-chine-de-technologies-europeennes-de-surveillance_6052969_4408996.html>.

(7) Valentino Cimino, « Single Day 2020 : Alibaba et JD.com explosent leur record avec 62,58 milliards d'euros de ventes », *Siecledigital.fr*, 13 novembre 2020. <https://siecledigital.fr/2020/11/13/single-day-alibaba-jd-record/>.

(8) « Over half of Chinese adults overweight… », *BBC*, 23 décembre 2020. <https://www.bbc.com/news/world-asia-china-55428530>.

(9) Simone McCarthy et Zhuang Pinghui, « Did half a million people in Wuhan contract the coronavirus ? », *SCMP*, 29 décembre 2020. <https://www.scmp.com/news/china/science/article/3115725/did-half-million-people-wuhan-contract-coronavirus>.

(10) Laura Westbrook et Kanis Leung, « Hong Kong minister blasts city's disappearance from "world's freest economies" rankings, as compilers list the financial hub under China for first time », *SCMP*, 4 mars 2021. <https://www.scmp.com/news/hong-kong/hong-kong-economy/article/3124023/hong-kong-disappears-heritage-foundations-worlds>.

(11) Déclaration des ministres des Affaires étrangères du G7 sur la situation à Hong Kong, 12 mars 2021. <https://www.vie-publique.fr/discours/279015-ministere-de-leurope-et-des-affaires-etrangeres-12032021-hong-kong>.

(12) Rachida El Azzouzi, « Répression des Ouighours : "Briser, modeler, puis renvoyer dans la société" », *Mediapart*, 22 novembre 2020. <https://www.mediapart.fr/journal/international/221120/repression-des-ouighours-briser-modeler-puis-renvoyer-dans-la-societe>.

(13) Ursula Gauthier, « Un rapport chinois confirme la volonté de détruire les structures sociales ouïgoures », *L'Obs*, 3 mars 2021. <https://www.nouvelobs.com/monde/20210302.OBS40875/exclusif-un-rapport-chinois-confirme-la-volonte-de-detruire-les-structures-sociales-ouigoures.html#xtor=AD-192-[20210303_ouigours]>.

(14) Gulbahar Haitiwaji, *Rescapée du goulag chinois : premier témoignage d'une survivante ouïghoure*, Paris, Équateurs, 2021.

(15) Cette citation et les suivantes sont extraites d'un entretien accordé à Baptiste Fallevoz, « "Rescapée du Goulag chinois" par Gulbahar Haitiwaji : le témoignage d'une Ouïghoure de France », *Asialyst.com*, 12 janvier 2021. <https://asialyst.com/fr/2021/01/12/rescapee-du-goulag-chinois-gulbuhar-haitiwaji-temoignage-livre-ouighours-france/>.

(16) *Ibid.*

(17) Harold Thibaut, « “J’étais morte de l’intérieur” : une Ouïgoure rescapée des camps de rééducation en Chine témoigne », *Le Monde*, 19 janvier 2021. <https://www.lemonde.fr/international/article/2021/01/19/j-etais-morte-de-l-interieur-rescapee-des-camps-chinois-une-ouigoure-de-france-temoigne_6066730_3210.html>.

(18) Matthew Hill, David Campanale et Joel Gunter, « “Their goal is to destroy everyone” : Uighur camp detainees allege systematic rape », *BBC.com*, 2 février 2021. <https://www.bbc.com/news/world-asia-china-55794071>.

(19) Rachida El Azzouzi, « Gulbahar Jalilova, rescapée ouïghoure : “Nous ne sommes pas des êtres humains pour eux” », *Mediapart*, 22 novembre. <https://www.mediapart.fr/journal/international/221120/gulbahar-jalilova-rescapee-ouighoure-nous-ne-sommes-pas-des-etres-humains-pour-eux?utm_source=facebook&utm_medium=social&utm_campaign=Sharing&xtor=CS3-66&fbclid=IwAR32GvblCP9mP3>.

(20) Pour ceux qui souhaitent se documenter plus avant sur cette tragédie, nous ne saurions trop recommander la lecture du livre de la journaliste Sylvie Lasserre, *Voyage au pays des Ouïghours*, Saint-Claude-de-Diray, Hesse, 2020.

(21) Sorya Khaldoun, « Ouïghours : “La Chine remplit tous les critères de définition du génocide” », *France Info*, 13 mars 2021. <https://www.francetvinfo.fr/monde/chine/ouighours-la-chine-remplit-tous-les-criteres-de-definition-du-genocide_4332709.html?fbclid=IwAR3NqMdBWOpk5tzc2-6SC-y_c5fIvSubOsMv8Gtho4joG46L66H4IBya_R8#xtor=CS2-765-%5Bautres%5D->.

(22) Joel Gunter, « The cost of speaking up against China », *Bbc.com*, 31 mars 2021. <https://www.bbc.com/news/world-asia-china-56563449>.

(23) « Au Xinjiang, la mémoire en ruines des cimetières musulmans », *Le Point*, 9 octobre 2019. <https://www.lepoint.fr/monde/au-xinjiang-la-memoire-en-ruines-des-cimetieres-musulmans-09-10-2019-2340180_24.php>.

(24) Frédéric Lemaître, « 2020, mauvaise année pour les journalistes étrangers en Chine », *Le Monde*, 2 mars 2021. <https://www.

lemonde.fr/actualite-medias/article/2021/03/02/2020-mauvaise-annee-pour-les-journalistes-etrangers-en-chine_6071636_3236.html>.

(25) « Inside China's police state tactics against muslims », *The Intercept*, 3 février 2021. <https://theintercept.com/2021/02/03/intercepted-china-uyghur-muslim-surveillance-police/?fbclid=IwAR0tkdWaT3sUQFzj72LwVCK-r3eSI9BKD6qVjt5GtlZHUqfx-ruQ-Ukb9M4>.

(26) Déclaration de M. Jean-Yves Le Drian, ministre de l'Europe et des Affaires étrangères, en réponse à une question sur la situation des Ouïghours en Chine, au Sénat le 10 mars 2021. <https://www.vie-publique.fr/discours/278951-jean-yves-le-drian-10032021-ouighours-en-chine>.

(27) *Ibid.*

(28) « Dutch Parliament : China's treatment of Uighurs is genocide », *Reuters.com*, 26 février 2021. <https://www.reuters.com/article/us-netherlands-china-uighurs-idUSKBN2AP2CI>.

(29) Propos tenus le 22 février à un forum traitant des relations Chine/États-Unis. « Xinjiang, Tibet "shining xamples" of our human rights progress : China », *Wionews.com*, 22 février 2021. <https://www.wionews.com/world/xinjiang-tibet-shining-examples-of-our-human-rights-progress-china-365449?fbclid=IwAR2Qc1i115dfa65gV-KHiFdnI-DbwHALPoTxoIbeXodiXdw-gpLs-lxKUCY>.

(30) Jérémy André, « Comment la Chine pousse ses pions à l'université », *Le Point*, 25 février 2021. <https://journal.lepoint.fr/comment-la-chine-pousse-ses-pions-a-l-universite-2415125>.

(31) O. C., « Le premier adjoint de Strasbourg demande des explications à Christian Mestre, déontologue de l'Eurométropole », *Dernières nouvelles d'Alsace*, 25 février 2021. <https://www.dna.fr/societe/2021/02/25/le-1er-adjoint-de-strasbourg-demande-des-explications-a-christian-mestre-deontologue-de-l-eurometropole>.

(32) Raphaël Glucksmann, post sur sa page Facebook, 26 février 2021. <https://www.facebook.com/rglucks1/photos/a.107331528019087/117155390370034/?type=3>.

(33) Demetri Sevastopulo et Tom Mitchell, « Joe Biden holds first call with Xi Jinping since taking office », *Financial Times*, 11 février 2021. <https://www.ft.com/content/d637fa79-0002-41ee-97ab-08bb5c472562>.

(34) Adrian Morrow, « Biden talks tough on human rights in China », *The Globe and Mail*, 25 mars 2021. <https://www.theglobeandmail.com/world/us-politics/article-joe-biden-talks-tough-on-human-rights-in-china/>.

(35) « Rapahël Glucksmann : “Les citoyens veulent-ils financer une entreprise qui massacre des Ouïghours ?” », *Rue89 Strasbourg*, 27 février 2021. <https://www.rue89strasbourg.com/raphael-glucksmann-huawei-citoyens-massacre-ouighours-201534?fbclid=IwAR3OlehBXbun7g5-JuDc-25v0eq4Pw31Iout-c3hiTc1OGkdNvqmID33wIdU>.

(36) « Antoine Griezmann rompt son contrat avec Huawei, accusé de participer à la surveillance des Ouïghours », *Le Monde* avec AFP, 10 décembre 2020. <https://www.lemonde.fr/international/article/2020/12/10/antoine-griezmann-rompt-son-contrat-avec-huawei-accuse-de-participer-a-la-surveillance-des-ouigours_6062936_3210.html>.

(37) « Nabilla soutient les femmes ouighoures persécutées en Chine », *MCETV*, 9 mars 2021. <https://mcetv.fr/mon-mag-buzz/people/nabilla-soutient-femmes-ouighoures-08032021/>.

(38) « “La Chine doit fermer les camps de rééducation politique” en région ouïgoure », *Le Monde*, 10 octobre 2018. <https://www.lemonde.fr/idees/article/2018/10/10/la-chine-doit-fermer-les-camps-de-reeducation-politique-en-region-ouigoure_5367381_3232.html>.

(39) Stephanie Nebehay, « Chine : la haute commissaire de l'Onu dénonce les violations dans le Xinjiang », *Reuters.com*, 26 février 2021. <https://www.reuters.com/article/chine-droits-de-l-homme-onu-idFRKBN2AQ257>.

(40) Clémentine Autain, « Ouïghours : création d'un collectif de soutien », *Clementine-autain.fr*, 3 octobre 2020. http://clementine-autain.fr/ouighours-creation-dun-collectif-de-soutien/>.

(41) « Exclusive : China formulating countermeasures against planned EU sanctions over Xinjiang ; no escape for some EU institutions

and poorly behaving individuals », *Global Times*, 19 mars 2021. <https://www.globaltimes.cn/page/202103/1218882.shtml>.

(42) « Ouïghours : l'UE, le Canada et les USA sanctionnent la Chine, Pékin réplique », *Le Point*, 22 mars 2021. <https://www.lepoint.fr/monde/ouighours-l-ue-le-canada-et-les-usa-sanctionnent-la-chine-pekin-replique-22-03-2021-2418887_24.php>.

(43) Raphaël Glucksmann, post sur Twitter, 22 mars 2021. <https://twitter.com/rglucks1/status/1373997665495703552>.

(44) « "Badge of honour" – Chinas sanctions UK politicians for Xinjiang "lies" », *Reuters.com*, 26 mars 2021. <https://www.reuters.com/article/uk-china-uk-xinjiang/china-sanctions-uk-entities-individuals-over-xinjiang-lies-idUSKBN2BH3LK>.

(45) Charlie Parker, « China denounced over "grave threat to academic freedom" », *The Times*, 29 mars 2021. <https://www.thetimes.co.uk/article/china-denounced-over-grave-threat-to-academic-freedom-z82kxh7lb>.

(46) Raphaël Glucksmann, post sur Facebook du 24 mars 2021. <https://www.facebook.com/permalink.php?story_fbid=125908482828058&id=106683624750544>.

(47) *Id.*, post sur Facebook du 26 mars 2021. <https://www.facebook.com/permalink.php?story_fbid=127342402684666&id=106683624750544>.

(48) Nathalie Guibert, « Controverse autour d'un article de propagande de la télévision d'État chinoise sur les Ouïgours », *Le Monde*, 31 mars 2021. <https://www.lemonde.fr/international/article/2021/03/31/quand-la-television-chinoise-cgtn-invente-une-journaliste-francaise_6075155_3210.html>.

(49) Pascal Hérard, Loup Bureau, Slimane Zeghidour, « Ouïghours : pourquoi le monde musulman ne réagit-il pas face aux persécutions du gouvernement chinois ? », *TV5 Monde*, 26 mai 2019. <https://information.tv5monde.com/info/ouighours-pourquoi-le-monde-musulman-ne-reagit-il-pas-face-aux-persecutions-du-gouvernement>.

(50) Entretien avec l'auteur, 5 mars 2021.

(51) Ben Westcott et Rebecca Wright, « First independant report into Xinjuang genocide allegations claims evidence of Beijing's "intent to destroy" Uyghur people », *CNN*, 10 mars 2021. <https://edi-

tion.cnn.com/2021/03/09/asia/china-uyghurs-xinjiang-genocide-report-intl-hnk/index.html>.

(52) « Uighurs : Chinese Foreign minister says genocide claims "absurd" », *BBC*, 7 mars 2021. <https://www.bbc.com/news/world-asia-china-56311759>.

(53) Justin Ramzy et Chris Buckley, « "Absolutely no mercy" : leaked files expose how China organized mass detentions of muslims », *New York Times*, 16 novembre 2019. <https://www.nytimes.com/interactive/2019/11/16/world/asia/china-xinjiang-documents.html>.

(54) Pierre-Antoine Donnet, *Tibet mort ou vif*, Paris, Gallimard, 1990, rééd. 2019.

(55) Cate Cadell, « Exclusive : China sharply expands mass labor program in Tibet », *Asialyst*, 11 décembre 2020. <https://www.reuters.com/article/us-china-rights-tibet-exclusive-idUSKCN26D0GT>.

(56) Entretien avec l'auteur, in *Tibet mort ou vif*, 2019, *op. cit.*, p. 321-322 et p. 325.

(57) Entretien avec l'auteur, 5 mars 2021.

(58) Robert Badinter, Discours prononcé à Paris le 14 mars 2015, lors de la déclaration du soutien de l'Europe au combat pour la liberté du Tibet. <http://www.tibet.fr/actions/paris-14-mars-2015-discours-de-monsieur-robert-badinter-ancien-ministre-de-la-justice-lors-du-rassemblement-europeen-pour-le-tibet/>.

(59) « Pelosi Statement on the 62nd anniversary of Tibet uprising day », communiqué de la Chambre des représentants, 10 mars 2021. <https://www.speaker.gov/newsroom/31021>.

(60) « Chine : des Mongols manifestent pour défendre leur langue à l'école », *Le Point*, 1er septembre 2020. <https://www.lepoint.fr/monde/chine-des-mongols-manifestent-pour-defendre-leur-langue-a-l-ecole-01-09-2020-2389900_24.php>.

(61) Brice Pedroletti, « Les Mongols de Chine manifestent pour la défense de leur langue et de leur identité », *Le Monde*, 2 septembre 2020. <https://www.lemonde.fr/international/article/2020/09/02/les-mongols-de-chine-manifestent-pour-la-defense-de-leur-langue-et-de-leur-identite_6050740_3210.html>.

(62) Mimi Lau, « Two sessions : Xi Jinping tells Inner Mongolia's NPC deputies to put Mandarin first in schools », *SCMP*, 6 mars 2021. <https://www.scmp.com/news/china/politics/article/3124370/two-sessions-xi-jinping-tells-inner-mongolias-npc-deputies-put>.

(63) Enquêtes de l'ONG basée à San Francisco Global Energy Monitor et du Centre for Research on Energy and Clean Air (CREA), *think thank* indépendant, cités dans un article de Harry Pearl, « China's coronavirus recovery drives boom in coal plants, casting doubt over commitments to cut fossil fuels », *SCMP*, 13 décembre 2020. <https://www.scmp.com/economy/china-economy/article/3094098/chinas-coronavirus-recovery-drives-boom-coal-plants-casting>.

(64) Jean-François Huchet, *La crise environnementale en Chine*, Paris, Presses de Sciences Po, 2016, p. 85-86.

(65) Jean-Michel Gradt, « Centrales à charbon : la Chine donne le mauvais exemple », *Les Échos*, 28 mars 2019. <https://www.lesechos.fr/industrie-services/energie-environnement/centrales-a-charbon-la-chine-donne-le-mauvais-exemple-1004442>.

(66) Melyun Lin, Larry W. Horowitz, Arlene M. Flore et al., « Transport of Asian ozone pollution into surface air over the western United States in spring », *Journal of Geophysical Research : Atmospheres* 117, février 2012. <https://www.researchgate.net/publication/232702108_Transport_of_Asian_ozone_pollution_into_surface_air_over_the_western_United_States_in_spring> ; et Douglas M. Main, « A new East Asian import : ozone pollution », *Greenblogs.nytimes.com*, 6 mars 2012. <http://green.blogs.nytimes.com/2012/03/06/a-new-east-asian-import-ozone-pollution>.

(67) *World Energy Outlook 2009*, Paris, Agence internationale de l'énergie, novembre 2009. <https://www.iea.org/reports/world-energy-outlook-2009>.

(68) Cabinet international de conseil en stratégie, créé à Boston en 1963.

(69) *South China Morning Post*, 21 octobre 2020.

(70) *South China Morning Post*, 15 décembre 2020.

(71) *Le Canard enchaîné*, 14 octobre 2020.

(72) *Financial Times*, 9 janvier 2015.

(73) Jean-François Huchet, *La crise environnementale en Chine*, 2016, *op. cit.*, p. 105.

(74) *Ibid.*, p. 109.

(75) Hubert Testard, « Changement climatique : où en est la Chine ? », *Asialyst*, 21 janvier 2021. <https://asialyst.com/fr/2021/01/21/changement-climatique-ou-en-est-chine/>.

(76) Xeni Jardin, "Beijing air akin in smoking lounge", *Bloomberg News*, 31 janvier 2013. <https://boingboing.net/2013/01/31/beijing-air-quality-is-like-li.html>.

(77) http://ajw.asahi.com/article/asia/china/AJ201302030021 (consulté le 4 février 2013).

(78) Jean-François Huchet, *La crise environnementale en Chine*, 2016, *op. cit.*, p. 10.

(79) Robert A. Rohde, Richard A. Muller, « Air Pollution in China : mapping of concentrations and sources », PlOS one 10(8), 2015. <http://berkeleyearth.org/wp-content/uploads/2015/08/China-Air-Quality-Paper-July-2015.pdf>.

(80) Yangzhong Huang, « Chocking to death : health consequences of air pollution in China », *The Diplomat*, 6 mars 2013. <http://thediplomat.com/2013/03/06/chocking-to-death-the-health-consequences-of-air-pollution-in-china>.

(81) Jean-François Huchet, *La crise environnementale en Chine*, 2016, *op. cit.*, p. 38.

(82) Muyu Xu et David Stanway, « China's ocean waste surges 27 % in 2018 : ministry », *Reuters.com*, 29 octobre 2019. <https://www.reuters.com/article/us-china-polltion-oceans/chinas-ocean-waste-surges-27-in-2018-ministry-idUSKBN1X80FL>.

(83) « Biodegradables will not solve China's plastics crisis », *Greenpeace.org*, 17 décembre 2020. <https://www.greenpeace.org/international/press-release/46066/biodegradables-will-not-solve-chinas-plastics-crisis/>.

(84) La déforestation : définition, données, causes et conséquences », *Notre-planète.info*, 11 décembre 2020. <https://www.notre-planete.info/environnement/deforestation.php>.

(85) « Chine », *Globalforestwatch.org*, 2020. <https://www.globalforestwatch.org/dashboards/country/CHN>.

(86) « Le Laos tente d'endiguer le trafic illégal des bois », *Leboisinternational.com*, 18 mars 2020. <http://www.leboisinternational.com/le-laos-tente-dendiguer-le-trafic-illegal-des-bois/>.

(87) FAO, *Global Forest Ressources Assessment 2020, Key findings*, décembre 2020. <http://www.fao.org/forest-resources-assessment/2020/en/>.

(88) Stéphane Lagarde, « Une loi pour protéger le Yangtsé : le plus grand fleuve de Chine asphyxié par la pollution », *Rfi.fr*, 27 décembre 2020. <https://www.rfi.fr/fr/asie-pacifique/20201227-une-loi-pour-prot%C3%A9ger-le-yangts%C3%A9-le-plus-grand-fleuve-de-chine-asphyxi%C3%A9-par-la-pollution>.

(89) Stephen Chen, « Drop by drop, China's Yangtze river is drying up », *SCMP*, 28 février 2021. <https://www.scmp.com/news/china/science/article/3123418/how-drop-drop-chinas-yangtze-river-drying>.

(90) Jean-François Huchet, *La crise environnementale en Chine*, 2016, *op. cit.*, p. 48.

(91) OCDE, *Examens environnementaux de l'OCDE: Chine 2007*, Paris, OCDE, 2007. <https://doi.org/10.1787/9789264031180-fr>.

(92) Jean-François Huchet, *La crise environnementale en Chine*, 2016, *op. cit.*, p. 51.

(93) Xie Haitao, Liu Hongqiao, Huang Jin et Zhang Xia, « Sip of death plagues cancerous river villages », *Caixinglobal.com*, 10 septembre 2013. <http://english.caixin.com/2013-10-09/100589447.html>.

(94) Viet Anh, « Experts worried about impacts of Chine Red River dams », *VnExpress International*, 2 mars 2021. <https://e.vnexpress.net/news/news/experts-worried-about-impacts-of-chinese-red-river-dams-4240742.html>. *VnExpress* est le premier journal au Viêt-nam qui n'ait pas de format papier. C'est l'un des sites Web les plus populaires au Viêt-nam.

(95) « La Chine va construire un barrage hydro-électrique au Tibet », *Chine-magazine.com*, 4 décembre 2020. <https://www.chine-magazine.com/la-chine-va-construire-un-barrage-hydroelectrique-au-tibet/>.

(96) Kinling Lo, « China-India relations : Beijing should speed up hydropower project, Tibetan official says », *SCMP*, 10 mars 2021. <https://www.scmp.com/news/china/diplomacy/article/3124698/china-india-relations-beijing-should-speed-hydropower-project>.

(97) Alda Engoian, « Kazakhstan, « Après la mer d'Aral, au tour du lac Balkhach de s'assécher ? », *Courrier international*, 27 mars 2021, <https://www.courrierinternational.com/article/kazakhstan-apres-la-mer-daral-au-tour-du-lac-balkhach-de-sassecher>, citant David Trilling, « China's water use threatens Lazakhstan's other big lake », *Eurasianet*, 17 mars 2021. <https://eurasianet.org/chinas-water-use-threatens-kazakhstans-other-big-lake>.

(98) *Ibid.*

(99) Jonathan Watts, « China makes gain in battle against desertification but has long fight ahead », *The Guardian*, 4 janvier 2011. <http://www.theguardian.com/world/2011/jan/04/china-desertification>.

(100) Jean-François Huchet, *La crise environnementale en Chine*, 2016, *op. cit.*, p. 81.

(101) Entretien avec l'auteur, 29 janvier 2021.

(102) Charlotte Anglade, « Pour lutter contre la sécheresse, la Chine ambitionne de faire la pluie et le beau temps », *LCI*, 16 décembre 2020. <https://www.lci.fr/environnement-ecologie/pour-lutter-contre-la-secheresse-la-chine-ambitionne-de-faire-la-pluie-et-le-beau-temps-2173009.html>.

(103) Claude Leblanc, « Pétrole : pour la Chine, l'occasion fait le larron », *L'Opinion*, 22 avril 2020. <https://www.lopinion.fr/edition/international/petrole-chine-l-occasion-fait-larron-216311>.

(104) « China commodity imports & exports : how China continues to dominate world trade », *Commodity.com*, 6 novembre 2020. <https://commodity.com/data/china/>.

(105) Vincent Collen, « Gaz : la Chine renforce ses liens avec la Russie », *Les Échos*, 2 décembre 2019. <https://www.lesechos.fr/monde/chine/gaz-la-chine-renforce-ses-liens-avec-la-russie-1153027>.

(106) Su-Lin Tan, « China's ban on Australian coal drives diversification, but can it fill the gap ? », *SCMP*, 17 janvier 2021. <https://

www.scmp.com/economy/china-economy/article/3117908/chinas-ban-australian-coal-drives-diversification-can-it-fill>.

(107) « La pénurie de sable, c'est pour bientôt ! », *Natura Sciences*, 29 avril 2020. <https://www.natura-sciences.com/environnement/penurie-sable.html>.

(108) Pascaline Boittiaux, « La Chine imbattable sur le marché du ciment », *Statista*, 10 juillet 2018. <https://fr.statista.com/infographie/14616/la-chine-imbattable-sur-le-marche-du-ciment/#:~:text=Une%20situation%20corrobor%C3%A9e%20par%20les, que%20le%20reste%20du%20monde>.

(109) « Submersion : le delta du Mékong est menacé de disparition ». *Courrier International*, 9 février 2020. <https://www.courrierinternational.com/article/submersion-le-delta-du-mekong-est-menace-de-disparition>. Reprise de l'article de John Reed, « The Mekong Delta : an unsettling portrait of coastal collapse », *Financial Times*, 5 janvier 2020. <https://www.ft.com/content/31bf27a4-1c0e-11ea-9186-7348c2f183af>.

(110) Vince Beiser, « Dramatic photos show how sand mining threatens a way of life in Southeast Asia », *National Geographic*, 15 mars 2018. <https://www.nationalgeographic.com/science/article/vietnam-mekong-illegal-sand-mining>.

(111) « Blé, maïs, soja : la Chine a eu très faim en 2020 », *Pleinchamp*, 3 décembre 2020. <https://www.pleinchamp.com/actualite/ble-mais-soja-la-chine-a-eu-tres-faim-en-2020>.

(112) Jean-François Huchet, *La crise environnementale en Chine*, 2016, *op. cit.*, p. 146.

(113) Entretien avec l'auteur, 9 janvier 2021.

(114) *Ibid.*

(115) Martine Valo, « Comment la pêche chinoise pille les océans de la planète », *Le Monde*, 4 avril 2013. <https://www.lemonde.fr/planete/article/2013/04/04/comment-la-peche-chinoise-pille-les-oceans-de-la-planete_3154101_3244.html>.

(116) Ian Urbina, « Secrets et puissance de la flotte de pêche chinoise », *Le Monde diplomatique*, novembre 2020. <https://www.monde-diplomatique.fr/2020/11/URBINA/62394>.

(117) Charles Clover, « How China's fisherman are impoverishing Africa », *Spectator*, 9 juin 2020. <https://www.spectator.co.uk/

article/how-china-s-fishermen-are-impoverishing-africa>. Repris dans *Courrier international*, 6 juillet 2020. <https://www.courrierinternational.com/article/peche-les-navires-usines-chinois-epuisent-les-eaux-africaines>.

(118) Joaquim Gaignard, « La Chine maritime et navale : pêche et prospection, l'avant-poste de la puissance », *Asialyst*, 10 octobre 2019. <https://asialyst.com/fr/2019/10/10/chine-maritime-navale-6-7-peche-prospection-avant-poste-puissance/>.

(119) Charles Clover, « How Chinas's fisherman… », 9 juin 2020, art. cité.

(120) Joaquim Gaignard, « La Chine maritime et navale… », 10 octobre 2019, art. cité.

(121) Liselote Mas, « Une flotte géante de navires chinois pêche en bordure des Galapagos, ONG et habitants lancent l'alerte », *France 24*, 6 novembre 2020. <https://observers.france24.com/fr/20200806-equateur-galapagos-flotte-chinoise-peche-alerte-environnement>.

(122) Charles Clover, « How China's fisherman… », 9 juin 2020, art. cité.

(123) « En photos : aujourd'hui, la plus importante flotte de pêche en Afrique de l'Ouest vient de Chine », *Greenpeace.org*, 2 février 2017. <https://www.greenpeace.org/africa/fr/les-blogs/2349/en-photos-aujourdhui-la-plus-importante-flotte-de-peche-en-afrique-de-louest-vient-de-chine/>.

(124) Martin Mateso, « La flotte de pêche chinoise, "nouveau pirate des mers" en Afrique de l'Ouest », *Francetvinfo.fr*, 16 janvier 2018.<https://www.francetvinfo.fr/monde/afrique/environnement-africain/la-flotte-de-peche-chinoise-nouveau-pirate-des-mers-en-afrique-de-l-ouest_3055631.html>.

(125) « Les dépenses de la Chine en matière de recherche et développement battent un nouveau record en 2019 », *French.xinhuanet.com*, 27 août 2020. <http://french.xinhuanet.com/2020-08/27/c_139322369.htm >.

(126) Antoine Izambard, *France-Chine, les liaisons dangereuses. Espionnage, business… révélations sur une guerre secrète*, Paris, Stock, 2019.

(127) *Idib.*, p. 40.

(128) « Huawei personnel worked with China's military on research projects », *Bloomberg.com*, 27 juin 2019. <https://www.bloomberg.com/news/articles/2019-06-27/huawei-personnel-worked-with-china-military-on-research-projects>.

(129) On lira utilement, sur ce sujet, « Huawei lève une armée de lobbyistes et de consultants pour imposer sa 5G en France », *Le Canard enchaîné*, 24 décembre 2019.

(130) Solenn de Royer et Nathalie Guibert, « L'intense lobbying du géant chinois Huawei auprès des décideurs politiques français », *Le Monde*, 3 mars 2021. <https://www.lemonde.fr/economie/article/2021/03/03/entrisme-ou-relations-tout-a-fait-normales-enquete-sur-la-french-connection-de-huawei-a-paris_6071760_3234.html>.

(131) Adrien Zenz, « "Huawei est une arme stratégique de l'État chinois pour réprimer les Ouïgours" », *Le Monde*, 5 mars 2021. <https://www.lemonde.fr/idees/article/2021/03/04/huawei-est-une-arme-strategique-de-l-etat-chinois-pour-reprimer-les-ouigours_6071970_3232.html>.

(132) Che Pan, « Beijing's biggest chipmaking champion SMIC faces uncertain future after US blacklisting », *SCMP*, 21 décembre 2020. <https://www.scmp.com/tech/big-tech/article/3114795/beijings-biggest-chipmaking-champion-smic-faces-uncertain-future>.

(133) Alexandra Alper, Toby Sterling et Stephen Nellis, « Trump administration pressed Dutch hard to cancel China chip-equipment sale : sources », *Reuters.com*, 6 janvier 2020. <https://www.reuters.com/article/us-asml-holding-usa-china-insight-idUSKBN1Z50HN>.

(134) Cheng Ting-fang et Lauly Li, « US steps up talks with Taiwan to secure chip supply chain », *Asia.nikkei.com*, 25 février 2021. <https://asia.nikkei.com/Business/Tech/Semiconductors/US-steps-up-talks-with-Taiwan-to-secure-chip-supply-chain>.

(135) « China forecast to fall far short of its "made in China 2025" goal for ICs », *IC Insight Research Bulletin*, 6 janvier 2021. <https://www.icinsights.com/data/articles/documents/1330.pdf>.

(136) Entretien avec l'auteur le 5 mars 2021.

(137) Sidney Leng, « China's semiconductor dream takes a hit as local authority takes over "nightmare" Wuhan factory », *SCMP*, 18 novembre 2020. <https://www.scmp.com/economy/china-economy/article/3110368/chinas-semiconductor-dream-takes-hit-local-authority-takes\>.

(138) Entretien avec l'auteur le 8 mars 2021.

(139) Amanda Lee, « China to curb "chaos" in semiconductor industry and hold bosses accountable for risky, loss-making projects », *SCMP*, 20 octobre 2020. <https://www.scmp.com/economy/china-economy/article/3106307/china-curb-chaos-semiconductor-industry-and-hold-bosses>.

(140) Entretien avec l'auteur.

(141) Cheng Ting-fang, « China's top chipmaker hires sought-after former TSMC executive », *Asia.nikkei.com*, 16 décembre 2020. <https://asia.nikkei.com/Business/China-tech/China-s-top-chipmaker-hires-sought-after-former-TSMC-executive>.

(142) Raj Varadarajan, Antonio Varas, Marc Gilbert et al., « What's at stake if the US and China really decouple », *BCG*, 20 octobre 2020. <https://www.bcg.com/publications/2020/high-stakes-of-decoupling-us-and-china>.

(143) Antonio Varas, Raj Varadarajan, Jimmy Goodrich et Falan Yinug, *Government incentives and US competitiveness in semiconductor manufacturing*, Boston, BCG & SIA, septembre 2020. <https://web-assets.bcg.com/27/cf/9fa28eeb43649ef8674fe764726d/bcg-government-incentives-and-us-competitiveness-in-semiconductor-manufacturing-sep-2020.pdf>.

(144) « Taïwan approves chipmaker TSMC's plan to invest $3.5 bln in new Arizona plant », *Reuters.com*, 22 décembre 2020. <https://www.reuters.com/article/usa-semiconductors-tsmc-idUSL1N2J20UK>.

(145) Natalia Drozdiak et Helene Fouquet, « EU weighs deal with TSMC, Samsung for semiconductor foundry », *Bloomberg.com*, 11 février 2021. <https://www.bloomberg.com/news/articles/2021-02-11/europe-weighs-semiconductor-foundry-to-fix-supply-chain-risk>.

(146) Ching-Tse Cheng, « Former Taiwan president admits “one country, two systems is dead” », *Taiwannews.com*, 12 mars 2021. <https://www.Taiwannews.com.tw/en/news/4149035>.

(147) Linda Jakobson, « Why should Australia be concerned about rising tensions in the Taïwan straits ? », *Chinamatters.org*, février 2021. <https://chinamatters.org.au/policy-brief/policy-brief-february-2021/>.

(148) Masha Borak, « Taïwan prosecutes semiconductor recruiters accused of illegally poaching talent for Chinese company », *SCMP*, 10 mars 2021. <https://www.scmp.com/tech/tech-war/article/3124845/taiwan-prosecutes-semiconductor-recruiters-accused-illegally-poaching>.

(149) Mensuel *L'Astronomie*, n° 145, janvier 2021, p. 32-34.

(150) *Ibid.*

(151) Rémy Decourt, « Chang'e est de retour sur Terre avec sa cargaison d'échantillons », *Futura Sciences*, 17 décembre 2020. <https://www.futura-sciences.com/sciences/actualites/lune-change-5-retour-terre-cargaison-echantillons-lunaires-54866/>.

(152) Kristin Huang, « China aims for commercial race with at least 20 Long March-8 rocket launches a year », *SCMP*, 22 décembre 2020. <https://www.scmp.com/news/china/military/article/3115067/china-aims-commercial-race-least-20-long-march-8-rocket>.

(153) William Zheng et Eduardo Baptista, « Touchdown for China's Mars river Zhu Rong after “nine minutes of terror” », *SCMP*, 15 mai 2021. <https://www.scmp.com/news/china/science/article/3133587/china-successfully-lands-mars-rover-zhu-rong-after-nine-minutes>.

(154) « Jiuzhang, un ordinateur quantique réaliserait en 3 minutes un calcul qui prendrait 2 milliards d'années à un superordinateur », *Lunif.com*, 8 décembre 2020. <http://www.lunil.com/jiuzhang-ordinateur-quantique-plus-puissant-superordinateur/>.

(155) Nathalie Mayer, « Fusion nucléaire : la Chine a allumé son “soleil artificiel” », *Futura Sciences*, 7 décembre 2020. <https://www.futura-sciences.com/sciences/actualites/fusion-fusion-nucleaire-chine-allume-son-soleil-artificiel-64846/>.

(156) AFP, « Fusion nucléaire : la Chine s'échauffe au soleil artificiel de demain », *Sciencesetavenir.fr*, 28 avril 2019. <https://www.sciencesetavenir.fr/fondamental/fusion-nucleaire-la-chine-echauffe-au-soleil-artificiel_133304>.

(157) Julien Lausson, « Le "soleil artificiel" de la Corée du Sud établit un nouveau record en fusion nucléaire », *Numerama.com*, 28 décembre 2020. <https://www.numerama.com/sciences/678606-le-soleil-artificiel-de-la-coree-du-sud-etablit-un-nouveau-record-en-fusion-nucleaire.html?fbclid=IwAR1-V9ysHaE6M06iiPCrc-goyB4N9rZWOh3oQoxWMbeupNzv1cJwAOQX4Tig>.

(158) Valérie Niquet, « La Chine et l'arme des terres rares », *Revue internationale et stratégique* 2011/4, n° 84, p. 105-113. <https://www.cairn.info/revue-internationale-et-strategique-2011-4-page-105.htm>. Sur ce sujet, lire l'ouvrage de Qiao Liang et Wang Xiangsui, *La guerre hors limites*, Paris, Rivages, 2003.

(159) Liu Zhen, « China raises rare earth quotas in goodwill trade signal to US », *SCMP*, 19 février 2021. <https://www.scmp.com/news/china/diplomacy/article/3122501/china-raises-rare-earth-quotas-goodwill-trade-signal-us>.

(160) « Factbox : rare earths projects under development in U.S. », *Reuters.com*, 22 avril 2020. <https://www.reuters.com/article/us-usa-rareearths-projects-factbox-idUSKCN2241L6>.

(161) William Stevens, « Chine : face à une urbanisation démesurée », *The McGill International Review*, 17 décembre 2018. <https://www.mironline.ca/chine-face-a-une-urbanisation-demesuree/>.

(162) « Yu Kingjian, Demas Nwoko et Freddy Mamami : trois architectes qui construisent autrement », *Courrier International* n° 1572, 17 décembre 2020, p. 65. <https://www.courrierinternational.com/revue-de-presse/portraits-yu-kongjian-demas-nwoko-et-freddy-mamani-trois-architectes-qui>.

(163) Nicolas Douay et Carine Henriot, « La Chine à l'heure des villes intelligentes », *L'Information géographique* 2016/3, vol. 80, p. 89-102. <https://www.cairn.info/revue-l-information-geographique-2016-3-page-89.htm#:~:text=La%20notion%20de%20ville%20intelligente, au%20d%C3%A9but%20des%20ann%C3%A9es%202010>.

(164) *Ibid.*

(165) David P. Goldman, *You will be assimilated. China's plan to sinoform the world*, Brentwood, Bombardier Books, 2020., p. XVI. David P. Goldman est connu pour sa tribune dans le *Asia Times Online* publiée sous le pseudonyme de Spengler. En 2011, il a publié le livre *How civilisations die* (« Comment meurent les civilisations »), Washington D.C., Regnery Publishing, 2020.

(166) *BBC*, 8 novembre 2019.

(167) Jean-Baptiste Mendes, « Espionnage industriel chinois : ambiance de “guerre froide” ou réalité de “la domination” ? », *Sputnik News*, 16 décembre 2020. <https://fr.sputniknews.com/international/202012161044940203-espionnage-industriel-chinois-ambiance-de-guerre-froide-ou-realite-de-la-domination/>.

(168) Crowdstrike, *Huge fan of your work : how turbine Panda and China's top spies enable Beijing to cut corners on the C919 passenger jet*, rapport, octobre 2019. <https://fr.scribd.com/document/430534695/Crowdstrike-Huge-Fan-of-Your-Work-Intelligence-Report>.

(169) « Airbus cibé par des cyberattaques, un espionnage industriel piloté depuis la Chine ? », *Capital*, 26 septembre 2019. <https://www.capital.fr/entreprises-marches/airbus-cible-par-des-cyberattaques-un-espionnage-industriel-pilote-depuis-la-chine-1351227>.

(170) « Airbus, la Chine rejette les soupçons d'espionnage », *France24.com*, 27 septembre 2019. <https://www.france24.com/fr/20190927-airbus-la-chine-rejette-les-soup%C3%A7ons-d-espionnage>.

(171) Raphaël Balenieri, « La Chine a fait un TGV toute seule », *Libération*, 4 juillet 2017. <https://www.liberation.fr/futurs/2017/07/04/la-chine-a-fait-un-tgv-toute-seule_1581577/>.

(172) Parmi les ouvrages en langue française de Roger Faligot : *Les services secrets chinois : de Mao à Xi Jinping*, Paris, Nouveau Monde, 2015 ; *Kang Sheng, le maître espion de Mao* (avec Rémi Kauffer), Paris, Tempus, 2014 ; et en langue anglaise : *Chinese spies : from chairman Mao to Xi Jinping*, London, C. Hurst & Co, 2019.

(173) Entretien avec l'auteur, 10 janvier 2021.

(174) « Soupçonnée d'espionnage industriel une étudiante chinoise est finalement condamnée pour “abus de confiance” », *Le Monde*, 18 décembre 2007. <https://www.lemonde.fr/societe/article/2007/12/18/soupconnee-d-espionnage-industriel-une-etudiante-chinoise-est-finalement-condamnee-pour-abus-de-confiance_991249_3224.html>.

(175) *Le Figaro*, 11 février 2021.

(176) John Power, « Chinese spying feears revived by security probe into Australian universities », *SCMP*, 11 février 2021. <https://www.scmp.com/week-asia/politics/article/3121400/chinese-spying-fears-revived-security-probe-australian>.

(177) « Deux anciens espions condamnés à 8 et 12 ans de prison pour trahison au profit de la Chine », *Le Parisien*, 10 juillet 2020. <https://www.leparisien.fr/faits-divers/deux-anciens-espions-condamnes-a-8-et-12-ans-de-prison-pour-trahison-au-profit-de-la-chine-10-07-2020-8351193.php>.

(178) Jérémy André, « Comment Pékin profite de nos chercheurs », *Le Point*, 18 mars 2021. <https://journal.lepoint.fr/comment-pekin-profite-de-nos-chercheurs-2418022>, pour les citations de ce paragraphe.

(179) *Ibid.*

(180) *Ibid.*

(181) « Les instituts culturels Confucius pris dans les tensions diplomatiques entre Chine et États-Unis », *Francetvinfo.fr*, 14 août 2020. <https://www.francetvinfo.fr/culture/les-instituts-culturels-confucius-pris-dans-les-tensions-diplomatiques-entre-chine-et-etats-unis_4075107.html >.

(182) Echo Xie, « China-US relations : White House denies backtracking on Confucius Institutes », *SCMP*, 12 février 2021. <https://www.scmp.com/news/china/diplomacy/article/3121554/china-us-relations-white-house-says-confucius-institutes>.

(183) Sun Haoran et Zhai Yusha, « Most cyber attacks from the US : report », *Global Times*, 10 juin 2019. <http://www.globaltimes.cn/content/1153777.shtml>.

(184) Élise Vincent, « Tensions entre les États-Unis, la Russie et la Chine après deux cyberattaques majeures », *Le Monde*, 13 mars 2021. <https://www.lemonde.fr/international/article/2021/03/13/

tensions-entre-etats-unis-russie-et-chine-apres-la-concomitance-de-deux-cyberattaques-majeures_6072975_3210.html>.

(185) Ingrid Vergara, « L'ampleur de la cyberattaque contre le logiciel de messagerie Microsoft Exchange inquiète Washington », *Le Figaro*, 8 mars 2021. <https://www.lefigaro.fr/secteur/high-tech/l-ampleur-de-la-cyberattaque-contre-le-logiciel-de-messa-gerie-microsoft-exchange-inquiete-washington-20210308>.

(186) Cody Godwin, « Facebook removes accounts of "China-based hackers" targeting Uighurs », *BBC.com*, 24 mars 2021. <https://www.bbc.com/news/technology-56518467>.

(187) « Facebook bloque une opération de cybersurveillance visant des expatriés ouigours », *Le Monde*, 25 mars 2021. <https://www.lemonde.fr/pixels/article/2021/03/25/facebook-bloque-une-operation-de-cybersurveillance-visant-des-expatries-oui-gours_6074427_4408996.html>.

(188) Pierre Alonso, « La Chine à l'école russe de la désinformation », *Libération*, 9 mars 2021. <https://www.liberation.fr/interna-tional/la-chine-a-lecole-russe-de-la-desinformation-20210309_ZKICU6EJ3BEHDMR55NAJS556VA/>.

(189) Yang Jisheng, *Renverser ciel et terre; la tragédie de la Révolution culturelle*, Paris, Seuil, 2020.

(190) Pierre-Antoine Donnet, « Livre: La Révolution culturelle en Chine à cœur ouvert », *Asialyst.com*, 19 janvier 2021. <https://asialyst.com/fr/2021/01/19/livre-chine-yang-jisheng-ausculte-revolution-culturelle-coeur-ouvert/>.

(191) Bernadette Arnaud, « La Chine réécrit-elle son histoire? », *Sciencesetavenir.fr*, 25 janvier 2021. <https://www.sciencesetave-nir.fr/archeo-paleo/archeologie/la-chine-reecrit-elle-son-his-toire_151199>.

(192) *Ibid.*

(193) Nicolas Weill, « Anne Cheng: "Cela ferait énormément de bien à la Chine de ne plus être cet 'empire du Milieu'" », *Le Monde.fr*, 21 février 2021. <https://www.lemonde.fr/livres/article/2021/02/21/anne-cheng-cela-ferait-enorme-ment-de-bien-a-la-chine-de-ne-plus-etre-cet-empire-du-milieu_6070692_3260.html>.

(194) Hannah Beech, « China's chairman builds a cult of personality », *Time Magazine*, 31 mars 2016. <https://time.com/magazine/south-pacific/4278204/april-11th-2016-vol-187-no-13-asia-europe-middle-east-and-africa-south-pacific/>.

(195) *Ibid.*

(196) Alex Payette, « Chine : flatteries à Xi Jinping, "patriotes" à Hong Kong et tensions dans le Parti », *Asialyst*, 25 mars 2021. <https://asialyst.com/fr/2021/03/25/chine-flatteries-xi-jinping-patriotes-hong-kong-tensions-parti-communiste/>.

(197) Jarrett Renshaw et Steve Holland, « Biden compares Xi to Putin, Républican voting restriction plans to segregation-era laws », *Reuters.com*, 25 mars 2021. <https://www.reuters.com/article/us-usa-biden/biden-compares-xi-to-putin-republican-voting-plans-to-jim-crow-laws-idUSKBN2BH1AY?il=0>.

(198) Marc Schildt, « "Demain la Chine : démocratie ou dictature ?" ; entretien avec l'auteur », *Lepetitjournal.com*, 11 juin 2018. <https://lepetitjournal.com/hong-kong/demain-la-chine-democratie-ou-dictature-entretien-avec-lauteur-232882>.

(199) Jean-Pierre Cabestan, *Demain la Chine : démocratie ou dictature ?*, 2018, *op. cit.*, p. 26-27.

(200) *Ibid.*, p. 41.

(201) *Ibid.*, p. 57.

(202) *Ibid.*, p. 94.

(203) *Ibid.*, p. 97.

(204) *Ibid.*, p. 98.

(205) *Ibid.*, p. 99.

(206) *Ibid.*, p. 109.

(207) *Ibid.*, p. 115.

(208) *Ibid.*, p. 120.

(209) *Ibid.*, p. 212.

(210) *Ibid.*, p. 265.

(211) *Ibid.*, p. 273.

(212) *Ibid.*, p. 285.

(213) Colum Murphy et Jing Li, « China teaches school children "Do as president Xi tells you" », *Bloomberg.com*, 4 février 2021. <https://www.bloomberg.com/news/articles/2021-02-04/china-teaches-school-children-do-as-president-xi-tells-you>.

(214) Claude Leblanc, « En Chine, Xi Jinping toujours plus haut devient “dirigeant du peuple” », *L’Opinion*, 6 janvier 2020. <https://www.lopinion.fr/edition/international/en-chine-xi-jinping-toujours-plus-haut-devient-dirigeant-peuple-207682>.

(215) Frédéric Lemaître, « En Chine, la “pensée Xi Jinping” ne fait pas l’unanimité », *Le Monde*, 16 juin 2020. <https://www.lemonde.fr/international/article/2020/06/16/en-chine-la-pensee-xi-jinping-ne-fait-pas-l-unanimite_6043030_3210.html>.

(216) « Clubhouse discussion app knocked offline in China », *BBC.com*, 8 février 2021. <https://www.bbc.com/news/technology-55982137>.

(217) Li Yuan, « The great firewall cracked, briefly. A people shined through. », *New York Times*, 9 février 2021. <https://www.nytimes.com/2021/02/09/technology/china-clubhouse.html>.

(218) Claude Leblanc, « La Chine, la démocratie et l’esprit de revanche », *L’Opinion*, 8 juin 2020. <https://www.lopinion.fr/edition/international/chine-democratie-l-esprit-revanche-218352>.

(219) Echo Xie, « Chinese President Xi Jnping says corruption remains biggest threat to Communist party », *SCMP*, 23 janvier 2021. <https://www.scmp.com/news/china/politics/article/3118964/chinese-president-xi-jinping-says-corruption-remains-biggest>.

(220) Stéphane Corcuff, « La littérature comme outil d’analyse politique », préface. In Gwennaël Gaffric (dir.), *Formosana, Histoires de démocratie à Taïwan*, Paris, L’Asiathèque, 2021, p. 9.

(221) Liu Zhen, « “Taiwan independence means war” : China’s Defence ministry warns Joe Biden against siding with Taipei », *SCMP*, 28 janvier 2021. <https://www.scmp.com/news/china/military/article/3119663/taiwan-independence-means-war-chinas-defence-ministry-warns>.

(222) Marc Marmino et Layne Vandenberg, « The role of political culture in Taiwan’s Covid-19 success », *The Diplomat*, 25 janvier 2021. <https://thediplomat.com/2021/01/the-role-of-political-culture-in-taiwans-covid-19-success/>.

(223) Frédéric Lemaître, « 2020, mauvaise année… », 2 mars 2021, art. cité.

(224) Brice Pedroletti, « La télévision internationale chinoise privée d’antenne au Royaume-Uni », *Le Monde*, 6 février 2021.

<https://www.lemonde.fr/international/article/2021/02/05/la-television-internationale-chinoise-privee-d-antenne-au-royaume-uni_6068954_3210.html>.

(225) Judith Kormann, « “Pratiquement tous les produits chinois bon marché proviennent d’un camp de travail” », *Info.arte.tv*, 1er septembre 2015. <https://info.arte.tv/fr/pratiquement-tous-les-produits-chinois-bon-marche-proviennent-dun-camp-de-travail?fbclid=IwAR0q542ha0jESnqPzr6XjQOkM_2R59kCIi-aXWL-CpJgE--wVBgZ176Yq6ao>.

(226) « Diplomatie des “loups guerriers” : quand la Chine veut redéfinir les droits de l’homme à l’ONU », extrait de « Chine, la grande offensive », documentaire diffusé dans l’émission *Complément d’enquête* sur France 2 le 25 février 2021. *Francetvinfo.fr*, 25 février 2021. <https://www.francetvinfo.fr/monde/chine/video-diplomatie-des-loups-guerriers-quand-la-chine-veut-redefinir-les-droits-de-l-homme-a-l-onu_4309159.html>.

(227) Lu Shaye, « Allocution de l’ambassadeur Lu Shaye à l’occasion de la rencontre avec la Society for East Asian Affairs de Sciences Po », *Amb-chine.fr*, 12 mars 2021. <http://www.amb-chine.fr/fra/zfzj/t1860661.htm>.

(228) Zhang Zhulin, « Victoire. La Chine réélue membre du Conseil des droits de l’homme de l’ONU », *Courrier international*, 14 octobre 2020. <https://www.courrierinternational.com/revue-de-presse/victoire-la-chine-reelue-membre-du-conseil-des-droits-de-lhomme-de-lonu>. La parenthèse est de Zhang Zhulin.

(229) « La réalisatrice de Nomadland, primée aux Golden Globes, accusée d’être une “traîtresse” par la Chine », *Le Figaro.fr*, 6 mars 2021. <https://www.lefigaro.fr/culture/la-realisatrice-de-nomadland-au-coeur-d-une-polemique-en-chine-20210306?fbclid=IwAR35aYXX9_0dmVXB7A9pOR4GPxszr2duI-xD6Sxw6JDsVExf1e234rRhF2g>.

(230) « Old H&M comment on “forced labor” in China’s Xinjiang raises online storm », *Reuters.com*, 24 mars 2021. <https://www.reuters.com/article/us-china-xinjiang-cotton/hms-xinjiang-labour-stance-raises-social-media-storm-in-china-idUSKBN2BG1G4>.

(231) Robert Delaney, « UN panel warns that “well-known global brands” may be linked to Xinjiang human rights abuses »,

*SCMP*, 30 mars 2021. <https://www.scmp.com/news/china/article/3127537/un-panel-warns-well-known-global-brands-may-be-linked-xinjiang-human?utm_source=Facebook&utm_medium=share_widget&utm_campaign=3127537&fbclid=IwAR2dpEL1DOA5EFS6rqgacoadA7sC4Jjhk1EKYYwhqarmsP0jhx-kGtWS4s4>.

(232) François Heisbourg, *Le temps des prédateurs*, 2020, *op. cit.*, p. 34.

(233) Olivier Guillard, « Les « "Nouvelles Routes de la Soie" », la Chine et le néocolonialisme en Asie du Sud », *Asialyst*, 22 janvier 2021. <https://asialyst.com/fr/2021/01/22/nouvelles-routes-soie-chine-neocolonialisme-asie-sud-pakistan-birmanie/>.

(234) Jean-Pierre Cabestan, « Les nouvelles routes de la soie », *Études*, décembre 2019, p. 19-30. <https://www.cairn.info/revue-etudes-2019-12-page-19.htm>.

(235) David Dodwell, « The myth of China's "debt-trap" diplomacy must be put to bed once and for all », *SCMP*, 28 mars 2021. <https://www.scmp.com/comment/opinion/article/3127314/myth-chinas-debt-trap-diplomacy-must-be-put-bed-once-and-all>.

(236) Sur ce sujet, on pourra consulter utilement le travail universitaire d'Alexandre Debaune intitulé « Les Nouvelles Routes de la Soie : un cadeau empoisonné pour l'Asie Centrale ? », *Misterprepa.net*, 2 juin 2020. <https://misterprepa.net/les-nouvelles-routes-de-la-soie-un-cadeau-empoisonne-pour-lasie-centrale/>.

(237) « De "Nouvelles routes de la soie" durables, un défi impossible ? », *The Conversation*, 9 février 2020. <https://theconversation.com/de-nouvelles-routes-de-la-soie-durables-un-defi-impossible-130672>.

(238) Hubert Testard, « Changement climatique… », 21 janvier 2021, art. cité.

(239) « De "Nouvelles routes de la soie"… », 9 février 2020, art. cité.

(240) *Ibid.*

(241) Cissy Zhou, « China debt : Beijing may cut belt and road lending due to domestic pressure, to ensure future of project », *SMCP*, 24 novembre 2020. <https://www.scmp.com/economy/china-economy/article/3111052/china-debt-beijing-may-cut-belt-and-road-lending-due-domestic>.

(242) Olivier Guillard, « Face au créancier chinois, l'Asie du Sud saura-t-elle sortir du “piège de la dette” ? », *Asialyst*, 8 janvier 2021. <https://asialyst.com/fr/2021/01/08/face-crenacier-chine-asie-du-sud-sortir-piege-dette/>.

(243) Brice Pedroletti, « Au Kirghizistan, l'indésirable présence de la Chine », *Le Monde*, 7 février 2021. <https://www.lemonde.fr/international/article/2021/02/05/au-kirghizistan-l-indesirable-presence-chinoise_6068910_3210.html>.

(244) Yuan Jiang, « The continuing mistery of the Belt and Road », *The Diplomat*, 6 mars 2021. <https://thediplomat.com/2021/03/the-continuing-mystery-of-the-belt-and-road/>.

(245) Sur ce sujet, voir Asia Balluffier et Antoine Schirer, *Que fait la Chine en Afrique ?*, vidéo de la chaîne du *Monde*, mise en ligne sur YouTube le 22 février 2019. <https://www.youtube.com/watch?v=-ko5BxPz2OE>.

(246) Entretien avec l'auteur, 22 janvier 2021.

(247) Carrie Nooten, « La future ambassadrice à l'ONU et l'“adversaire stratégique” chinois », *Le Monde*, 5 février 2021. <https://www.lemonde.fr/international/article/2021/02/05/la-future-ambassadrice-a-l-onu-et-l-adversaire-strategique-chinois_6068905_3210.html>.

(248) *Ibid.*

(249) Julien Wagner, *Chine-Afrique, le grand pillage*, Paris, Eyrolles, 2014.

(250) Laurent Ribadeau Dumas, « L'Afrique serait-elle en passe de devenir une colonie chinoise ? », entretien avec Julien Wagner, *Francetvinfo.fr*, 20 septembre 2017. <https://www.francetvinfo.fr/monde/afrique/economie-africaine/lafrique-serait-elle-en-passe-de-devenir-une-colonie-chinoise_3059111.html>.

(251) *Ibid.*

(252) Afrikhepri Fondation, « Afrique : les agro-impérialistes font main basse sur les terres agricoles », *Afrikhepri.org*, s.d. <https://afrikhepri.org/afrique-les-agro-imperialistes-font-main-basse-sur-les-terres-agricoles/?fbclid=IwAR2v0io2aQ7YxR7gSLh-aJGXpLUGAk66NUK_uaPW0OWbQYuqdH5uFSUbD-o>.

(253) Malik Diawara, « Dette et colonisation de l'Afrique : ces peurs que réveille la Chine », *Le Point*, 7 mai 2019. <https://www.lepoint.

fr/economie/dette-et-colonisation-de-l-afrique-ces-peurs-que-rcveille-la-chine-03-09-2018-2247943_28.php>.

(254) David Mihalyi et Hervé Lado, « Amid plunging prices, Africa's commodity-backed debts to China become perilous », *Chinafricaproject.com*, 13 mars 2020. <https://chinaafricaproject.com/podcasts/amid-plunging-prices-africas-commodity-backed-debts-to-china-become-perilous/>.

(255) « La Chine pille les ressources de l'Afrique ? Ce n'est qu'un mythe ! », *Agence Chine nouvelle (Xinhua)*, 24 avril 2019. <http://french.xinhuanet.com/2019-04/24/c_138005703.htm>.

(256) Thierry Vircoulon, « Au bout de vingt ans, la "succes story" de la Chinafrique a des conséquences qui posent problème », *Le Monde*, 16 mars 2021. <https://www.lemonde.fr/afrique/article/2021/03/16/au-bout-de-vingt-ans-la-success-story-de-la-chinafrique-a-des-consequences-qui-posent-probleme_6073324_3212.html?fbclid=IwAR15YznZyrl-pvnyZAE-apebCqKai2rbUesgurxV_G4Djbj581HvgdQKn90>.

(257) François Heisbourg, *Le Temps des prédateurs*, 2020, *op. cit.*, p. 19, 21, 36.

(258) Jean-Raphaël Chaponnière, « Le Cambodge entre sanctions européennes et opportunités chinoises », *Asialyst*, 11 septembre 2013. <https://asialyst.com/fr/2019/09/11/cambodge-sanctions-europeennes-opportunites-chinoises/>.

(259) Pierre-Antoine Donnet, *Le leadership mondial en question ; l'affrontement entre la Chine et les États-Unis*, La Tour d'Aigues, l'Aube, 2020.

(260) Anyck Béraud, « Le Cambodge sous influence chinoise », *Cambodianess*, 29 novembre 2020.<https://ici.radio-canada.ca/nouvelle/1171564/cambodge-chine-influence-economie-politique>.

(261) Florence Evin, « Au Cambodge, les temples d'Angkor menacés par un parc d'attractions », *Le Monde*, 13 février 2021. <https://www.lemonde.fr/culture/article/2021/02/13/patrimoine-les-temples-d-angkor-menaces-par-un-parc-d-attractions_6069804_3246.html>.

(262) « "Angkor lake of wonder" : the shadow cast over Angkor by NagaWorld », *Cambodianess.com*, 29 novembre 2020. <https://

cambodianess.com/article/angkor-lake-of-wonder-the-shadow-
cast-over-angkor-by-nagaworld>.

(263) « Cambodia's new China-style gateway decried as repression
tool », *Reuters.com*, 18 février 2021. <https://www.reuters.com/
article/us-cambodia-internet/cambodias-new-china-style-inter-
net-gateway-decried-as-repression-tool-idUSKBN2AI140>.

(264) James Palmer, « Why are Myanmar's protesters targerting
China ? », *Foreign Policy*, 17 février 2021. <https://foreignpolicy.
com/2021/02/17/myanmar-protesters-target-china-misinforma-
tion-coup/>.

(265) Amber Wang et William Zheng, « Chinese in fear in Myanmar
after attacks on factories », *SCMP*, 15 mars 2021. <https://www.
scmp.com/news/china/diplomacy/article/3125510/chinese-fear-
myanmar-after-attacks-factories>.

(266) *Libération*, 16 mars 2021.

(267) Bethany Allen-Ebrahimian, « Estonia warns of "silenced world
dominated by Beijing" », *Axios.com*, 17 février 2021. <https://
www.axios.com/estonia-warns-of-silenced-world-dominated-by-
beijing-09e54843-6b45-491a-9bfd-e880f6f14795.html>. *Axios*
est un site américain indépendant d'informations en ligne créé
en 2017.

(268) Bethany Allen-Ebrahimian, « Growing number of countries issue
warnings on China's espionage », *Axios.com*, 16 février 2021.
<https://www.axios.com/china-espionage-europe-1ff03504-
0245-4b9c-b967-8807f6c75288.html>.

(269) Warren P. Strobel et Dustin Volz, « Les États-Unis dopent leur
budget dédié à l'espionnage de la Chine », *L'Opinion*, 4 décembre
2020. <https://www.lopinion.fr/edition/wsj/etats-unis-dopent-
leur-budget-dedie-a-l-espionnage-chine-231010>.

(270) Pour la rédaction de ce passage, je me suis largement inspiré d'une
remarquable analyse du *South China Morning Post*, un excellent
journal anglophone de Hong Kong dont les journalistes coura-
geux poursuivent leur travail d'information en dépit des pressions
multiples qui s'abattent sur la presse de Hong Kong. Voir Sarah
Zheng, « US-China tensions : Joe Biden signals tougher line
on Beijing with key appointments », *SCMP*, 21 février 2021.

<https://www.scmp.com/news/china/diplomacy/article/3122370/us-china-tensions-joe-biden-signals-tougher-line-beijing-key>.

(271) *South China Morning Post*, 28 février 2021.

(272) Graham Allison, *L'Amérique et la Chine dans le piège de Thucydide ? Vers la guerre*, Paris, Odile Jacob, 2019.

(273) *Ibid.*

(274) « U.S. stands with SE Asian countries against China pressure, Blinken says », *Reuters.com*, 28 janvier 2021. <https://www.reuters.com/article/us-usa-china-south-china-sea-idUSKBN-29X0C1>.

(275) Hoang Viet, « Mer de Chine : la France, l'Allemagne et le Royaume-Uni dans la bataille diplomatique », *APN News*, 2 octobre 2020. <https://asiepacifique.fr/mer-de-chine-france-allemagne-royaumeuni-bataille-diplomatique/>.

(276) *South China Morning Post*, 21 janvier 2021.

(277) Entretien avec l'auteur, 22 janvier 2021.

(278) Amber Wang, « France sends warships to South China Sea ahead of exercise with US and Japan », *SMCP*, 19 février 2021. <https://www.scmp.com/news/china/diplomacy/article/3122416/france-sends-warships-south-china-sea-ahead-exercise-us-and>.

(279) « China exported more than 220 billion masks in 2020 : government », *Agence France-Presse*, 29 janvier 2021. <https://www.france24.com/en/live-news/20210129-china-exported-more-than-220-billion-masks-in-2020-government>.

(280) Linda Lew, Mandy Zuo et Simone McCarthy, « China tilts to Covid-19 vaccine diplomacy as domestic jab programme lags », *SCMP*, 15 février 2021. <https://www.scmp.com/news/china/diplomacy/article/3121766/china-tilts-covid-19-vaccine-diplomacy-domestic-jab-programme>.

(281) Simone McCarthy, « Quad summit : US, India, Australia and Japan counter China's "vaccine diplomacy" with pledge to distribute a billion doses across Indo-Pacific », *SCMP*, 13 mars 2021. <https://www.scmp.com/news/china/diplomacy/article/3125344/quad-summit-us-india-australia-and-japan-counter-chinas>.

(282) Stéphane Foucart, « Les silences de la Chine, un virus repéré dès 2013, la fausse piste du pangolin… Enquête sur les origines du SARS-CoV-2 », *Le Monde*, 22 décembre 2020. <https://www.

lemonde.fr/sciences/article/2020/12/22/a-l-origine-de-la-pan-demie-de-covid-19-un-virus-sars-cov-2-aux-sources-toujours-enigmatiques_6064168_1650684.html>.

(283) Jérémy André, « Covid : "La thèse du laboratoire de Wuhan n'est pas une théorie du complot" », *Le Point*, 17 février 2021. <https://www.lepoint.fr/monde/covid-la-these-du-laboratoire-de-wuhan-n-est-pas-une-theorie-du-complot-17-02-2021-2414409_24.php>.

(284) Cf. mon ouvrage *Le leadership mondial en question…*, 2020, *op. cit.*, qui traite abondamment de cette question.

(285) Karisma Vaswani, « Singapore PM : "Considerable risk" of severe UC-China tensions », *BBC.com*, 12 mars 2021. <https://www.bbc.com/news/business-56318576>.

(286) Robert Delaney et Jacob Fromer, « "Quad" summit backs "demo-cratic" Indo-Pacific region, cites Chinese "aggression" », *SCMP*, 13 mars 2021. <https://www.scmp.com/news/china/diploma-cy/article/3125290/us-president-joe-biden-opens-quad-sum-mit-calling-alliance?utm_source=email&utm_medium=share_widget&utm_campaign=3125290>.

(287) Wang Xiangwei, « China walks fine line between stoking natio-nalism and seeking global engagement », *SCMP*, 13 mars 2021. <https://www.scmp.com/week-asia/opinion/article/3125260/china-walks-fine-line-between-stoking-nationalism-and-seeking>.

(288) Latika Bourke, « Australia enters top 10 in global ranking of soft power », *The Sydney Morning Herald*, 25 février 2021. <https://www.smh.com.au/world/europe/australia-enters-top-10-in-glo-bal-rankings-of-soft-power-20210225-p575ll.html>.

(289) « China's Xi trumpets "victory" in campaign to end rural poverty », *Reuters.com,* 25 février 2021. <https://www.reuters.com/article/us-china-politics-poverty-idUSKBN2AP09Q>.

(290) Mimi Lau, « Xi Jinping declares extreme poverty has been wiped out in China », *SCMP*, 25 février 2021. <https://www.scmp.com/news/china/politics/article/3123174/xi-jinping-declares-extreme-poverty-has-been-wiped-out-china>.

(291) Catherine Wong, « Xi Jinping tells China's military "be prepared to respond" in unstable times », *SCMP*, 9 mars 2021. <https://

www.scmp.com/news/china/military/article/3124733/xi-jinping-tells-chinas-military-be-prepared-respond-unstable>.

(292) Robert Delaney, « China's ability to invade Taiwan "much closer than most think", US Indo-Pacific Command nominee says », *SCMP*, 24 mars 2021. <https://www.scmp.com/news/china/military/article/3126702/chinas-ability-invade-Taïwan-much-closer-most-think-us-indo?utm_source=email&utm_medium=share_widget&utm_campaign=3126702>.

(293) Jamil Chade, « Genève montre le film que Pékin voulait cacher », *SwissInfo*, 12 mars 2021. <https://www.swissinfo.ch/fre/economie/gen%C3%A8ve-montre-le-film-dont-p%C3%A9kin-voulait-que-personne-ne-le-voie/46442890?fbclid=IwAR3PEqa_Z9kRACk-08w-5CxgQ4ki8pIGKKKESFTd4OjQ-7miTUidh-1492A#.YE3RIUxDnJM.facebook>.